EIKEN
Grade 1

英検
最短合格
シリーズ

the japan times 出版

## はじめに

本書は『出る順で最短合格！　英検®1級単熟語EX』の改訂版です。旧版同様、過去問データ（直近15年、約35万語）を徹底分析して作られています。

1級の受験者が語彙力を強化すべき理由は2つあります。

1つは、語彙力がリーディング、リスニング、ライティング、スピーキングすべての土台となるからです。単語や熟語を知らなければ、英語を読むことも、聞くことも、書くことも、話すこともできません。これは英検®受験者だけでなく、英語を学習するすべての人に共通する課題です。

そしてもう1つは、筆記大問1で高得点を取るためです。試験の最初に出題される筆記大問1の語彙問題は、リーディング問題の中で大きな割合を占めるばかりでなく、選択肢の意味さえ知っていれば正解することのできる、学習が結果に結びつきやすい問題形式だからです。筆記大問1の選択肢に並ぶ語句は、その他の問題に登場する語句よりもレベルが高めですが、ここで高得点を取れれば、合格に大きく近づくことができます。

以上のような理由から、本改訂版では初版に収録されていたattribute, obstinate, integrate, elaborate, revise, extinctなどの比較的やさしい語句の収録を見送る一方、accomplice, excruciating, fickle, incontrovertible, prowess, unkemptといった筆記大問1の選択肢に複数回登場している高難度の語句を、積極的に採用しました。そして即戦力を高めるため、筆記大問1の選択肢として登場した頻度を掲載順の主要な基準としました。

これらの語句の多くは読解問題やリスニング問題にも登場するため、マスターしておけば1級全体の対策になります。さらに、Unit 15～17では、筆記大問1の選択肢になっていない頻出語も取り上げていますので、筆記大問1以外の問題にも完全に対応することができます。

今回の改訂では、初版収録語の訳語や例文も大幅に見直しました。リスニングではイギリス人ナレーターが登場することに鑑み、イギリス発音を併記しています。また、単語を覚える際のきっかけとなるよう、語源情報も取り入れました。

Part 3の「テクニカルターム」には、生物名や病名、経済や歴史などの用語をまとめました。こうした語句は、意味さえ押さえておけば読解問題やリスニング問題に非常に役立ちます。中にはplacebo, concussion, lesion, arsonといった、筆記大問1の正解になった語も含まれているので、しっかり意味を頭に入れておきましょう。

見出し語句数は2,946、類義語、反意語、派生語などの関連語句を含めた総収録語句数は5,300強です。無料ダウンロード音声には、見出し語句と例文（共に英語）が収録されているので、音とセットで覚え、リスニング対策にも活用してください。

皆さんが本書を使って1級合格に必要な語彙力を身につけ、合格の栄冠を手にされることを心からお祈りしています。

編者

# 目次

## 本書の構成

本書は、皆さんが英検®1級の合格に必要な語彙力をつけることができるよう、過去15年分の過去問題を徹底的に分析して作られています。すべての情報を効果的に活用するために、構成を確認しましょう。

### 1 PartとUnit

全体を3つのPartに分け、さらに23のUnitに分割しています。Part 1（Unit 1～17）に単語、Part 2（Unit 18～20）に熟語、Part 3（Unit 21～23）にテクニカルターム（主に読解問題に登場する専門用語）を収録しています。

### 2 見出し項目

過去問データの分析に基づき、1級合格に必要な2,946語句を紹介しています。特にPart 1と2の掲載順は筆記大問1における出題頻度を主な基準としています。

### 3 発音記号

発音が米英で異なる場合は、| の後ろに英音を掲載しています。

### 4 語源情報

①の後ろには、語源情報を掲載しています。

### 5 訳語

訳語は、過去問の分析で「よく出る」と判断されたものを取り上げています。また必要に応じ、類義語・反意語の情報も載せました。訳語は赤フィルターで隠すことができます。

Part 1 Unit 01

主に筆記大問1で複数回正解になった語

0001 **lucrative** [lú:krətɪv]
① lucr（利益）+ -ative 形
形 利益の大きい、もうかる（≒profitable）（⇔unprofitable）

0002 **squander** [skwɑ́:ndər | skwɔ́n-]
動 〈金・時間・機会など〉を浪費する（≒waste）
▸ squander A on B で「AをBに浪費する」という意味。

0003 **flimsy** [flímzi]
形 ①〈物が〉壊れやすい；〈布などが〉薄っぺらな（≒shaky）（⇔sturdy）
②〈根拠などが〉説得力を欠く

0004 **incision** [ɪnsíʒən]
① in-（中に）+ cis（切る）+ -ion 名
名 切開
動 incise ～を切開する

0005 **lethargic** [ləθɑ́:rdʒɪk]
形 けだるい、無気力な（≒sluggish, listless）（⇔energetic, vigorous）
名 lethargy けだるさ

0006 **pinnacle** [pínəkl]
名 ①〈権力・名声などの〉頂点、絶頂（≒culmination, apex, zenith）
②〈教会などの〉小尖塔

0007 **allay** [əléɪ]
① al-（完了）+ lay（横たえる）
動 〈恐怖など〉を鎮める；〈苦痛・悲しみなど〉を和らげる（≒alleviate, lessen, mitigate）

0008 **feat** [fí:t]
名 功績、偉業、離れ業（≒accomplishment）

0009 **ransack** [rǽnsæk]
① ran（家）+ sack（探す）
動 〈場所〉をくまなく探す、引っかき回す

0010 **caustic** [kɔ́:stɪk]
形 ①〈批判が〉辛らつな（≒harsh）
② 腐食性の
副 caustically 辛らつに

0011 **frivolous** [frívələs]
形 〈人・行為などが〉軽率な、ふまじめな（≒flippant）（⇔serious）
名 frivolity 軽率

0012 **latitude** [lǽtət(j)ù:d]
名 ① 自由、裁量（≒liberty, discretion）
② 緯度
▸「経度」はlongitudeと言う。
形 latitudinal 緯度の

010

**アイコンの見方** 〈 〉… 他動詞の目的語、自動詞・形容詞の主語にあたる訳語であることを表します。
( ) … 訳語の補足説明/省略可能であることを表します。
[ ] … 訳語の注記/言い換え可能であることを表します。
名 … この色のアイコンは見出し項目の品詞を表します。
動 … この色のアイコンは派生語の品詞を表します。
≒ … 類義語を表します。 ⇔ … 反意語を表します。

8 9

| | |
|---|---|
| He decided selling key chains was not a **lucrative** business strategy. | 彼は、キーホルダーの販売は利益の大きいビジネス戦略ではないと判断した。 |
| She **squandered** all of her savings **on** overpriced skin treatments. | 彼女は高価なスキントリートメントに貯金をすべて費やした。 |
| He keeps the cleaning supplies in a **flimsy** cardboard box. | 彼は薄っぺらな段ボール箱に掃除用品を入れている。 |
| The surgeon made an **incision** in the chest. | 外科医は胸部を切開した。 |
| The medicine she takes makes her feel **lethargic**. | 彼女が服用している薬は彼女をけだるい気分にさせる。 |
| Winning the award was the **pinnacle** of her career. | その賞を受賞したことが彼女のキャリアの絶頂だった。 |
| He **allayed** his anxiety by taking slow, deep breaths. | 彼はゆっくりと深呼吸をすることで不安を和らげた。 |
| Swimming across the English Channel is quite the **feat**. | イギリス海峡を泳いで渡るのは至難の業だ。 |
| Thieves **ransacked** the local jewelry store late last night. | 昨夜遅く、泥棒が地元の宝石店を荒らした。 |
| The woman made **caustic** remarks about her neighbor's new haircut. | その女性は、隣人の新しい髪型について辛らつな発言をした。 |
| Her father begged her to stop her **frivolous** spending. | 父親は彼女に軽率な出費をやめるように頼んだ。 |
| The students are allowed some **latitude** in deciding what they study. | 学生たちは何を学ぶかについてある程度裁量が与えられている。 |

Track 001

00 12

011

**6 注記**

語法や関連語句、注意すべき複数形、共通の語源を持つ語など、幅広い情報を紹介しています。

**7 派生語情報**

見出し語と派生関係にある単語を取り上げています。

**8 例文**

Part 1と2のすべての見出し項目には、出題される意味や用法に沿ったシンプルで覚えやすい例文がついています。例文ごと覚えれば、語句の使い方も身につきます。

**9 音声トラック番号**

すべての見出し項目の語句と例文の英語が収録されています。音で聞き、自分でも発音することで、記憶はよりしっかりと定着し、リスニング力アップにもつながります。音声の再生方法はp. 008を参照してください。

**コラム**

各Part末に、語根に関するコラムを掲載しています。同じ語根を使う単語をまとめていますので、語根のイメージを身につけ、本文の語源情報の理解を深めてください。

## 音声のご利用案内

本書の音声は、スマートフォン（アプリ）やパソコンを通じてMP3形式でダウンロードし、ご利用いただくことができます。

### スマートフォン

1. ジャパンタイムズ出版の音声アプリ「OTO Navi」をインストール
2. OTO Naviで本書を検索
3. OTO Naviで音声をダウンロードし、再生

3秒早送り・早戻し、繰り返し再生などの便利機能つき。学習にお役立てください。

### パソコン

1. ブラウザからジャパンタイムズ出版のサイト「BOOK CLUB」にアクセス

**https://bookclub.japantimes.co.jp/book/b620568.html**

2. 「ダウンロード」ボタンをクリック
3. 音声をダウンロードし、iTunesなどに取り込んで再生
   ※ 音声はzipファイルを展開（解凍）してご利用ください。

# Part 1

# 単語

単語は、以下の優先順位を基に配列されています。

①筆記大問1で正解になった語の頻度
②筆記大問1で誤答になった語の頻度
③筆記大問1の選択肢以外で出題された語の頻度

筆記大問1の選択肢として出題された語が長文などで登場するケースも、数多くあります。

試験まで時間がなく、短時間で筆記大問1の対策をしたい場合は、Unit 1から学習してください。時間があり、Unit 1から始めて難しく感じた場合は、Unit 15～17を先に学習し、そのあとUnit 1から続けるとよいでしょう。

0001 **lucrative** □□□
[lú:krətɪv]
ⓘ lucr (利益) + -ative 形

形 利益の大きい、もうかる
(≒profitable) (⇔unprofitable)

0002 **squander** □□□
[skwά:ndər | skwɔ́n-]

動 〈金・時間・機会など〉を浪費する (≒waste)
► squander A on B で「AをBに浪費する」という意味。

0003 **flimsy** □□□
[flímzi]

形 ① 〈物が〉壊れやすい;〈布などが〉薄っぺらな
(≒shaky) (⇔sturdy)
② 〈根拠などが〉説得力を欠く

0004 **incision** □□□
[ɪnsíʒən]
ⓘ in- (中に) + cis (切る) + -ion 名

名 切開
動 incise ～を切開する

0005 **lethargic** □□□
[ləθά:rʤɪk]

形 けだるい、無気力な
(≒sluggish, listless) (⇔energetic, vigorous)
名 lethargy けだるさ

0006 **pinnacle** □□□
[pínəkl]

名 ① (権力・名声などの) 頂点、絶頂
(≒culmination, apex, zenith)
② (教会などの) 小尖塔

0007 **allay** □□□
[əléɪ]
ⓘ al- (完了) + lay (横たえる)

動 〈恐怖など〉を鎮める;〈苦痛・悲しみなど〉を和らげる
(≒alleviate, lessen, mitigate)

0008 **feat** □□□
[fí:t]

名 功績、偉業、離れ業 (≒accomplishment)

0009 **ransack** □□□
[rǽnsæk]
ⓘ ran (家) + sack (探す)

動 〈場所〉をくまなく探す、引っかき回す

0010 **caustic** □□□
[kɔ́:stɪk]

形 ① 〈批判が〉辛らつな (≒harsh)
② 腐食性の
副 caustically 辛らつに

0011 **frivolous** □□□
[frívələs]

形 〈人・行為などが〉軽率な、ふまじめな
(≒flippant) (⇔serious)
名 frivolity 軽率

0012 **latitude** □□□
[lǽtət(j)ù:d]

名 ① 自由、裁量 (≒liberty, discretion)
② 緯度
►「経度」は longitude と言う。
形 latitudinal 緯度の

Track 001

| | |
|---|---|
| He decided selling key chains was not a **lucrative** business strategy. | 彼は、キーホルダーの販売は利益の大きいビジネス戦略ではないと判断した。 |
| She **squandered** all of her savings **on** overpriced skin treatments. | 彼女は高価なスキントリートメントに貯金をすべて費やした。 |
| He keeps the cleaning supplies in a **flimsy** cardboard box. | 彼は薄っぺらな段ボール箱に掃除用品を入れている。 |
| The surgeon made an **incision** in the chest. | 外科医は胸部を切開した。 |
| The medicine she takes makes her feel **lethargic**. | 彼女が服用している薬は彼女をけだるい気分にさせる。 |
| Winning the award was the **pinnacle** of her career. | その賞を受賞したことが彼女のキャリアの絶頂だった。 |
| He **allayed** his anxiety by taking slow, deep breaths. | 彼はゆっくりと深呼吸をすることで不安を和らげた。 |
| Swimming across the English Channel is quite the **feat**. | イギリス海峡を泳いで渡るのは至難の業だ。 |
| Thieves **ransacked** the local jewelry store late last night. | 昨夜遅く、泥棒が地元の宝石店を荒らした。 |
| The woman made **caustic** remarks about her neighbor's new haircut. | その女性は、隣人の新しい髪型について辛らつな発言をした。 |
| Her father begged her to stop her **frivolous** spending. | 父親は彼女に軽率な出費をやめるように頼んだ。 |
| The students are allowed some **latitude** in deciding what they study. | 学生たちは何を学ぶかについてある程度裁量が与えられている。 |

00 12

0013 **adept** [ədépt]
形 熟練して（≒skillful, proficient）
► adept at [in] ～ で「～に熟練して」という意味。

0014 **avid** [ǽvɪd]
形 熱心な、熱烈な（≒eager, keen, enthusiastic）

0015 **asylum** [əsáɪləm] ▲ sy の発音注意。
① a-（否定）+ sylum（逮捕権）
名 亡命、（亡命者の）保護

0016 **placate** [pléɪkeɪt | pləkéɪt]
① plac（静める）+ -ate（～にする）
動 〈人〉をなだめる；〈怒り・敵意など〉を鎮める（≒appease, pacify）
形 placatory なだめる（ような）

0017 **pristine** [prístiːn]
形 ① 新品同様の、汚れていない ② 原始の、元の状態の（≒untouched, unadulterated）
► prior（前の）と同語源語。

0018 **blatantly** [bléɪtntli]
副 公然と、露骨に
形 blatant 露骨な、見え透いた

0019 **attire** [ətáɪər]
名（特別な）服装、衣装（≒apparel, clothes）

0020 **offshoot** [ɔ́(ː)fʃùːt]
名（より大きな組織から）派生したもの、分派

0021 **gullible** [gʌ́ləbl]
形 だまされやすい、信じやすい（≒naive）
名 gullibility だまされやすい性格
動 gull ～をだます

0022 **hindsight** [háɪndsàɪt]
① hind（後ろの）+ sight（見ること）
名 あと知恵、あとから判断する能力（⇔foresight）
► in hindsight で「後の祭りだが」という意味。

0023 **ambush** [ǽmbʊʃ]
① am-（中に）+ bush（やぶ）
名 待ち伏せ
動 ～を待ち伏せする［して襲う］

0024 **zenith** [zíːnəθ | zé-]
名 ① 頂点、絶頂（≒pinnacle, apex） ② 天頂

Track 002

| | |
|---|---|
| He is **adept at** repairing different kinds of electronics. | 彼はさまざまな種類の電子機器の修理に長けている。 |
| She is an **avid** listener of podcasts about music. | 彼女は音楽に関するポッドキャストの熱心なリスナーだ。 |
| He was finally granted **asylum** in Canada after a long wait. | 彼は長い間待った末に、ようやくカナダでの亡命を認められた。 |
| Her manager was able to quickly **placate** the angry customer. | 彼女の上司は、その怒っている客をすぐになだめることができた。 |
| The collection of antique toys is in **pristine** condition. | そのアンティークのおもちゃのコレクションは新品同様の状態だ。 |
| She sued the newspaper for publishing **blatantly** false statements about her. | 彼女は、自分に関するあからさまな虚偽の記述を掲載したとして、その新聞社を訴えた。 |
| Applicants are required to wear business **attire**. | 応募者はビジネス用の服装を着用する必要があります。 |
| The organization developed as an **offshoot** of the local university. | その組織は、地元の大学の分派として発展した。 |
| He was just joking, but she was so **gullible** that she believed him. | 彼は冗談を言っただけだったが、彼女はとてもだまされやすいので彼の言葉を信じた。 |
| **In hindsight**, I should not have booked this trip in the summer. | あとから考えると、私はこの旅行を夏に予約すべきではなかった。 |
| The soldiers were killed in an **ambush**. | その兵士たちは待ち伏せにあって殺された。 |
| At the **zenith** of his career, he was interviewing famous celebrities. | キャリアの全盛期には、彼は著名人たちにインタビューしていた。 |

00:24

0025 **prognosis**
[prɑːgnóʊsəs | prɔg-]
① pro- (前に) + gnosis (知る)

名 ①（病気の）予後、（経過）予測
②（情報による）予測（≒forecast）
► 複数形は prognoses。

0026 **meticulous**
[mətíkjələs]
① meti (恐怖) + cul (糸口) + -ous (満ちた)

形 細心の注意を払った
（≒detailed, fastidious）（⇔careless）

0027 **acrimony**
[ǽkrəmòʊni | -rɪməni]
① acri (鋭い) + -mony (状態)

名 （言葉・態度などの）とげとげしさ
形 acrimonious とげとげしい

0028 **propensity**
[prəpénsəti]
① pro- (前に) + pens (傾く) + -ity 名

名 （好ましくない）傾向、性癖
（≒proclivity, inclination）

0029 **entice**
[ɪntáɪs]
① en- (中に) + tice (たいまつ)

動 ～を誘惑する、おびき寄せる（⇔repel）
► entice A to *do*（Aを誘惑して～させる）という表現も覚えておこう。
名 enticement 誘惑

0030 **alienate**
[éɪliənèɪt]
① ali (他の) + -en (属する) + -ate (～にする)

動 〈人〉を遠ざける、疎外する
名 alienation 疎外

0031 **exonerate**
[ɪgzάːnərèɪt | -ɔ́n-]
① ex- (反対) + oner (荷を積む) + -ate (～にする)

動 〈人〉の無罪を証明する（≒acquit）（⇔convict）
名 exoneration 疑いを晴らすこと

0032 **clamor**
[klǽmər]

名 （群衆・交通などの）騒音、騒ぎ
動 〈群衆などが〉（大きな声で）求める、要求する
► claim（要求、主張）と同語源語。
形 clamorous 騒々しい

0033 **respite**
[réspət | -spaɪt]
① re- (後ろに) + spite (見る)

名 （仕事などの）小休止、休息（≒break）

0034 **huddle**
[hʌ́dl]

動 （寒さ・恐怖で）身を寄せ合う、群がる
名 （人・動物・ものの）集まり、寄せ集め

0035 **figment**
[fígmənt]
① fig (でっち上げる) + -ment 名

名 空想、作り事
► ふつう a figment of *someone's* imagination「～の空想の産物」の形で使う。

0036 **tenacious**
[tənéɪʃəs]
① tenac (保つ) + -ious (性質の)

形 粘り強い、あきらめない（≒persistent）
名 tenacity 粘り強さ
副 tenaciously 粘り強く

Track 003

Despite a serious diagnosis, your **prognosis** is very good.

診断結果は深刻だが、あなたの予後は非常に良好だ。

She is **meticulous** about how she plans work events.

職場でのイベントをどのように計画するかについて、彼女は細心の注意を払っている。

The dormitory's decision to enforce a curfew caused much **acrimony**.

門限を課すという寮の決定によって、非常にとげとげしい雰囲気が生じた。

He has always had a **propensity** for violent behavior.

彼には暴力的な行動をする傾向がずっとある。

The shop's creative window displays **entice** many customers.

その店の独創的なウィンドウディスプレイは多くの客を魅了している。

His arrogance **alienated** him from his coworkers.

彼は傲慢なために同僚から疎外された。

She was **exonerated** after new evidence proved her innocence.

新しい証拠によって無実が証明され、彼女は無罪となった。

Nobody in the class could hear the teacher over the **clamor**.

喧噪（けんそう）の中、クラスの誰も先生の話が聞こえなかった。

The war continued without **respite** for over four years.

戦争は４年以上の間、休むことなく続いた。

They **huddled** together for warmth.

彼らは暖を取るために身を寄せ合った。

00 36

That episode was just **a figment of her imagination**.

そのエピソードは彼女の空想の産物にすぎなかった。

Her **tenacious** personality allowed her to climb the corporate ladder.

粘り強い性格のおかげで、彼女は出世階段を昇っていった。

|  |  |  |
|---|---|---|
| 0037 | **extol** [ɪkstóʊl]<br>ⓘ ex-（強意）+ tol（高揚する） | 動 ～を絶賛する、激賞する（≒laud）（⇔criticize） |
| 0038 | **aversion** [əvə́ːrʒən \| -ʃən]<br>ⓘ avers（そらす）+ -ion 名 | 名 嫌悪、反感（≒hatred）<br>形 averse 嫌って、気が進まなくて |
| 0039 | **immaculate** [ɪmǽkjələt]<br>ⓘ im-（否定）+ macula（染み）+ -(a)te 形 | 形 〈場所・服などが〉清潔な、汚れていない（≒spotless） |
| 0040 | **gregarious** [grɪgéəriəs] | 形 社交的な、人づきあいのよい（≒sociable）<br>► greg は「群れ」を意味する語根で aggregate（集める）などと同語源語。 |
| 0041 | **ostracize** [ɑ́ːstrəsàɪz \| ɔ́s-] | 動 〈人〉をのけ者にする<br>名 ostracism 排斥、仲間外れ |
| 0042 | **uncouth** [ʌnkúːθ]<br>ⓘ un-（否定）+ couth（知る） | 形 〈人・行為などが〉無作法な、粗野な（≒coarse） |
| 0043 | **salient** [séɪliənt]<br>ⓘ sali（飛び跳ねる）+ -ent 形 | 形 〈特徴・事実などが〉顕著な、目立った（≒prominent）<br>名 salience 顕著な点 |
| 0044 | **mayhem** [méɪhem] | 名 騒動、大混乱（≒chaos） |
| 0045 | **defunct** [dɪfʌ́ŋkt]<br>ⓘ de-（分離）+ funct（やり遂げる） | 形 ① 現存しない、消滅した（≒extinct）<br>② 死亡した、故～（≒deceased, dead） |
| 0046 | **petrify** [pétrəfàɪ]<br>ⓘ petr（石）+ -ify（～にする） | 動 ①（恐怖などで）～をすくませる（≒terrify）<br>② ～を石化する |
| 0047 | **invoke** [ɪnvóʊk]<br>ⓘ in-（～に）+ voke（呼ぶ） | 動 ① 〈法・権利など〉を行使する、発動する<br>② 〈感情など〉を呼び起こす、想起させる |
| 0048 | **rebuke** [rɪbjúːk]<br>ⓘ re-（後ろに）+ buke（打つ） | 動 〈人〉を強く非難する、叱責する（≒reprimand）<br>名 非難、叱責 |

Track 004

| | |
|---|---|
| He **extolled** the benefits of yoga to all of his clients. | 彼はすべての顧客にヨガのメリットを絶賛した。 |
| The boy has a strong **aversion** to visiting the dentist. | その男の子は歯医者に行くのが大嫌いだ。 |
| At such an expensive hotel, guests expect the rooms to be **immaculate**. | そのような高価なホテルでは、宿泊客は部屋が清潔であることを期待する。 |
| Unlike her **gregarious** sister, she has a hard time talking to new people. | 社交的な妹とは違い、彼女は初対面の人と話すのに苦労している。 |
| She was **ostracized** at work because of her loud personality. | 彼女は騒々しい性格のために職場で仲間外れにされた。 |
| His **uncouth** behavior at the conference shocked everyone there. | 会議での彼の無礼な振る舞いは、そこにいた全員に衝撃を与えた。 |
| The teacher quickly reviewed the **salient** points of the previous lesson. | 先生は前回のレッスンの重要ポイントをざっとおさらいした。 |
| In the film, animals escape from the zoo and cause all kinds of **mayhem**. | その映画の中で、動物たちは動物園から逃げ出し、ありとあらゆる騒動を引き起こす。 |
| That drug company was founded in 1830, and now is **defunct**. | その製薬会社は1830年に設立されたが、もう存在しない。 |
| He was **petrified** of the idea of getting on an airplane. | 飛行機に乗ると考えただけで彼は身がすくんだ。 |
| She **invoked** her right to speak with an attorney. | 彼女は弁護士に面会する権利を行使した。 |
| The minister was **rebuked** after everyone discovered his fraudulent spending. | その大臣は、不正な出費を皆に見つかり、厳しく非難された。 |

00
48

0049 **accolade** [ǽkəlèɪd]
名 称賛 (≒praise, acclaim)

0050 **solace** [sɑ́:ləs | sɔ́l-]
名 慰め、癒し (≒comfort)
► console (慰める) と同語源語。

0051 **fervent** [fə́:rvənt]
! ferv (沸騰する) + -ent 形
形 〈思想・信仰などが〉熱心な (≒passionate, zealous) (⇔apathetic)
名 fervor 熱心
副 fervently 熱心に

0052 **apathetic** [æ̀pəθétɪk]
! a- (否定) + pathe (感じる) + -tic 形
形 無感動の、無関心な、冷淡な (≒indifferent, disinterested)
名 apathy 無感動、無関心

0053 **catalyst** [kǽtəlɪst]
名 ① 変化を促すもの、きっかけ ② 触媒
形 catalytic 変化を促す働きを持つ
動 catalyze ～の変化を促進する

0054 **wane** [wéɪn]
動 ① 〈効力・感情などが〉徐々に弱まる、衰える (≒fade, diminish)
② 〈月が〉欠ける (⇔wax)

0055 **clout** [kláʊt]
名 〈経済・政治などにおける〉影響力、権威 (≒power, influence)

0056 **override** [òʊvərráɪd]
! over- (越えて) + ride (乗る)
動 ① ～を覆す (≒overrule) ② ～に優先する

0057 **secede** [sɪsí:d]
! se- (離れて) + cede (行く)
動 〈国から〉分離独立する；〈組織などから〉脱退する
名 secession 分離独立；脱退

0058 **appall** [əpɔ́:l]
! ap- (～に) + pall (青白い)
動 ～をぞっとさせる、愕然(がくぜん)とさせる (≒horrify)
形 appalling ぞっとさせる

0059 **debunk** [dì:bʌ́ŋk]
動 〈人・思想など〉の正体を暴露する；〈通説〉の誤りを指摘する

0060 **vent** [vént]
動 ① 〈感情など〉を発散する、ぶちまける (≒release, unleash) (⇔suppress)
名 ① 通気孔 ② 〈感情の〉はけ口
► vent は「風」を意味する語根でもある。

Track 005

| | |
|---|---|
| The movie director has received many **accolades** and awards. | その映画監督は多くの称賛と賞を受けてきた。 |
| He found **solace** in art after the passing of his wife. | 妻を亡くしたあと、彼は芸術に慰めを見いだした。 |
| She has always been a **fervent** supporter of LGBTQ+ rights. | 彼女はずっとLGBTQ+の権利を熱心に支持してきた。 |
| Many older people believe the younger generation is **apathetic** about politics. | 多くの高齢者は、若い世代が政治に無関心だと考えている。 |
| The oil crisis acted as a **catalyst** for searching for ways to save energy. | 石油危機は省エネの方法を模索するきっかけとなった。 |
| His enthusiasm for his work started to **wane** after so much overtime. | 彼の仕事への熱意は、長時間残業のあと衰え始めた。 |
| Her **clout** with the association helped her political campaign. | その協会に対する彼女の影響力は、彼女の政治運動を助けた。 |
| The city council **overrode** the decision taken by the committee. | 市議会は委員会が下した決定を覆した。 |
| In July of 1776, the American colonies **seceded** from Great Britain. | 1776年7月、アメリカ植民地はイギリスから分離独立した。 |
| He was **appalled** by the treatment he received at the clinic. | 彼は診療所で受けた治療にぞっとした。 |
| There was a TV show that worked to **debunk** various myths. | さまざまな作り話を暴こうとしたテレビ番組があった。 |
| She used to **vent** her anger by breaking pencils. | 彼女はよく鉛筆を折って怒りを発散していた。 |

00
60

0061 **recuperate** [rɪk(j)úːpərèɪt]

動 (病気・けがなどから) 回復する (≒recover)
名 recuperation 回復
形 recuperative 回復させる

0062 **epitomize** [ɪpítəmàɪz]

動 〜(の特徴) を典型的に表す (≒exemplify, embody)
名 epitome 典型、権化、縮図

0063 **rift** [ríft]

名 ① 仲たがい、亀裂 (≒breach, division, split)
② 裂け目、割れ目 (≒crack)

0064 **divulge** [dəvʌ́ldʒ | daɪ-]

① di- (〜にする)+ vulge (一般的な)

動 〈秘密など〉を漏らす、明らかにする (≒reveal)
名 divulgence 暴露

0065 **dwindle** [dwíndl]

動 〈数・量などが〉 徐々に減る (≒shrink, reduce, diminish) (⇔grow, increase)
形 dwindling 減少傾向にある

0066 **denote** [dɪnóʊt]

① de- (強意)+ note (印をつける)

動 ① 〈文字・符号などが〉 〜を示す、意味する (≒represent, signify)
② 〈ことなど〉を示す (≒indicate)
名 denotation 明示的意味 形 denotative 表示的な

0067 **exodus** [éksədəs]

名 大量流出、(一時に多数の人々が) 出ていくこと (≒evacuation)
► 旧約聖書の『出エジプト記』が原義。

0068 **hereditary** [hərédətèri | -təri]

① heredit (相続)+ -ary 形

形 ① 遺伝性の、遺伝的な (≒inherited)
② 世襲の
名 heredity 遺伝

0069 **corroborate** [kərúːbərèɪt | -rɔ́b-]

① cor- (強意)+ robor (力)+ -ate (〜にする)

動 〈意見・陳述など〉を確証する、裏づける (≒confirm, support) (⇔dispute)
名 corroboration 確証、裏づけ
形 corroborative 裏づける (ような)

0070 **inscrutable** [ɪnskrúːtəbl]

① in- (否定)+ scrut (理解する)+ -able (できる)

形 不可解な、神秘的な
► 人の表情などに使うことが多い。

0071 **emaciated** [ɪméɪʃièɪtɪd]

形 (食料不足・病気で) やせ衰えた、やせこけた
動 emaciate 〜をやつれさせる

0072 **affront** [əfrʌ́nt]

① af- (〜に)+ front (額)

名 (公然の・故意の) 侮辱 (≒slight, insult, offense)
動 [be affronted] (公然と) 侮辱される

Track 006

| | |
|---|---|
| The doctor told him he would need a couple of weeks to **recuperate**. | 医者は彼に、回復には2、3週間要すると言った。 |
| The ideal employee will **epitomize** the values of our company. | 理想的な従業員は、当社の価値を体現してくれるだろう。 |
| The **rift** between the two sisters has widened recently. | 2人の姉妹の間の亀裂は最近広がった。 |
| Lawyers must not **divulge** confidential client information. | 弁護士はクライアントの機密情報を漏らしてはならない。 |
| The store's stock of turkeys **dwindled** close to Thanksgiving. | 店の七面鳥の在庫は、感謝祭が近づくにつれて少しずつ減った。 |
| The blue lines on this graph **denote** company profits. | このグラフの青い線は、会社の利益を示している。 |
| The famine caused a mass **exodus** of refugees. | その飢饉によって、難民の大流出が起きた。 |
| **Hereditary** illnesses can be passed down from generation to generation. | 遺伝性の病気は、代々受け継がれることがある。 |
| We need to find evidence to **corroborate** your story. | 私たちは、あなたの話を裏づける証拠を見つける必要がある。 |
| His **inscrutable** personality makes him difficult to talk to. | 何を考えているかわからない性格のため、彼は話しかけにくい。 |
| The shelter takes in **emaciated** animals and helps them recover. | そのシェルターはやせ衰えた動物たちを受け入れ、回復するのを助けている。 |
| Her poor attitude was taken as a personal **affront** by everyone. | 彼女の態度の悪さは、誰からも個人的な侮辱として受け止められた。 |

00
72

0073 **fiasco** [fiǽskoʊ]
名 (行事・企てなどでの) 大失敗 (≒disaster, debacle)

0074 **aloof** [əlú:f]
形 (気取った感じで) 冷淡で、よそよそしくて (≒distant, detached)

0075 **altruistic** [æ̀ltruístɪk]
① altru (他の)+ -ist (人)+ -ic 形
形 利他 (主義) 的な (≒unselfish) (⇔selfish, egoistic)
名 altruism 利他主義
副 altruistically 利他的に

0076 **quandary** [kwɑ́:ndəri | kwɔ́n-]
① quand (いつ?)+ -ary 形
名 困惑、葛藤 (≒dilemma)
► in a quandary で「途方に暮れて」という意味。

0077 **embellish** [ɪmbélɪʃ]
① em- (～にする)+ bel(l) (美しい)+ -ish (～にする)
動 ①〈真実〉を粉飾する；(虚実を交えて)〈話〉を面白くする
②〈服・場所〉を美しく飾る (≒decorate)
名 embellishment 粉飾；装飾物

0078 **renege** [rɪníg | -ní:g]
動 (約束などを) 破る、反故(ほご)にする
► renege on ～ で「～を破る」という意味。

0079 **nudge** [nʌ́dʒ]
名 ひじで軽くつつくこと
動 ～を (ひじで) 軽くつつく

0080 **indoctrinate** [ɪndɑ́:ktrənèɪt | -dɔ́ktrɪ-]
① in- (中に)+ doctrin (教え)+ -ate (～にする)
動 〈人〉に (思想などを) 吹き込む
名 indoctrination 教化

0081 **remorse** [rɪmɔ́:rs]
① re- (再び)+ morse (かむ)
名 (罪悪などに対する) 後悔、良心の呵責 (≒regret, guilt)
形 remorseful 良心にさいなまれて

0082 **delude** [dɪlú:d]
① de- (分離)+ lude (導く)
動 〈人〉を惑わす、欺く ► delude *oneself* into *do*ing で「勘違いして～する」という意味。
名 delusion 惑わすこと；思い違い
形 delusive 人を惑わす

0083 **defuse** [dì:fjú:z]
① de- (分離)+ fuse (信管)
動 〈緊張など〉を和らげる

0084 **precarious** [prɪkéəriəs]
形 〈状況・立場などが〉不安定な、危うい (≒unsteady)

Track 007

| | |
|---|---|
| After the **fiasco** involving missing money, he was fired. | お金の紛失を伴う大失敗のあと、彼は解雇された。 |
| She acts **aloof** and carefree even around her family members. | 彼女は家族の前ですら、素っ気なく気ままに振る舞う。 |
| Donating money is not always as **altruistic** as it may appear. | 寄付は見かけほど利他的であるとは限らない。 |
| He was **in a quandary** about where to go on vacation. | 彼は休暇にどこへ行こうかと悩んでいた。 |
| Although she **embellished** the story a little bit, it was mostly true. | 彼女は話を少し盛ったが、それはおおむね真実だ。 |
| You cannot **renege on** the promise you made to your mother. | 母親とした約束を反故にしてはいけない。 |
| I gave her a **nudge** when she began to nod off. | 彼女がうとうとし始めたので、私は彼女を軽く小突いた。 |
| Dozens of young people were **indoctrinated** by the cult. | 何十人もの若者がそのカルト教団に洗脳された。 |
| He showed no **remorse** for his crimes. | 彼には、自分が犯した罪に対する反省の色が見られなかった。 |
| He somehow **deluded himself into** think**ing** he was popular in school. | 彼はどういうわけか自分が学校で人気があると思い込んだ。 |
| Several leaders tried to **defuse** the tension between the two countries. | 何人かの指導者が両国間の緊張を和らげようとした。 |
| The president is in a **precarious** situation right now. | 大統領は今、危うい状況にある。 |

0084

0085 **feign** [féɪn]
□□□
動 ～を装う、～のふりをする（≒pretend）
► figment（空想、作り事）と同語源語。
名 feint 見せかけ、ふり

0086 **abject** [ǽbʤekt]
□□□
ⓘ ab-（離れて）+ ject（投げる）
形 〈状況などが〉悲惨な、ひどい；
〈結果などが〉みじめな（≒wretched, terrible）

0087 **ulterior** [ʌltíəriər]
□□□
形 〈目的・動機などが〉隠された、表に現れてこない
（≒hidden, concealed）（⇔obvious）

0088 **lambaste** [læmbéɪst]
□□□
動 ～を酷評する、こき下ろす
（≒criticize, lay into ～）

0089 **commiserate** [kəmízərèɪt]
□□□
ⓘ com-（強意）+ miser（みじめ）+ -ate（～にする）
動 同情する、哀れむ（≒sympathize）
名 commiseration 同情、哀れみ

0090 **flagrant** [fléɪgrənt]
□□□
ⓘ flagr（火）+ -ant 形
形 〈不正などが〉目に余る、破廉恥な（≒blatant）
副 flagrantly 目に余るほど

0091 **flout** [fláʊt]
□□□
動 （故意に）〈法・規則など〉を無視する（≒defy）
►「フルート（flute）を吹く」が原義。

0092 **inculcate** [ɪnkʌ́lkeɪt]
□□□
ⓘ in-（中に）+ culc（かかと）+ -ate 動
動 〈思想・知識など〉を叩き込む、教え込む
名 inculcation 教え込むこと

0093 **infer** [ɪnfə́ːr]
□□□
ⓘ in-（中に）+ fer（運ぶ）
動 （既知の情報などから）…と推量［推測］する
（≒deduce, conjecture, surmise）
名 inference 推量、推測

0094 **emulate** [émjəlèɪt]
□□□
動 〈尊敬する人・立派なもの〉を見習う、まねる
（≒imitate）
名 emulation 見習うこと

0095 **alleviate** [əlíːvièɪt]
□□□
ⓘ al-（～に）+ levi（軽い）+ -ate 動
動 （一時的に）〈苦痛・問題など〉を軽減する
（≒ease, lighten）（⇔worsen）
名 alleviation 軽減

0096 **staunch** [stɔ́ːntʃ]
□□□
形 誠実な、忠実な（≒faithful, loyal, devoted）

Track 008

| | |
|---|---|
| The woman **feigned** ignorance when asked about the stolen jewelry. | 盗まれた宝石について尋ねられると、その女性は知らないふりをした。 |
| She started the organization after meeting people living in **abject** poverty. | 極度の貧困の中で暮らしている人々に会って、彼女はその組織を発足させた。 |
| He had an **ulterior** motive when he agreed to the plan. | その計画に同意したとき、彼には裏の動機があった。 |
| Journalists **lambasted** the government for lying about their welfare policy. | ジャーナリストたちは福祉政策についてうそをついていると政府を非難した。 |
| He **commiserated** with his sister about the sudden loss of her job. | 彼は、突然仕事を失った妹を気の毒に思った。 |
| Their actions are a **flagrant** violation of the law. | 彼らの行動は甚だしい法律違反だ。 |
| The taxi driver who **flouted** the law ended up paying a fine. | 法を無視したタクシー運転手は罰金を払う羽目になった。 |
| Her parents **inculcated** a love of reading in her. | 両親は彼女に読書への愛を植え付けた。 |
| He **inferred** from what she said that he would not be promoted. | 彼は彼女の話から、自分が昇進しないだろうと推測した。 |
| She **emulated** her father by joining the military when she graduated. | 彼女は父親に倣って、卒業と同時に軍隊に入隊した。 |
| Physiotherapy may help **alleviate** some of your pain. | 理学療法は、痛みの一部を軽減するのに役立つかもしれない。 |
| The scholar is a **staunch** supporter of nuclear power. | その学者は原子力発電の強力な支持者だ。 |

0096

0097 **disseminate**
[dɪsémənèɪt]
① dis- (分離) + semin (種) + -ate (～にする)

動 〈情報・知識など〉を広める (≒disperse)

0098 **baffle**
[bǽfl]

動 〈人〉を困惑させる、悩ませる (≒stump, perplex)
名 bafflement 困惑

0099 **menial**
[míːniəl]
① meni (家事) + -al 形

形 〈仕事などが〉技術を要しない、単調な

0100 **candid**
[kǽndɪd]
① cand (白い) + -id 形

形 率直な、遠慮のない (≒frank)
副 candidly 率直に
名 candor 率直さ

0101 **irate**
[aɪréɪt]

形 激怒した、怒り心頭の
(≒furious, exasperated, infuriated, livid, incensed, indignant)

0102 **clique**
[klíːk]

名 徒党、派閥
形 cliquish 排他的な

0103 **sporadic**
[spərǽdɪk]

形 散発的な、不定期に起きる (≒intermittent)
副 sporadically 散発的に

0104 **abate**
[əbéɪt]

動 〈嵐・雨などが〉弱まる；〈痛みなどが〉和らぐ
名 abatement 軽減、緩和

0105 **idyllic**
[aɪdílɪk | ɪd-]

形 〈場所などが〉牧歌的な、のどかな

0106 **exquisite**
[ɪkskwízət]
① ex- (外に) + quis (求める) + -ite 形

形 精巧な、繊細で美しい (≒splendid, superb)
副 exquisitely 精巧に

0107 **tarnish**
[tάːrnɪʃ]
① tarn (曇らせる) + -ish 動

動 ① 〈評判・名声など〉を傷つける (≒taint)
② 〈金属など〉の光沢を失わせる

0108 **vindicate**
[víndəkèɪt]

動 ① 〈主張・行為など〉の正しさを立証する (≒justify)
② 〈人〉の潔白を証明する
名 vindication 立証、証明

Track 009

| | |
|---|---|
| The students worked to **disseminate** information about their fundraiser. | 生徒たちは募金活動に関する情報を広めるために働いた。 |
| His children were **baffled** by his change in behavior. | 彼の子どもたちは彼の行動の変化に困惑していた。 |
| She does not have the energy to complete even **menial** tasks. | 彼女には単純作業すらこなす気力がない。 |
| He received some **candid** advice about his job from his wife. | 彼は妻から仕事について率直なアドバイスを受けた。 |
| The customer became so **irate** that the staff called the police. | 客が激怒したので、スタッフは警察に通報した。 |
| The soccer players formed a **clique** and always hung out together. | サッカー選手たちは徒党を組んで、いつも一緒に行動していた。 |
| Scientists expect that **sporadic** outbreaks will continue to occur. | 科学者たちは、散発的な大流行が引き続き起きると予想している。 |
| Public criticism of the mayor's decision took months to **abate**. | 市長の決定に対する市民の批判は、収まるまでに数か月かかった。 |
| She grew up in an **idyllic** town in the mountains of Italy. | 彼女はイタリアの山間にあるのどかな町で育った。 |
| From the beautiful presentation to the unique blend of flavors, the meal was **exquisite**. | 美しい盛り付けから独特にブレンドした味付けに至るまで、その食事は素晴らしかった。 |
| Her reputation was **tarnished** when people found out she was abusive. | 暴力的だということがわかって、彼女の評判は落ちた。 |
| His strange management style was **vindicated** by the incredible performance of his subordinates. | 彼の風変わりな経営スタイルは、部下たちの素晴らしい業績によってその正しさが裏づけられた。 |

01
08

0109 **auspicious**
[ɔːspíʃəs]

形 幸先のよい、吉兆の (≒promising) (⇔inauspicious)
名 auspice 前兆、吉兆

0110 **fastidious**
[fæstídiəs]

形 ① 細心の注意を払う (≒meticulous)
② 潔癖な

0111 **encapsulate**
[enkǽpsəlèɪt | ɪnkǽpsju-]

動 ① 〈思想・事実など〉を要約する (≒summarize, sum up)
② ～をカプセルに包む

0112 **deferential**
[dèfərénʃəl]

形 敬意を払う、丁寧な (≒respectful)
名 deference 敬意

0113 **annex**
[動 ənéks 名 ǽneks]
! an- (～に)+ nex (結びつける)

動 (武力で)〈領土・国など〉を併合する、編入する
名 別館、建て増し
名 annexation 併合

0114 **pungent**
[pʌ́ndʒənt]
! pung (刺す)+ -ent 形

形 ① 〈におい・味などが〉刺激の強い
② 〈批評などが〉辛らつな (≒biting, cutting)
名 pungency 刺激性;辛らつさ

0115 **conjecture**
[kəndʒéktʃər]
! con- (共に)+ ject (投げる)+ -ure 名

名 推測、憶測 (すること) (≒guess)
動 …と推測 [憶測] する (≒infer, deduce, surmise)
形 conjectural 推測による

0116 **muster**
[mʌ́stər]

動 ① 〈勇気など〉を奮い起こす;〈助力など〉を求める
② 〈兵隊など〉を召集する

0117 **forfeit**
[fɔ́ːrfət]
! for- (外に)+ feit (行う)

動 (罰として)〈財産・権利など〉を失う、はく奪される
名 没収 [はく奪] されたもの

0118 **murky**
[mə́ːrki]

形 ① 〈水が〉濁った、見通せない (≒cloudy)
② 〈闇・霧などが〉濃い、暗い (≒obscure)

0119 **bigotry**
[bígətri]

名 偏狭、偏屈な行為 [考え] (≒intolerance)
名 bigot (宗教・人種などに関して) 偏狭な人

0120 **augment**
[ɔːgmént]
! aug (増加する)+ -ment 名

動 ～を増加 [増大] させる
► AR は augmented reality (拡張現実 (感)) の略。
名 augmentation 増加、増大

Track 010

| | |
|---|---|
| It is not really an **auspicious** time to hold a vote. | 投票を行うにはあまりよい時期ではない。 |
| The pastry chef's **fastidious** attention to detail makes her cakes beautiful. | 細部までこだわるので、そのパティシエのケーキは美しい。 |
| The book perfectly **encapsulates** what it is like to work as a nurse. | 看護師として働くとはどういうことかを、その本は完璧に要約している。 |
| She taught her children to be **deferential** to their teachers. | 先生に対して敬意を払うべきだと、彼女は子どもたちに教えた。 |
| Nobody did anything to stop that region from being **annexed**. | その地域が併合されるのを止めるために誰も何もしなかった。 |
| The **pungent** smell of sewage made the man gag. | 下水の刺激臭に、その男は吐き気を催した。 |
| Everything that you have said so far has been pure **conjecture**. | あなたがこれまでに述べてきたことはすべて、まったくの推測だ。 |
| She could not even **muster** the energy to brush her teeth. | 彼女は歯を磨く気力すら湧かなかった。 |
| The team **forfeited** the game because of a violent act. | そのチームは暴力行為により、試合を没収された。 |
| The diver could not see anything in the **murky** water. | 濁った水の中で、ダイバーは何も見えなかった。 |
| The writer has frequently been accused of **bigotry**. | その作家は偏狭な発言でしばしば非難を浴びている。 |
| He **augments** his income by doing freelance work on the side. | 彼は副業としてフリーランスの仕事をすることで収入を増やしている。 |

01
20

| | | |
|---|---|---|
| 0121 | **reiterate** [ríːtərèɪt] ① re-（再び）+ iterate（繰り返し言う） | 動 〈要求・命令など〉を何度も繰り返して言う（≒repeat）<br>名 reiteration 繰り返し、反復<br>形 reiterative 繰り返す、反復する |
| 0122 | **compunction** [kəmpʌ́ŋkʃən] ① com-（共に）+ punct（刺す）+ -ion 名 | 名 良心の呵責、悔恨<br>► have [feel] no compunctions about *do*ing で「平気で～する」という意味。 |
| 0123 | **deluge** [délјuːʤ] ① de-（分離）+ luge（洗う） | 名 ① 大量、殺到（≒flood, rush）② 大洪水；豪雨<br>► a deluge of ～ で「たくさんの～」という意味。 |
| 0124 | **diffident** [dífɪdənt] ① dif-（離れた）+ fid（信頼）+ -ent 形 | 形 自信のない、気後れした（⇔confident）<br>名 diffidence 自信のなさ、気後れ |
| 0125 | **mollify** [mɑ́ːləfàɪ \| mɔ́l-] | 動 〈人〉をなだめる；〈感情〉を和らげる（≒pacify, soothe）<br>名 mollification なだめること |
| 0126 | **torment** [動 tɔːrmént 名 tɔ́ːrment] ① tor-（ねじる）+ -ment 名 | 動 ～を苦しめる、悩ませる（≒torture）<br>名 苦悩、苦痛 |
| 0127 | **douse** [dáʊs] | 動 ①（水をかけて）〈火〉を消す ② 〈明かりなど〉を消す |
| 0128 | **debacle** [dəbɑ́ːkl] | 名 （試みなどの）大失敗；（選挙などの）大敗（≒fiasco） |
| 0129 | **backlog** [bǽklɔ̀(ː)g] | 名 （仕事などの大量の）やり残し、未処理分 |
| 0130 | **resplendent** [rɪspléndənt] | 形 きらびやかな、まばゆい<br>名 resplendence 輝き、まばゆさ |
| 0131 | **quaint** [kwéɪnt] | 形 （古風で）趣のある |
| 0132 | **tepid** [tépɪd] | 形 ① 〈飲み物・液体が〉なまぬるい（≒lukewarm）② 〈感情などが〉熱意のない、しらけた |

Track
011

| | |
|---|---|
| Every morning, the project manager **reiterated** the specific needs of the client. | プロジェクトマネージャーは毎朝、そのクライアントの特定のニーズを繰り返した。 |
| He **has no compunctions about** lying to everyone. | 彼は誰にでも平気でうそをつく。 |
| The TV station has received **a deluge of** complaints about the program. | テレビ局にはその番組についての苦情が殺到した。 |
| She has always been **diffident** about her work as an artist. | 彼女はアーティストとして自分の仕事にずっと自信を持てずにいる。 |
| He managed to **mollify** the angry customer by refunding their order. | 注文を払い戻すことで、彼は怒っている客を何とかなだめることができた。 |
| She has been **tormented** by her fear of death for ages. | 彼女は長い間、死への恐怖に悩まされてきた。 |
| He **doused** the campfire with a bucket of water. | 彼はバケツの水をかけてキャンプファイヤーの火を消した。 |
| The general's careless mistake led to a huge military **debacle**. | 司令官の不注意なミスにより、軍事作戦は大失敗に終わった。 |
| The school has a **backlog** of student applications to go through. | その学校は、対応しなければならない願書が大量に残っている。 |
| The queen looked **resplendent** in a pink dress. | ピンクのドレスに身を包んだ女王はまばゆいばかりだった。 |
| Tourists flocked to the neighborhood to see its **quaint** houses. | 趣のある家々を見ようと観光客がその界隈に押し寄せた。 |
| Her tea turned **tepid** while she was in the shower. | シャワーを浴びている間に、彼女のお茶はぬるくなった。 |

01
32

0133 **malleable** [mǽliəbl]

形 ① 〈金属が〉可鍛性の、容易に変形できる (≒flexible) (⇔rigid)
② 〈人・考えが〉従順な、人に影響されやすい
名 malleability 可鍛性

0134 **poignant** [pɔ́ɪnjənt]

① poign (刺す) + -ant 形

形 心に強く訴える、感動的な (≒moving, touching)
名 poignancy 痛切さ

0135 **exude** [ɪgz(j)úːd]

① ex- (外に) + ude (汗をかく)

動 〈感情・自信など〉をあふれ出させる (≒emit, emanate, ooze, radiate)

0136 **plague** [pléɪg]

動 [be plagued] 悩む、苦しむ (≒afflict)
名 (多くの死者を出す) 疫病、伝染病 (≒epidemic)

0137 **detrimental** [dètrəméntl]

形 有害な、不利益な (≒adverse, destructive, harmful, damaging) (⇔beneficial)
名 detriment 損失、損害

0138 **inadvertently** [ìnədvə́ːrtəntli]

① in- (否定) + ad- (～に) + vert (向ける) + -ently 副

副 うっかり、不注意に (≒accidentally) (⇔intentionally)
形 inadvertent うっかりした、不注意な

0139 **culminate** [kʌ́lmənèɪt]

① culmin (頂点) + -ate (～にする)

動 達する、終わる；最高潮に達する
► culminate in ～ で「〈活動・過程・行事などが〉～に達する」という意味。
名 culmination 最高点、絶頂

0140 **mundane** [mʌndéɪn]

① mund (世界) + -ane 形

形 ① 平凡な、ありふれた、つまらない (≒ordinary, banal)
② 現世の、世俗的な (≒worldly)

0141 **succumb** [səkʌ́m]

① suc- (下に) + cumb (横たわる)

動 (誘惑・圧力・攻撃などに) 屈する、負ける (≒give in)
► succumb to ～ で「～に屈する、(病気など) で死ぬ」という意味。

0142 **vicinity** [vɪsínəti]

① vicin (近所の) + -ity 名

名 付近、近辺 (≒neighborhood, proximity)

0143 **perk** [pə́ːrk]

名 (通常の給与に加えて受け取る) 手当、特典
► ふつう複数形で使う。

0144 **fluctuate** [flʌ́ktʃuèɪt]

① fluctu (流れる) + -ate 動

動 変動する、上下する (≒change, vary)
名 fluctuation 変動

Track 012

| | |
|---|---|
| Most metals are **malleable** as they can be bent and shaped. | 多くの金属には可鍛性があり、曲げたり変形したりすることができる。 |
| The old song brought back **poignant** memories of my family. | その古い歌を聞いて、家族の悲しい思い出がよみがえってきた。 |
| He is always positive and **exudes** confidence. | 彼はいつも前向きで自信にあふれている。 |
| The soccer player **was plagued** with injuries throughout his career. | そのサッカー選手はキャリアを通してけがに苦しんだ。 |
| Growing up without parents can have a **detrimental** effect on a child. | 親を知らずに育つことは、子どもに有害な影響を与えることがある。 |
| She **inadvertently** ordered several cases of supplies instead of one. | 彼女はうっかりして備品を１ケースではなく、数ケース発注してしまった。 |
| Her hard work **culminated in** the success of her debut novel. | 彼女の努力は、デビュー小説の成功に結実した。 |
| He spends his one day off doing **mundane** chores like laundry and cleaning. | 彼は、洗濯や掃除のようなありふれた雑用をして週に１日の休みを過ごす。 |
| She **succumbed to** the temptation of the cookies on the table. | 彼女はテーブルの上のクッキーの誘惑に負けた。 |
| You should not smoke in the **vicinity** of other people. | ほかの人の近くでタバコを吸ってはいけません。 |
| Becoming a frequent flyer member offers a lot of great **perks**. | フリークエントフライヤー会員になると、たくさんの素晴らしい特典がある。 |
| His weight has been **fluctuating** a lot in recent months. | 彼の体重はこの数か月間大きく変動している。 |

0145 **insurmountable** [ìnsərmáuntəbl]
□□□

形 〈困難・障害などが〉乗り越えられない、克服できない
► surmount は「〈障害・困難など〉を乗り越える、克服する」という意味の動詞。

0146 **impending** [ɪmpéndɪŋ]
□□□
ⓘ im- (上に) + pending (ぶら下がる)

形 差し迫った (≒approaching, imminent) (⇔distant)

0147 **contentious** [kənténʃəs]
□□□
ⓘ contenti (論争) + -ous (満ちた)

形 〈問題などが〉論議を呼ぶ、物議をかもす (≒controversial)
名 contention 議論、主張；論争
動 contend 論争する；…と主張する

0148 **retaliation** [rɪtæ̀liéɪʃən]
□□□
ⓘ re- (後ろに) + tali (合法的な報復) + -ation 名

名 報復、仕返し (≒reprisal)
► in retaliation for ～ で「～に対する報復として」という意味。
動 retaliate 報復する

0149 **circumvent** [sə̀ːrkəmvént]
□□□
ⓘ circum (周りに) + vent (来る)

動 〈法・規制など〉をかいくぐる；〈問題・困難など〉を回避する
名 circumvention 回避、迂回

0150 **tout** [táʊt]
□□□

動 ～を褒めちぎる、もてはやす (≒praise, laud)

0151 **refute** [rɪfjúːt]
□□□

動 ～の誤りを証明する、～を反駁（はんばく）する (≒disprove, rebut)
► irrefutable (反駁できない) という語も出題されている。
名 refutation 論破、論駁

0152 **animosity** [æ̀nəmáːsəti | -mɔ́s-]
□□□
ⓘ animos (敵意) + -ity 名

名 (激しい) 敵意、憎しみ (≒hatred, hostility) (⇔goodwill)

0153 **fugitive** [fjúːdʒətɪv]
□□□
ⓘ fugit (逃げる) + -ive 形

名 逃亡犯、脱走者
形 逃亡中の、逃げた

0154 **ramification** [ræ̀məfɪkéɪʃən]
□□□

名 (派生して生じる) 影響、結果 (≒consequence)
動 ramify 分枝する、分派する

0155 **adamant** [ǽdəmənt]
□□□

形 断固として譲らない、断固として主張する (≒unyielding) (⇔lenient)
► diamond と同語源語。
副 adamantly 断固として

0156 **languish** [lǽŋgwɪʃ]
□□□
ⓘ langu (活気がない) + -ish 動

動 ① 辛い状況を強いられる、(長期間) 閉じ込められる
② 〈活動などが〉停滞する

Track 013

| | |
|---|---|
| The pressure to succeed placed on the development team was **insurmountable**. | 開発チームに課せられた成功へのプレッシャーは、打ち勝ちがたいものだった。 |
| Politicians are campaigning across the country because of the **impending** election. | 間近に迫った選挙のため、政治家たちは国中で選挙運動をしている。 |
| The presidential candidate refuses to comment on any **contentious** issues. | その大統領候補は、議論の的となる問題に関するコメントを一切拒んでいる。 |
| They attacked the country **in retaliation for** the missile launches. | ミサイル発射に対する報復として、彼らはその国を攻撃した。 |
| The company paid bribes in order to **circumvent** national regulations. | その会社は、国の規制を逃れるために賄賂を払った。 |
| She is **touted** as the best saxophone player of all time. | 彼女は史上最高のサックス奏者ともてはやされている。 |
| The teacher **refuted** the basis of his students' argument. | 先生は生徒たちの主張の根拠を論破した。 |
| Despite being rivals, there is no personal **animosity** between us. | ライバルではあるが、私たちの間に個人的な敵意はない。 |
| The **fugitives** were arrested in a small town near the border. | 逃亡者たちは国境近くの小さな町で逮捕された。 |
| Consider the **ramifications** of your actions before you do anything. | 何かをする前に、自分の行動の結果を考えなさい。 |
| The suspect was **adamant** that he had not murdered the victim. | 容疑者は、被害者を殺害していないと断固として主張した。 |
| He **languished** in a prison for almost a decade before he was finally released. | 彼は10年近く刑務所に閉じ込められ、やっと釈放された。 |

01
56

0157 **gall**
[gɔ́:l]
名 厚かましさ、ずうずうしさ（≒impudence, audacity）
► have the gall to *do* で「厚かましくも～する」という意味。

0158 **meddle**
[médl]
動 干渉する、おせっかいを焼く（≒interfere）
形 meddlesome おせっかいな

0159 **reprimand**
[réprəmæ̀nd | -mɑ̀:nd]
動 ～を叱責する（≒scold, rebuke, berate）
名 叱責、懲戒

0160 **engrossed**
[ɪngróʊst]
形 没頭して
► be engrossed in ～ で「～に没頭する」という意味。

0161 **anesthetic**
[æ̀nəsθétɪk]
名 麻酔（剤）
名 anesthesia 麻酔
動 anesthetize ～に麻酔をかける

0162 **plunder**
[plʌ́ndər]
動 〈金・財産など〉を略奪する、強奪する（≒loot, pillage）
名 ① 略奪、強奪 ② 略奪品、強奪品

0163 **grueling**
[grú:əlɪŋ]
形 へとへとに疲れさせる、厳しい（≒exhausting）

0164 **precursor**
[prɪkə́:rsər]
! pre-（前に）+ curs（走る）+ -or（人）
名 ① 前兆、前触れ（≒forerunner, harbinger）
② 先駆者、前任者

0165 **brunt**
[brʌ́nt]
名 （攻撃の）矛先
► take [bear] the brunt of ～ で「〈攻撃・批判〉の矢面に立つ」という意味。

0166 **litany**
[lítəni]
名 延々と [長々と] 続くもの

0167 **repercussion**
[rì:pərkʌ́ʃən]
! re-（元に）+ per-（十分に）+ cuss（振る）+ -ion 名
名 （間接的でよくない）影響、余波（≒consequence）

0168 **rationale**
[ræ̀ʃənǽl | -nɑ́:l]
名 （行動・信条の）根拠（≒justification, reason）
形 rational 理にかなった、合理的な

Track 014

| | |
|---|---|
| He owes me $200 and then **has the gall to** ask for another $100. | 彼には200ドル貸しているのに、厚かましくもまた100ドル貸してほしいって言うのよ。 |
| It is not your place to **meddle** in other people's relationships. | 他人の人間関係に干渉するなんて、差し出がましい。 |
| His teacher **reprimanded** him for using his phone during class. | 先生は、授業中に電話を使ったことで彼を叱った。 |
| He **was engrossed in** his show and did not hear the doorbell. | 彼はテレビ番組に夢中になっていて、ドアベルが聞こえなかった。 |
| The doctor told her the **anesthetic** would wear off in about two hours. | 医師は彼女に麻酔は2時間くらいで切れると言った。 |
| Soldiers **plundered** the treasures of Africa and took them to Europe. | 兵士たちはアフリカの財宝を略奪し、ヨーロッパに持ち去った。 |
| Everyone was exhausted from the **grueling** journey. | 非常にきつい旅だったので、誰もが疲れ切っていた。 |
| This fossil is identified as a **precursor** to the modern horse. | この化石は現代のウマの祖先であると特定されている。 |
| As producer, she **took the brunt of** the blame for the project's failure. | プロデューサーとして、彼女はそのプロジェクトの失敗に対する非難の矢面に立った。 |
| He wrote a **litany** of complaints online about his stay in the hotel. | 彼はネット上で、そのホテルでの滞在について苦情を書き連ねた。 |
| Leaking any type of confidential information will have serious **repercussions**. | どんな種類の機密情報でも漏えいすれば深刻な影響を及ぼすことになる。 |
| The prime minister explained her **rationale** behind the proposed law. | 首相は、法案の論拠を説明した。 |

01
68

0169 **clandestine** [klændéstɪn]
□□□

形 秘密の、内密の（≒secret, private）（⇔public）
副 clandestinely 内密に

0170 **irreparably** [ɪrépərəbli]
□□□

副 修復できないほどに
形 irreparable 修復不可能な

0171 **preemptive** [priémptɪv]
□□□
① pre-（前もって）+ emp（買う）+ -tive 形

形 先制の
► preemptive strikeで「先制攻撃」という意味。
副 preemptively 先制して
動 preempt ～が起こらないようにする

0172 **subvert** [səbvə́ːrt]
□□□
① sub-（下に）+ vert（回す）

動 〈体制・政府など〉を覆そうとする、転覆させようとする（≒undermine）
名 subversion 政府転覆活動
形 subversive 転覆させる

0173 **liquidate** [líkwɪdèɪt]
□□□

動 〈資産など〉を換金する
名 liquidation （会社の）清算、整理

0174 **fruition** [fruíʃən]
□□□

名 達成、実現（≒materialization）
► fruit（〈植物が〉実を結ぶ）の名詞形。come to fruitionで「成就する」という意味。

0175 **consternation** [kɑ̀ːnstərnéɪʃən | kɔ̀n-]
□□□

名 非常な驚き、仰天、狼狽（ろうばい）（≒dismay）

0176 **garner** [gɑ́ːrnər]
□□□

動 〈情報・重要なもの〉を獲得する、集める（≒amass, gather, accumulate, acquire）

0177 **predicament** [prɪdíkəmənt]
□□□
① pre-（前もって）+ dica（言う）+ -ment 名

名 窮地、困難な状況（≒plight, dilemma）

0178 **contingency** [kəntíndʒənsi]
□□□
① con-（共に）+ ting（触る）+ -ency 名

名 （不測の）事態、将来起こりうること
形 contingent 不慮の、偶発的な

0179 **salvage** [sǽlvɪdʒ]
□□□
① salv（救う）+ -age 名

動 ①（難破船・火災などから）～を運び出す、救出する ②〈名誉など〉を回復する、取り戻す
名 ① 海難救助；家財救出 ②（名誉などの）回復

0180 **barrage** [bərɑ́ːʒ | bǽrɑːʒ]
□□□

名 ①（質問などの）集中攻撃（≒torrent, bombardment）
② 弾幕、集中爆撃

Track 015

| | |
|---|---|
| The couple had a **clandestine** relationship for years before anyone realized. | そのカップルは、誰にも気づかれずに何年も密かに付き合っていた。 |
| Their car was **irreparably** damaged by the flooding and needed to be replaced. | 彼らの車は洪水で修復不可能なまで損傷を受け、買い替えなければならなかった。 |
| The country launched a **preemptive strike** against their neighbors. | その国は近隣国に対して先制攻撃を仕掛けた。 |
| The cyberattacks were carried out to **subvert** democracy by manipulating election results. | そのサイバー攻撃は、選挙結果を操作することで民主主義を転覆させるために行われた。 |
| The furniture store **liquidated** their remaining stock before closing. | その家具店は閉店前に売れ残りの在庫を清算した。 |
| Some 20 years later, their plan finally **came to fruition**. | 20 数年後、ようやく彼らのプロジェクトは実現した。 |
| The report caused **consternation** among biologists. | そのレポートは生物学者たちに驚きをもたらした。 |
| His support of the rebels **garnered** a lot of attention in the news. | 反政府勢力に対する彼の支援は、ニュースで多くの注目を集めた。 |
| The paper company is in a serious legal **predicament**. | その製紙会社は法的に深刻な苦境に立たされている。 |
| The manager drew up a **contingency** plan for her boss. | マネージャーは自分の上司のために緊急時の対応策を作成した。 |
| He could not **salvage** any of his belongings after the fire. | 火事のあと、彼は自分の持ち物をまったく運び出すことができなかった。 |
| The actress faced a **barrage** of questions from the press. | その女優は記者団から質問攻めにあった。 |

01
80

0181 **deterrent**
[dɪtə́:rənt | -tér-]
① de-（分離）+ terr（脅かす）+ -ent 形

名 阻止するもの、妨害物（≒impediment）
動 deter ～を抑止する
名 deterrence（戦争・犯罪などの）抑止

0182 **berate**
[bɪréɪt]

動 〈人〉をきつく叱る、叱責する（≒scold, reprimand）
► berate A for B で「B のことで A を叱る」という意味。

0183 **bask**
[bǽsk | bá:sk]

動 ①（恩恵・人気などに）浴する
② 日光浴をする、暖まる
► bask in ～で「～を浴びる」という意味。

0184 **belligerent**
[bəlídʒərənt]
① belli（戦争）+ ger（運ぶ）+ -ent 形

形 ① 好戦的な、けんか腰の（≒hostile, unfriendly）（⇔friendly）
② 交戦中の
副 belligerently けんか腰で

0185 **rebut**
[rɪbʌ́t]

動 〈罪状・批判など〉を誤りだと論証する、～に反論する（≒refute, disprove）（⇔prove）
名 rebuttal 反論

0186 **eulogy**
[jú:lədʒi]

名（死者の徳などをたたえる）弔辞
形 eulogistic 称賛に満ちた
動 eulogize ～に賛辞を呈する

0187 **commotion**
[kəmóuʃən]
① com-（共に）+ mot（動く）+ -ion 名

名 騒動、大騒ぎ（≒excitement, uproar, disturbance）

0188 **accomplice**
[əká:mpləs | əkʌ́mplɪs]

名 共犯者、共謀者

0189 **fallacy**
[fǽləsi]
① fallac（偽りの）+ -y 名

名 誤った考え（≒misconception）
形 fallacious 間違った

0190 **plagiarize**
[pléɪdʒəràɪz]

動 〈他人のアイデアなど〉を剽窃（ひょうせつ）する、盗用する
名 plagiarism 剽窃、盗用；盗作

0191 **conflagration**
[kà:nfləgréɪʃən | kɔ̀n-]
① con-（強意）+ flagr（火）+ -ation 名

名 大火災

0192 **obtrusive**
[əbtrú:sɪv]
① ob-（～に）+ trus（突っ込む）+ -ive 形

形 出しゃばりの、押しつけがましい
動 obtrude ～を強要する

Track 016

| | |
|---|---|
| The new street lights are intended as a crime **deterrent** for the neighborhood. | 新しい街灯はその界隈の犯罪防止策として意図されたものだ。 |
| Her mother **berated** her **for** failing her math test. | 母親は、数学のテストを落としたことについて彼女を叱った。 |
| The tennis star **basked in** the attention from reporters. | そのテニスのスターは、記者から注目を浴びた。 |
| The CEO apologized for his **belligerent** behavior at the party. | CEO はパーティーでの攻撃的な態度を謝罪した。 |
| The lawyer **rebutted** the arguments of the defense with great skill. | その弁護士は被告側の主張を巧みに論駁した。 |
| He asked that his sister deliver the **eulogy** at his funeral. | 彼は妹に自分の葬儀で弔辞を述べてくれるよう頼んだ。 |
| Her retirement caused a huge **commotion** in the music industry. | 彼女の引退は、音楽業界に大きな騒ぎを引き起こした。 |
| The thief's **accomplice** gave him away during police questioning. | その泥棒の共犯者は警察の取り調べに彼の名を明かした。 |
| The idea that this herb can lower a fever has been proven to be a **fallacy**. | このハーブに解熱作用があるという考えは誤りだとわかった。 |
| He received a failing grade on his paper for **plagiarizing** sources online. | 彼はネット上の情報を盗用したため、レポートで落第点を取った。 |
| Most of the cathedral was destroyed in the **conflagration**. | その大聖堂は大火災で大半が焼失した。 |
| Many people uninstall the app due to its **obtrusive** notifications and pop-up ads. | 押しつけがましい通知とポップアップ広告のために、多くの人がそのアプリをアンインストールしている。 |

01
92

|  |  |  |
|---|---|---|
| 0193 | **adroit** [ədrɔ́ɪt] ☐☐☐ ① a- (強意)+ droit (真っすぐな) | 形 巧みな、抜け目のない (≒skillful) |
| 0194 | **enmity** [énməti] ☐☐☐ ① en- (否定)+ mi (友人)+ -ty 名 | 名 (長期にわたる) 敵意、憎しみ (≒hostility) |
| 0195 | **excruciating** [ɪkskrúːʃièɪtɪŋ] ☐☐☐ ① ex- (外に)+ cruci (十字架、苦しめる)+ -ating 形 | 形 ① 〈苦痛が〉 非常に激しい<br>② 〈苦悩が〉 極度の、耐えがたい |
| 0196 | **versatility** [və̀ːrsətíləti] ☐☐☐ ① versat (転がる)+ -ility 名 | 名 ① 汎用性、多用途 ② 多芸、多能<br>形 versatile 多用途の；多才な |
| 0197 | **foliage** [fóʊliɪʤ] ☐☐☐ | 名 [集合的に] (草木の) 葉 |
| 0198 | **bequeath** [bɪkwíːð] ☐☐☐ ① be- (強意)+ queath (言う) | 動 ① (遺言などによって) 〈動産〉 を遺(のこ)す (≒grant, entrust, impart)<br>② ～を (後世に) 伝える (≒hand down, pass down)<br>名 bequest 遺産 |
| 0199 | **cavalier** [kæ̀vəlíər] ▲ アクセント注意。 ☐☐☐ | 形 ぞんざいな、気づかいをしない<br>►「騎士気取りの」が原義。 |
| 0200 | **caliber** [kǽləbər] ☐☐☐ | 名 ① (高い) 質、能力；力量 ② (銃の) 口径<br>動 calibrate ～を測定する<br>名 calibration 測定 |
| 0201 | **valiant** [vǽljənt \| -iənt] ☐☐☐ ① vali (力強い)+ -ant 形 | 形 思い切った、勇気のある (≒brave, courageous)<br>副 valiantly 勇敢に |
| 0202 | **incontrovertible** [ɪnkɑ̀ːntrəvə́ːrtəbl \| -kɔ̀n-] ☐☐☐ ① in- (否定)+ controvert (論争)+ -ible (できる) | 形 〈事実などが〉 議論の余地のない、自明の (≒indisputable) |
| 0203 | **camaraderie** [kɑ̀ːmərɑ́ːdəri \| kæ̀-] ☐☐☐ ① camarade (仲間)+ -rie 名 | 名 友情、仲間意識 (≒friendship) |
| 0204 | **embezzle** [ɪmbézl] ☐☐☐ | 動 〈金など〉 を使い込む、横領する (≒misappropriate)<br>名 embezzlement 使い込み、横領 |

Track 017

| | |
|---|---|
| The stage actor is an **adroit** performer and admired by all. | その舞台俳優は演技が巧みで、誰もが敬服している。 |
| There is a 100-year history of **enmity** between the two countries. | 両国の間には100年の憎しみの歴史がある。 |
| He woke up with **excruciating** pain in his lower abdomen. | 彼は下腹部の耐え難い痛みで目が覚めた。 |
| His **versatility** is vital to the team. | 彼の多才はチームに欠かせない。 |
| The area is famous for its beautiful autumn **foliage**. | この地域は、紅葉が美しいことで有名だ。 |
| The artist **bequeathed** many works of art to the museum. | その芸術家は多くの作品を美術館に遺贈した。 |
| Her **cavalier** attitude toward spending money got her into financial trouble. | お金の使い方に対する無頓着な態度のせいで、彼女は金欠になった。 |
| The IT firm is proud of the high **caliber** of its many employees. | そのIT企業は、多くの従業員の高い能力を誇っている。 |
| He put in a **valiant** effort to pass his entrance exams. | 彼は入試に合格するために、果敢な努力をした。 |
| There is no **incontrovertible** evidence putting my client at the scene. | 私の依頼人が現場にいたという確固たる証拠はない。 |
| There is a strong feeling of **camaraderie** between all the participants. | 参加者全員の間に強い仲間意識がある。 |
| She was convicted of **embezzling** public funds. | 彼女は公金横領で有罪判決を受けた。 |

02
04

|  |  |  |
|---|---|---|
| 0205 □□□ | **drab** [dræb] | 形 単調な、退屈な、面白みのない（≒boring）（⇔interesting） |
| 0206 □□□ | **scruple** [skrúːpl] | 名 良心のとがめ、ためらい<br>► ふつう複数形で使う。 |
| 0207 □□□ | **feud** [fjúːd] | 名 確執、いさかい |
| 0208 □□□ | **brash** [bræʃ] | 形 生意気な、偉そうな（≒arrogant, impudent）（⇔humble） |
| 0209 □□□ | **encrypt** [ɪnkrípt]<br>ⓘ en-（〜にする）+ crypt（暗号） | 動 〈データ〉を暗号化する（≒encode）（⇔decrypt, decipher, decode）<br>名 encryption 暗号化 |
| 0210 □□□ | **apprehend** [æprɪhénd]<br>ⓘ ap-（〜に）+ prehend（つかむ） | 動 〈犯人など〉を捕らえる、逮捕する（≒capture, arrest）<br>名 apprehension 逮捕 |
| 0211 □□□ | **pique** [píːk] | 動 ①〈好奇心・興味など〉をそそる（≒spark, arouse）<br>②〜を怒らせる<br>►「つつく」が原義で pick と同語源語。 |
| 0212 □□□ | **infest** [ɪnfést] | 動 〈害虫・小動物などが〉〈場所〉にはびこる、群がる<br>► be infested with 〜 で「〜がはびこっている」という意味。<br>名 infestation はびこること、まん延 |
| 0213 □□□ | **gloat** [glóʊt] | 動 （自分の成功・他人の不幸などに）ほくそ笑む、ほくほくする<br>名 満悦、ほくそ笑み<br>► gloat over 〜 で「〜にほくそ笑む」という意味。 |
| 0214 □□□ | **archaic** [ɑːrkéɪɪk] | 形 ①時代遅れの、旧式の（≒outdated）<br>②〈言葉が〉古風な、古語の<br>名 archaism 古語 |
| 0215 □□□ | **veer** [víər] | 動 （急に）向きを変える |
| 0216 □□□ | **quell** [kwél] | 動 〈騒動・反乱など〉を鎮める、抑える（≒suppress, quash, stifle, put down） |

Track 018

| | |
|---|---|
| The **drab** appearance of her office makes her feel depressed. | オフィスの単調な外観は、彼女を憂うつにする。 |
| The nurse said she had no **scruples** about eavesdropping on patients. | その看護師は、患者の話を盗み聞きすることに何のやましさもないと述べた。 |
| The **feud** between those two families spans several generations. | その２つの家族の間の確執は、何世代にもわたって続いている。 |
| The musician is known for his **brash** attitude. | そのミュージシャンは生意気な態度で知られている。 |
| The company **encrypts** all sensitive customer data. | その会社は、顧客の機密データをすべて暗号化している。 |
| The police **apprehended** the murderer after a car chase. | 警察はカーチェイスの末、殺人犯を逮捕した。 |
| The magazine cover near the cashier **piqued** his interest. | レジの近くにあった雑誌の表紙に、彼は興味をそそられた。 |
| An inspection revealed that the house **was infested with** termites. | 調査の結果、その家にはシロアリがはびこっていることが判明した。 |
| His coach scolded him for **gloating over** his victory after the match. | コーチは、試合に勝ってほくほくしていたことで彼を叱った。 |
| Last year, the bank finally updated its **archaic** system of record keeping. | 昨年、その銀行はようやく旧式の記録管理システムを更新した。 |
| Two people were injured when their car **veered** off the road. | 車が道路からそれて、乗っていた２人がけがをした。 |
| The police could not **quell** the riot and had to retreat to a more secure location. | 警察は暴動を抑えることができず、もっと安全な場所に退却せざるを得なかった。 |

02 16

0217 **savor** [séɪvər]
□□□
① sav（味がする）+ -or（状態）

動 ①〈活動・経験など〉をかみしめる、堪能する
②（味・香りを楽しみながら）～を食べる、飲む
名（よい）香り、味、風味
形 savory 風味のよい

0218 **frugal** [frú:gl]
□□□

形〈生活などが〉質素な；〈人が〉倹約する、無駄使いしない（≒economical, prudent）（⇔extravagant, wasteful）
名 frugality 質素；倹約

0219 **unscathed** [ʌnskéɪðd]
□□□

形 無傷で、無事で（≒unharmed）（⇔damaged, hurt）

0220 **glut** [glʌ́t]
□□□

名（商品などの）供給過剰（≒oversupply, excess）（⇔shortage, lack）

0221 **knack** [nǽk]
□□□

名 こつ、要領、特技
► have a knack for *do*ing で「～するこつを心得ている」という意味。

0222 **farce** [fá:rs]
□□□

名 茶番、ばかげたこと（≒travesty）
形 farcical 非常にばかげた、茶番のような

0223 **interject** [ìntərdʒékt]
□□□
① inter-（間に）+ ject（投げる）

動〈言葉〉を不意に差しはさむ（≒interrupt）
名 interjection 不意の発声、（発声による）妨害

0224 **marginally** [má:rdʒɪnli]
□□□
① margi（縁）+ -nal 形 + -ly 副

副 わずかに、かろうじて（≒slightly, barely）
形 marginal ごくわずかな、最低限の；辺境の

0225 **broach** [bróʊtʃ]
□□□

動〈言いにくい話題など〉を切り出す、持ち出す

0226 **misgiving** [mɪsgívɪŋ]
□□□

名 不安、懸念（≒anxiety, worry）

0227 **reconnaissance** [rɪká:nəsəns | -kɔ́nɪ-]
□□□

名 偵察、調査

0228 **infatuated** [ɪnfǽtʃuèɪtɪd | -fǽtju-]
□□□
① in-（～にする）+ fatu（愚かな）+ -ated 形

形 夢中になって、のぼせて
名 infatuation（一時的な）のぼせ、夢中、熱中

Track
019

| | |
|---|---|
| Tomorrow the team will be back at practice, but tonight they are **savoring** this victory. | 明日チームは練習に戻るが、今夜はこの勝利を堪能している。 |
| He was **frugal** because he lived in poverty as a youth. | 彼は若いころ貧しい生活をしていたので倹約家だった。 |
| It is a miracle that you escaped from the car accident **unscathed**. | あなたが交通事故から無傷で逃れられたのは奇跡的なことです。 |
| There is a **glut** of houses on the market at the moment. | 現在、市場では住宅の供給が過剰だ。 |
| She **has a knack for** building small bird houses. | 彼女は小さな鳥小屋を作るのが得意だ。 |
| The journalists reported that the political debate was a total **farce**. | ジャーナリストたちは、その政治討論はまったくの茶番だと報道した。 |
| It is rude to **interject** your opinion into a conversation without listening first. | 先に話を聞かずに会話に自分の意見を差しはさむのは失礼だ。 |
| The quality of his work has only improved **marginally**. | 彼の仕事の質はほんのわずかしか改善されていない。 |
| He decided to **broach** the subject of fostering a child with his wife. | 彼は、里子を育てるという話題を妻に切り出すことにした。 |
| They had **misgivings** about her ability to win the competition, but she did. | 彼らは、彼女がコンクールで優勝できるかどうか不安だったが、彼女は優勝した。 |
| They made an aerial **reconnaissance** of the enemy position. | 彼らは敵陣の航空偵察を行った。 |
| She is absolutely **infatuated** with the boy, and it is all she talks about. | 彼女はその男の子にすっかり夢中で、その話ばかりしている。 |

02
28

0229 **incoherent**
[ìnkouhíərənt]
ⓘ in-（否定）+ co-（共に）+ her（付着する）+ -ent 形

形 一貫しない、支離滅裂な（⇔coherent）
名 incoherence 支離滅裂

0230 **morale**
[mərǽl | -rάːl]

名（組織・集団の）士気、意気込み

0231 **substantiate**
[səbstǽnʃièɪt]

動〈発言・主張など〉を実証する（≒corroborate）
名 substantiation 実証、証拠

0232 **erroneous**
[ɪróuniəs]
ⓘ errone（誤り）+ -ous（満ちた）

形〈意見・方法などが〉間違った、誤った情報に基づく（≒incorrect）（⇔accurate）

0233 **exacerbate**
[ɪgzǽsərbèɪt]
ⓘ ex-（強意）+ acerb（厳しい）+ -ate（～にする）

動〈悪い状況〉をさらに悪化させる（≒aggravate）（⇔alleviate, improve）
名 exacerbation 悪化、激化

0234 **elusive**
[ɪlúːsɪv]
ⓘ elu（逃避）+ -sive 形

形 ①〈人・動物などが〉つかまえにくい、見つけにくい（≒evasive, slippery）
② 理解しにくい、とらえどころのない
動 elude ～をかわす、逃れる

0235 **stifle**
[stáɪfl]
ⓘ stif（ふさぐ）+ -le（反復）

動 ①〈反乱など〉を抑える、抑圧する（≒quell, quash, suppress, put down）
②〈あくび・笑いなど〉を押し殺す（≒suppress）
③ ～を窒息させる

0236 **hatch**
[hǽtʃ]

動 ①〈陰謀・計画など〉を企てる
②〈ひな・卵〉をふ化させる；ふ化する

0237 **exorbitant**
[ɪgzɔ́ːrbətnt | -bɪtənt]
ⓘ ex-（外の）+ orbit（軌道）+ -ant 形

形〈金額・要求などが〉法外な、途方もない（≒excessive, unreasonable）（⇔reasonable）

0238 **confiscate**
[kάːnfɪskèɪt | kɔ́n-]
ⓘ con-（共に）+ fisc（財布、公庫）+ -ate（～にする）

動〈財産・土地など〉を没収する、押収する（≒seize）
名 confiscation 没収［押収］品
形 confiscatory 没収の、押収の

0239 **curtail**
[kərtéɪl | kəːtéɪl]

動〈出費・消費・数など〉を削減する、切り詰める（≒limit, cut）
名 curtailment 削減、切り詰め

0240 **cessation**
[seséɪʃən]

名 中止、停止、中断
動 cease 終わる；～を中止する

Track 020

| | |
|---|---|
| She started talking in her sleep, but her speech was totally **incoherent**. | 彼女は寝言を言い始めたが、言っていることはまったく支離滅裂だった。 |
| The coach worked hard to raise **morale** after three consecutive losses. | 3連敗のあと、コーチは士気を高めようと懸命に取り組んだ。 |
| Your essay must provide information that **substantiates** your claims. | 小論文では、自分の主張を立証する情報を提示しなければならない。 |
| The assumption is based on **erroneous** and outdated information. | その仮定は、誤った古い情報に基づいている。 |
| These measures will only work to **exacerbate** the poverty problem. | これらの措置は、貧困問題をいっそう悪化させる方向にしか働かない。 |
| The giant squid is an **elusive** deep-sea creature. | ダイオウイカは見つけにくい深海生物である。 |
| The police **stifled** any criticism of their actions. | 警察は自分たちの行動に対するどんな批判も抑え込んだ。 |
| The rebels **hatched** a plot to take down the government. | 反乱軍は政府を倒す陰謀を企てた。 |
| The **exorbitant** price of rent in the city is affecting everyone. | 市の法外な家賃は、すべての人に影響を与えている。 |
| His teacher **confiscated** his phone after he was caught with it in class. | 先生は授業中に彼が携帯電話を持っているのを見つけ、没収した。 |
| The city council tried to **curtail** its personal spending. | 市議会は個人的な支出を削減しようとした。 |
| The country announced **cessation** of financial support to other countries. | その国は、他国への財政支援の中止を発表した。 |

02
40

0241
□□□
**relegate**
[réləgèɪt]
! re- (離れたところに)+ leg (送る)+ -ate 動

動 〈人など〉を格下げする、左遷する (≒demote)
名 relegation 格下げ、降格

0242
□□□
**bolster**
[bóʊlstər]

動 〈信頼・士気など〉を支える、強化する (≒reinforce, buttress, boost) (⇔weaken)

0243
□□□
**reparation**
[rèpəréɪʃən]
! repar (賠償する)+ -ation 名

名 ① [reparations] 賠償金 ② 補償、償い (≒amends, compensation, restitution)
動 repair 〈過失・損害など〉を償う、補償する
形 reparable 賠償し得る

0244
□□□
**turmoil**
[tə́ːrmɔɪl]

名 騒動、混乱 (≒commotion, turbulence) (⇔peace)

0245
□□□
**conjure**
[kɑ́ːndʒər | kʌ́n-]
! con- (共に)+ jure (誓う)

動 ① 〈記憶・イメージなど〉を思い起こさせる
② (魔法で・魔法を使ったように) ～を出す
名 conjurer 手品師

0246
□□□
**permeate**
[pə́ːrmièɪt]
! per- (通って)+ meate (行く)

動 ① 〈液体・気体などが〉 ～に充満する (≒pervade)
② 〈思想・感情などが〉 ～に行きわたる、普及する (≒pervade)

0247
□□□
**gist**
[dʒíst]

名 要点、趣旨 (≒essence)

0248
□□□
**prolific**
[prəlífɪk]
! prol (子孫)+ -ific (作る)

形 ① 〈芸術家などが〉 多作の (≒productive)
② 〈人・動物が〉 多産の、〈植物が〉 多くの実を結ぶ
動 proliferate 急増する
名 proliferation 急増

0249
□□□
**admonish**
[ədmɑ́ːnɪʃ | -mɔ́n-]
! ad- (～に)+ mon (警告する)+ -ish (～にする)

動 ① 〈人〉を叱る、諭す (≒reprimand) (⇔praise)
② 〈人〉に忠告する、勧告する
名 admonition 注意、訓戒
形 admonitory 忠告の

0250
□□□
**rout**
[ráʊt]

名 (試合・選挙などでの) 大敗北、総崩れ (≒defeat)

0251
□□□
**disband**
[dɪsbǽnd]
! dis- (否定)+ band (団結する)

動 〈組織など〉を解散させる;〈組織などが〉 解散する

0252
□□□
**somber**
[sɑ́ːmbər | sɔ́m-]
! so- (下に)+ mber (日陰)

形 ① 〈気持ち・様子などが〉 陰うつな、重苦しい (≒gloomy)
② 〈色・明るさが〉 地味な、薄暗い
副 somberly 地味に

| | |
|---|---|
| After the series of costly mistakes, she was **relegated** to a role with less responsibilities. | 大損害を出すミスを立て続けにして、彼女は責任の少ない立場に降格された。 |
| The company is working hard to **bolster** its reputation. | その会社は評判を高めるために懸命に取り組んでいる。 |
| The country was forced to pay huge war **reparations**. | その国は莫大な戦争賠償金を支払わなければならなかった。 |
| Countries all over the world are facing increasing economic **turmoil**. | 世界中の国々がさらなる経済的混乱に直面している。 |
| To many people, Paris **conjures** an image of romance. | 多くの人にとって、パリはロマンスのイメージを思い起こさせる。 |
| The smell of freshly ground coffee **permeated** the room. | ひきたてのコーヒーの香りが部屋いっぱいに広がった。 |
| The **gist** of his argument was that school curriculums should be changed. | 彼の主張の趣旨は、学校のカリキュラムを変えるべきというものだった。 |
| The **prolific** inventor has thousands of patents for various inventions. | その多作な発明家は、さまざまな発明の特許を何千も持っている。 |
| The janitor was **admonished** for failing to clean the bathrooms properly. | 管理人は、トイレをきちんと掃除しなかったことで警告を受けた。 |
| The political party lost more than half their seats in a **rout**. | その政党は議席の半分以上を失うという大敗北を喫した。 |
| Police were sent in to **disband** the crowd of protestors. | 抗議する群衆を解散させるため、警察が派遣された。 |
| The mood was **somber** in the room after they heard the bad news. | 悪い知らせを聞いて、部屋は重苦しい雰囲気だった。 |

0253 **annotation** [ænətéɪʃən]
① an-（～に）+ not（印をつける）+ -ation 名

名 注釈、注解
動 annotate ～に注釈をつける

0254 **untenable** [ʌnténəbl]
① un-（否定）+ ten（保持する）+ -able（できる）

形 〈議論・立場などが〉擁護できない、支持できない（⇔tenable）

0255 **assuage** [əswéɪʤ]

動 〈苦痛・不安など〉を和らげる、緩和する（≒ease, relieve）

0256 **flounder** [fláʊndər]

動 ① 苦労する、問題を抱える（≒struggle）
② まごつく、言いよどむ（≒falter）
► 同じつづりで「ヒラメ、カレイ」という名詞の意味もある。

0257 **pander** [pǽndər]

動 （人に）迎合する、おもねる

0258 **overt** [oʊvə́ːrt]

形 公然の、あからさまな（≒obvious, blatant）（⇔covert）

0259 **antagonistic** [æntæ̀gənístɪk]

形 敵対する、敵意のある（≒hostile, opposed）
動 antagonize ～に敵意を持たせる
名 antagonism 敵対、敵意

0260 **budge** [bʌ́ʤ]

動 ①（意見・態度などを）変える ② 身動きする

0261 **sedentary** [sédntèri | -təri]
① sedent（座っている）+ -ary 形

形 ①〈仕事などが〉座っていることの多い；〈人が〉座ってばかりいる
② 〈人・動物などが〉定住する（⇔migratory）

0262 **accentuate** [əkséntʃuèɪt]
① accentu（強調）+ -ate（～にする）

動 ～を強調する、際立たせる（≒emphasize）
名 accentuation 強調

0263 **ember** [émbər]

名 ① 残り火、燃えさし
② 余韻、名残り

0264 **engender** [ɪnʤéndər]
① en-（中に）+ gender（生む）

動 〈感情・状況など〉を生じさせる、引き起こす（≒create, produce, cause）

Track 022

| | |
|---|---|
| I would never be able to understand this book without the **annotations**. | 注釈なしではとてもこの本を理解できないでしょう。 |
| You should research more because your argument is currently **untenable**. | あなたの主張は今のところ成り立たないので、もっと調査すべきです。 |
| The mayor has sought to **assuage** public concerns about the project. | 市長はその計画に対する市民の懸念を緩和しようとしている。 |
| Without proper training, young teachers can **flounder** in schools. | 適切な訓練がなければ、若い教師は学校で苦労するかもしれない。 |
| It is well known that governments tend to **pander** to the rich. | たいていの政府は高所得者に迎合しがちだということはよく知られている。 |
| The two brothers showed **overt** hostility toward one another. | 2人の兄弟はお互いへのあからさまな敵意を見せた。 |
| She has always been **antagonistic** to people of authority. | 彼女は常に権威のある人々に敵対してきた。 |
| He refused to **budge**, even when everyone else disagreed with him. | ほかの全員に反対されても、彼は立場を変えることを拒んだ。 |
| Her job is enjoyable, but it is a bit too **sedentary** for her. | 仕事は楽しいが、彼女にとっては少し座っている時間が長すぎる。 |
| The actress's short hair **accentuates** her natural beauty. | 短い髪がその女優の生まれ持った美しさを際立たせている。 |
| She blew on the **ember** to produce fire. | 彼女は残り火に息を吹きかけて火を起こした。 |
| His lengthy presentation did not **engender** much excitement in the audience. | 彼の冗長なプレゼンに聞き手はあまり盛り上がらなかった。 |

02
64

0265
**inundate**
[ínʌndèɪt]
① in-(中に)+ und(波)+ -ate(～にする)

動 ① ～に押し寄せる、殺到する(≒overwhelm)
② 〈場所〉を水浸しにする(≒flood)
► be inundated with ～ で「～が殺到する」という意味。
名 inundation 殺到;氾濫

0266
**rampage**
[名 rǽmpeɪʤ 動 ræmpéɪʤ]

名 凶暴に暴れること
動 暴れ回る

0267
**echelon**
[éʃəlɑ̀:n | -lɔ̀n]

名 (組織・社会などの)段階、階層

0268
**disdain**
[dɪsdéɪn]
① dis-(否定)+ dain(価値のある)

名 軽蔑、侮辱(≒scorn, derision)
動 ～を軽蔑する、見下す
形 disdainful 尊大な、軽蔑的な

0269
**eschew**
[ɪstʃú:]

動 〈悪いもの・有害なものなど〉を避ける

0270
**palatable**
[pǽlətəbl]

形 ① 口に合う、無難な味の
② 〈考え方・方法などが〉好ましい
名 palate 味覚

0271
**referendum**
[rèfəréndəm]

名 国民投票、住民投票
► 複数形は referendums あるいは referenda。

0272
**fickle**
[fíkl]

形 ① 〈人などが〉気まぐれな、移り気な(⇔reliable)
② 〈天候などが〉変わりやすい、不安定な

0273
**tantamount**
[tǽntəmàʊnt]
① tant(そのような)+ amount(量)

形 (価値・意味・効果などが)同等の、等しい(≒identical, equivalent)
► be tantamount to ～で「～に等しい」という意味。

0274
**placid**
[plǽsɪd]

形 ① 〈もの・ことが〉静かな、穏やかな
② 〈人・動物が〉落ち着いた、おとなしい(≒calm, gentle)(⇔excitable, temperamental)
名 placidity 静穏、平静

0275
**heave**
[hí:v]

名 (力を入れて)引っ張る[押す、持ち上げる]こと
動 ① 〈重いもの〉を持ち上げる、積み込む
② 〈ため息〉をつく、もらす

0276
**scrawl**
[skrɔ́:l]

動 〈字〉を殴り書き[走り書き]する(≒scribble)
形 scrawly 殴り書き[走り書き]の

Track 023

| | |
|---|---|
| Customer support **was inundated with** calls after the flight was canceled. | その便が欠航になると、カスタマーサポートには電話が殺到した。 |
| The man went on a **rampage** through town, smashing several windows. | その男は町中を大暴れして、何枚も窓ガラスを割った。 |
| The fashion brand became popular among the upper **echelons** of Paris society. | そのファッションブランドはパリ社交界の上流階級の間で人気になった。 |
| Her grandfather openly showed his **disdain** for her choice of college. | 祖父は、彼女の選んだ大学をあからさまに見下した。 |
| Our organization actively **eschews** violence and asks all members to do the same. | 当団体は積極的に暴力行為を排除しており、すべてのメンバーにも同じことを求めています。 |
| This brand of cough syrup is much more **palatable** than others. | このブランドの咳止めシロップは、ほかのものよりもずっと口当たりがよい。 |
| The country will hold a **referendum** to decide if it will pursue nuclear power. | その国は、原子力発電を推進するかどうかを決める国民投票を行う。 |
| Her **fickle** nature makes it difficult to buy presents for her. | 気まぐれな性格なので、彼女にプレゼントを買うのは難しい。 |
| To say nothing **is tantamount to** saying you agree. | 何も言わないのは、賛成だと言うのに等しい。 |
| The **placid** surface of the lake looked like a giant piece of glass. | 穏やかな湖面は、まるで巨大なガラスのようだった。 |
| With a **heave**, they lifted the wooden beam onto the truck. | 彼らは木のはりを引っ張ってトラックに載せた。 |
| He **scrawled** a note for his mother saying he would be back soon. | 彼は母親に、すぐに帰ってくるというメモを走り書きした。 |

02 76

0277 **implore** [ɪmplɔ́ːr]
① im- (〜に向かって) + plore (泣き叫ぶ)

動 〈援助など〉を懇願する (≒beseech, beg)
► implore A to *do*で「Aに〜するよう懇願する」という意味。

0278 **accost** [əkɔ́(ː)st]

動 〈知らない人〉に近寄って話しかける

0279 **erratic** [ɪrǽtɪk]
① erra (さまよう) + -tic 形

形 〈人・行動が〉不安定な、むらのある (≒unpredictable)

0280 **absolve** [əbzɑ́ːlv | -zɔ́lv]
① ab- (〜から) + solve (ゆるめる)

動 〈人〉に無罪を言い渡す；〈人〉を赦免する

0281 **hoard** [hɔ́ːrd]

名 (貴重品・食料などの) 蓄え、貯蔵
動 〜を貯蔵する、ため込む (≒stockpile)

0282 **euphoric** [juːfɔ́ːrɪk | -fɔ́r-]
① euphor (健康な) + -ic 形

形 幸福感にあふれた
名 euphoria 幸福 (感)、多幸症

0283 **incarcerate** [ɪnkɑ́ːrsərèɪt]
① in- (中に) + carcer (投獄する) + -ate (〜にする)

動 〈人〉を投獄する、監禁する (≒imprison)
名 incarceration 投獄

0284 **brevity** [brévəti]
① brev (短い) + -ity 名

名 ① (表現の) 簡潔さ ② (時間の) 短さ
形 brief 簡潔な；短い

0285 **pamper** [pǽmpər]

動 〈人・動物など〉を甘やかす
► pamper *oneself* で「気ままに振る舞う、存分にくつろぐ」という意味。

0286 **culpable** [kʌ́lpəbl]
① culp (とがめる) + -able (できる)

形 〈人・行為などが〉とがめられるべき (≒blameworthy)
名 culpability とがめられるべきこと

0287 **impervious** [ɪmpə́ːrviəs]
① im- (否定) + pervious (通す)

形 ① 無感覚な、鈍感な
② (水・湿気を) 通さない、不浸透性の (≒impenetrable, immune)

0288 **prowess** [práʊəs]
① prow (勇敢な) + -ess 名

名 卓越した技量 [能力]

Track 024

| | |
|---|---|
| Human rights activists are **imploring** people **to** be wary of the current situation. | 人権活動家たちは、現状に注意を払うよう人々に訴えている。 |
| She was **accosted** by a security guard and asked to leave the area. | 彼女は警備員に声をかけられ、その場から離れるように言われた。 |
| He was stopped by police for driving in an **erratic** way. | 彼はふらふら運転で警察に止められた。 |
| During the trial, the court **absolved** him of any wrongdoing. | 裁判の中で、裁判官は彼に無罪を言い渡した。 |
| Archaeologists discovered a **hoard** of gems in a tomb. | 考古学者は、墓の中から宝石の山を発見した。 |
| The good news put his family in a **euphoric** mood. | よい知らせを聞いて彼の家族は幸福感に満たされた。 |
| The woman was **incarcerated** for a petty crime, and it ruined her life. | その女性はささいな犯罪で投獄され、人生を台無しにした。 |
| He is known for his **brevity** and simple writing style. | 彼は表現の簡潔さとシンプルな文体で知られている。 |
| I sometimes **pamper myself** with a spa. | 私はときどき温泉に行ってゆっくりくつろぐ。 |
| The investigation showed that the driver was not **culpable** in the car accident. | 調査の結果、その自動車事故では運転手に非がないことがわかった。 |
| Her husky seems like it is **impervious** to the cold. | 彼女のハスキー犬は寒さを意に介さないようだ。 |
| His athletic **prowess** was proven when he won the championship. | 選手権で優勝して、彼の運動能力は証明された。 |

0288

0289 **nonchalant**
[nὰ:nʃəlɑ́:nt | nɔ́nʃələnt]
□□□
ⓘ non- (否定) + chalant (心配)

形 〈様子・態度が〉平然とした、無頓着な (≒casual)
副 nonchalantly 平然と
名 nonchalance 平然

0290 **dawdle**
[dɔ́:dl]
□□□

動 ぐずぐずする、時間を浪費する

0291 **capitulate**
[kəpítʃəlèɪt | -pítju-]
□□□

動 ① 抵抗をやめる、受け入れる
② 降伏する (≒surrender)
名 capitulation 降伏

0292 **rebuff**
[rɪbʌ́f]
□□□

動 〈申し出など〉を拒絶する
(≒snub, reject) (⇔accept)
名 (申し出などへの) 拒絶

0293 **pedantic**
[pɪdǽntɪk]
□□□
ⓘ pedant (学者) + -ic 形

形 細事にこだわる、細かい
名 pedantry 細事にうるさいこと
名 pedant 細事にこだわる人

0294 **squeamish**
[skwí:mɪʃ]
□□□

形 すぐに気分が悪くなる

0295 **diatribe**
[dáɪətràɪb]
□□□

名 (人・意見・活動などに対する) 痛烈な批判 [非難]

0296 **reprehensible**
[rèprɪhénsəbl]
□□□
ⓘ re- (元に) + prehens (とらえる) + -ible (できる)

形 〈行動・発言などが〉非難されるべき
(≒disgraceful) (⇔respectable)
動 reprehend ～を叱責する、非難する

0297 **cryptic**
[kríptɪk]
□□□
ⓘ crypt (暗号) + -ic 形

形 〈言葉・意図などが〉不可解な；〈人などが〉謎めいた
(≒mysterious)

0298 **exuberant**
[ɪgz(j)ú:bərənt]
□□□
ⓘ ex- (強意) + uber (よく実のなる) + -ant 形

形 熱狂的な、喜びにあふれた
(≒energetic, lively, jubilant)
(⇔apathetic, lethargic)
名 exuberance あふれる熱気

0299 **pallid**
[pǽlɪd]
□□□
ⓘ pall (青白い) + -id 形

形 (病気などで) 青白い、生気のない (≒pale)
名 pallor 青白さ、蒼白

0300 **acrid**
[ǽkrɪd]
□□□
ⓘ acr (鋭い) + -id 形

形 ① 〈言葉・態度が〉辛らつな、とげとげしい
② 鼻をつく、刺激性の (≒pungent)

Track 025

| | |
|---|---|
| Her **nonchalant** attitude about the scandal shocked her fans. | スキャンダルに対する彼女の平然とした態度に、彼女のファンは衝撃を受けた。 |
| His parents told him to stop **dawdling** and get ready for school. | 両親は彼に、ぐずぐずしていないで学校に行く準備をしなさいと言った。 |
| After one week, company executives **capitulated** to the striking workers' demands. | 1週間後、会社の幹部はストライキを行う労働者たちの要求を受け入れた。 |
| The council **rebuffed** efforts by activists to save the local park. | 議会は、地元の公園を守ろうとする活動家たちの努力をはねつけた。 |
| The **pedantic** teacher deducts points from essays for even small punctuation errors. | その細かい教師は、作文の句読点の小さな誤りですら減点する。 |
| This movie may not be suitable for those who are **squeamish**. | この映画はすぐに気分が悪くなる人には適さないかもしれない。 |
| The journalist wrote a **diatribe** against the government's policy. | その記者は政府の政策に対する痛烈な批判を書いた。 |
| He is ashamed of his utterly **reprehensible** behavior. | 彼はまったく非難されるべき自分の行為を恥じている。 |
| Someone left a **cryptic** message in front of our house. | 誰かが私たちの家の前に不可解なメッセージを残した。 |
| The fans were **exuberant** when their team won the rugby game. | ひいきのチームがラグビーの試合に勝って、ファンたちは喜びにあふれた。 |
| She went to see a doctor because her skin was **pallid**. | 肌が青白いので彼女は医者に行った。 |
| He was shocked by the **acrid** remarks of his coach regarding his performance. | 自分の成績に関するコーチの辛らつな発言に彼はショックを受けた。 |

03
00

0301 **penchant** [péntʃənt | pá:ŋʃa:n]
① pench (傾く) + -ant 形

名 嗜好(しこう)、偏愛 (≒fondness, inclination)

0302 **vigil** [vídʒəl]

名 (看病・見張りなどの) 徹夜、寝ずの番；通夜
形 vigilant 警戒を怠らない
名 vigilance 警戒、用心

0303 **sheepishly** [ʃí:pɪʃli]

副 きまり悪そうに、おどおどして
形 sheepish きまりの悪い

0304 **unkempt** [ʌnkémpt]

形 〈人が〉身なりがだらしない；
〈髪が〉とかしていない (≒messy, shabby)

0305 **wince** [wíns]

動 (苦痛・不快などで) 顔をしかめる、たじろぐ
(≒flinch, recoil)

0306 **dilapidated** [dɪlǽpədèɪtɪd]

形 〈建物などが〉荒れ果てた；
〈自動車・家具などが〉ぼろぼろの
名 dilapidation 荒廃、破損

0307 **blemish** [blémɪʃ]

名 ① (肌などの表面の) しみ、汚れ、傷
② (名声・評判などを損なう) 欠点、汚点
形 blemished 傷のある；汚点のある

0308 **paltry** [pɔ́:ltri]

形 ごくわずかな、たったの
(≒petty, meager, insignificant)
(⇔significant, substantial)

0309 **ambivalent** [æmbívələnt]

形 相反する感情 [考え] を持つ
名 ambivalence 心理的葛藤、ためらい

0310 **hermit** [hə́:rmɪt]

名 世捨て人、隠遁(いんとん)者 (≒recluse)

0311 **quench** [kwéntʃ]

動 ① 〈渇きなど〉をいやす、和らげる
② 〈火・光〉を消す (≒extinguish, douse)

0312 **dispel** [dɪspél]
① dis- (分離) + pel (追いやる)

動 〈不安・恐怖など〉を払いのける (≒dismiss)

Track 026

| | |
|---|---|
| Looking at her wardrobe, it is obvious she has a **penchant** for bright colors and flowery designs. | ワードローブを見れば、彼女が明るい色と花柄が好みなのは明らかだ。 |
| The school held a **vigil** for their student who died in an accident. | その学校は、事故で亡くなった生徒のために通夜を行った。 |
| The girl **sheepishly** admitted to her teacher that she could not understand her homework. | その少女はきまり悪そうに、宿題が理解できないことを教師に認めた。 |
| No matter what she does, her hair looks **unkempt**. | 何をしても、彼女の髪はボサボサに見える。 |
| He **winced** when the nurse pricked his arm with the needle. | 看護師に腕に注射をされて、彼は顔をしかめた。 |
| Her parents turned a **dilapidated** shack into a beautiful cottage. | 彼女の両親は荒れ果てた小屋を美しいコテージに変えた。 |
| This article lists five all-natural ways to remove facial **blemishes**. | この記事では、顔のしみをなくすための５つの自然な方法を挙げている。 |
| The company rejected a **paltry** one percent pay raise. | 会社側はわずか１パーセントの昇給を拒否した。 |
| She seems to feel **ambivalent** about his proposal. | 彼女は彼の提案について相反する考えを持っているようだ。 |
| The poet lived in the mountains for years as a **hermit**. | その詩人は何年もの間隠者として山で暮らした。 |
| She **quenched** her thirst with a bottle of water. | 彼女はボトルの水で喉の渇きをいやした。 |
| The manager's speech was meant to **dispel** employees' concerns about the future of the company. | 部長の話は、会社の将来に関する従業員の不安を払拭するためのものだった。 |

03
12

0313 **wrath** [rǽθ | rɔ́θ]

名 猛烈な怒り、激怒（≒ire, fury）
形 wrathful 怒りに満ちた

0314 **polarize** [póʊləràɪz]
① polar（極）+ -ize（～にする）

動 〈人々・意見〉を二極化させる、二分する（≒divide）
名 polarization 二極化

0315 **condolence** [kəndóʊləns]
① con-（共に）+ dol（深く悲しむ）+ -ence 名

名 哀悼の意、悔やみ
► ふつう複数形で使う。
動 condole 悔やみを言う

0316 **charlatan** [ʃɑ́ːrlətn]

名 ペテン師、大ぼら吹き（≒fraud）

0317 **succinct** [səksíŋkt]
① suc-（下に）+ cinct（帯で縛った）

形 〈文章・話などが〉簡潔な（≒concise）（⇔lengthy）
副 succinctly 簡潔に

0318 **infraction** [ɪnfrǽkʃən]

名 （規則・法律の）違反、侵害（≒violation）
► infringe（～を侵害する）と同語源語。

0319 **detract** [dɪtrǽkt]
① de-（分離）+ tract（引く）

動 （価値・名声などを）損なう（⇔enhance）
► detract from ～ で「～を損なう」と言う意味。
名 detraction （価値・名声などを）損なうこと

0320 **gorge** [gɔ́ːrdʒ]

名 渓谷、峡谷（≒canyon, ravine）

0321 **acquittal** [əkwítl]
① ac-（強意）+ quit（やめる）+ -tal 名

名 無罪判決（⇔conviction）
動 acquit 〈人〉に無罪判決を言い渡す

0322 **lurch** [lɔ́ːrtʃ]

動 ① 〈人などが〉よろめく（≒stumble）
② 〈乗り物が〉急に傾く、揺れる
名 （車などの）突然の揺れ

0323 **adorn** [ədɔ́ːrn]
① ad-（～に）+ orn（飾る）

動 ～を装飾する、飾る（≒decorate, embellish）
名 adornment 装飾

0324 **rubble** [rʌ́bl]

名 （石・れんがなどの）がれき、破片（≒debris）

Track 027

| | |
|---|---|
| Public **wrath** over the scandal soon passed and all was forgotten. | スキャンダルに対する世間の怒りはすぐに過ぎ去り、すべて忘れ去られた。 |
| The bridge project has **polarized** the local community. | 橋の建設計画は地域社会を二分した。 |
| I offer my sincerest **condolences** to his family and friends. | 彼のご家族とご友人に心からお悔やみ申し上げます。 |
| Many suspected he was a **charlatan**. | 多くの人が彼はペテン師ではないかと思っていた。 |
| The secretary gave a **succinct** summary of the president's schedule for the day. | 秘書はその日の社長のスケジュールの概略を簡潔に説明した。 |
| He was suspended from school for **infractions** of school rules. | 彼は校則に違反したために停学処分になった。 |
| The large sign **detracts** from the beautiful view of the mountain. | その大きな看板は、美しい山の眺めを損なっている。 |
| The Grand Canyon is probably the most famous **gorge** in the world. | グランドキャニオンは、おそらく世界で最も有名な峡谷だ。 |
| The suspect's **acquittal** did not surprise anyone because there was not enough evidence. | 十分な証拠がなかったため、容疑者の無罪判決に誰も驚かなかった。 |
| The passengers **lurched** forward when the driver suddenly stopped the tram. | 運転手が突然路面電車を止めたので、乗客は前方によろめいた。 |
| The walls are **adorned** with paintings and photographs. | その壁は絵や写真で飾られている。 |
| A woman has been found alive in the **rubble** of a collapsed building. | 倒壊した建物のがれきの中から一人の女性が生きて発見された。 |

03 ► 24

0325 **homage**
[hά:mɪʤ | hɔ́m-]
① hom (人間) + -age (状態)

名 敬意、尊敬 (≒deference, reverence) (⇔disrespect)
► pay homage to ~ で「~に敬意を表する」という意味。

0326 **stint**
[stínt]

名 (活動) 期間、(仕事の) 任期 (≒spell, stretch)
動 出し惜しみする

0327 **procure**
[prəkjúər]
① pro- (~のために) + cure (気を配る)

動 ~を (努力・苦労して) 入手する、獲得する (≒acquire, attain) (⇔lose)
名 procurement 入手、調達

0328 **mortify**
[mɔ́:rtəfàɪ]
① mort (死) + -ify (~にする)

動 〈人〉に恥をかかせる、屈辱を与える (≒humiliate)
名 mortification 悔しさ、屈辱

0329 **fret**
[frét]

動 くよくよする、気をもむ (≒worry)
名 いら立ち、焦燥

0330 **denigrate**
[dénəgrèɪt]
① de- (~について) + nigr (黒くする) + -ate (~にする)

動 〈人など〉を中傷する；〈評判など〉を汚す (≒belittle, vilify) (⇔praise, compliment)
名 denigration 中傷

0331 **consecrate**
[kά:nsəkrèɪt | kɔ́n-]
① con- (共に) + secr (神聖な) + -ate (~にする)

動 〈土地など〉を神にささげる、神聖化する (≒sanctify)
名 consecration 神聖化

0332 **ultimatum**
[ʌ̀ltəméɪtəm]

名 最後通告
► 複数形は ultimatums あるいは ultimata。ultimate (究極の) と同語源語。

0333 **fidelity**
[fɪdéləti]
① fidel (忠実な) + -ity 名

名 ① (人・組織・主義などに対する) 忠誠、忠実 (≒devotion, loyalty) (⇔infidelity)
② (原物・事実に) そっくりなこと、正確さ

0334 **premium**
[prí:miəm]
① pre- (前に) + mium (買う)

名 保険料、(保険の) 掛け金
形 高級な、高品質の

0335 **susceptible**
[səséptəbl]
① sus- (下に) + cept (つかむ) + -ible (できる)

形 影響されやすい、感染しやすい (≒prone)
名 susceptibility 感染しやすさ

0336 **debris**
[dəbrí:] ▲ アクセント注意。

名 がれき、残骸 (≒rubbles)
► 語末の s は発音しない。

| | |
|---|---|
| She **paid homage to** her vocal coach after she won the singing competition. | 声楽コンクールで優勝したあと、彼女はボイストレーナーに敬意を払った。 |
| He gained more respect for restaurant workers following his brief **stint** as a server. | ウェイターとして短期間働いたあと、彼はレストランの従業員をさらに尊敬するようになった。 |
| The market **procures** all of its produce from local sources. | その市場ではすべての農産物を地元の生産者から調達している。 |
| She was **mortified** when she slipped and fell in front of her date. | デート相手の前で滑って転んでしまい、彼女は恥ずかしい思いをした。 |
| His mother recommended he stop **fretting** about the small things. | 母親は、彼が小さなことでくよくよするのをやめるよう助言した。 |
| Her latest essay was accused of **denigrating** the government. | 彼女の最新の論文は、政府を中傷していると非難された。 |
| This church was **consecrated** 100 years ago. | この教会は100年前に献堂された。 |
| She gave him an **ultimatum**: quit his job or end their relationship. | 彼女は、「仕事を辞めるか自分たちの関係を終わらせるかどちらかだ」と彼に最後通告を出した。 |
| Employees owe a duty of **fidelity** to their company. | 従業員は自身の会社への忠誠義務を負っている。 |
| He has to pay high car insurance **premiums**. | 彼は高額な自動車保険の掛け金を払わなければならない。 |
| Patients undergoing chemotherapy are more **susceptible** to infections. | 化学療法を受けている患者のほうが感染症にかかりやすい。 |
| Volunteers worked to remove the **debris** from the beach. | ボランティアたちは海岸のがれきを取り除く作業をした。 |

0337 **revitalize** [rìːváɪtəlàɪz]
□□□
① re- (再び) + vit (生きている) + -alize (～にする)

動 ～に新しい活力を与える、～を再活性化する (≒reinvigorate, refresh, replenish)
名 revitalization 再活性化

0338 **instill** [ɪnstíl]
□□□
① in- (中に) + still (したたる)

動 〈思想・感情など〉を徐々に教え込む、しみ込ませる

0339 **hassle** [hǽsl]
□□□

名 ① 煩わしいこと、厄介ごと (≒bother, nuisance, pain)
② 口論、激論

0340 **opt** [ɑ́ːpt | ɔ́pt]
□□□

動 選択する、決める
名 option 選択 (肢)

0341 **disparate** [díspərət]
□□□
① dis- (分離) + par (準備する) + -ate 動

形 まったく異なる、共通点のない
名 disparity 相違、差異

0342 **elicit** [ɪlísət]
□□□
① e- (外に) + licit (誘う)

動 〈返事・反応など〉を引き出す

0343 **robust** [roʊbʌ́st]
□□□

形 ① 〈人・動植物が〉強健な、たくましい (≒healthy, sturdy) (⇔weak)
② 〈ものが〉頑丈な
③ 〈経済・市場などが〉活発な

0344 **shun** [ʃʌ́n]
□□□

動 〈人・ものごと〉を避ける、敬遠する (≒avoid)

0345 **nomadic** [noʊmǽdɪk]
□□□

形 遊牧の、遊牧民族の
名 nomad 遊牧民

0346 **disperse** [dɪspə́ːrs]
□□□
① di- (離れた) + sperse (まき散らす)

動 〈群衆が〉分散する；〈群衆など〉を追い散らす (≒diffuse, scatter)
名 dispersion 分散、解散

0347 **havoc** [hǽvək]
□□□

名 (大規模な) 破壊、混乱 (≒disorder)
► play havoc with ～ = wreak havoc on ～ (～に大被害を与える) という表現も覚えておこう。

0348 **mar** [mɑ́ːr]
□□□

動 ～を損なう、台無しにする (≒tarnish, spoil)

Track 029

|  |  |
| --- | --- |
| The town council produced a plan to **revitalize** the downtown area. | 町議会は、繁華街に活気を取り戻す計画を作成した。 |
| Good teachers **instill** confidence in their students. | よい教師は生徒に自信を植えつける。 |
| Getting to the airport from here is such a **hassle**. | ここから空港に行くのはとても面倒だ。 |
| She always **opts** for business-class tickets when she can afford them. | 彼女は、お金に余裕があるときはいつもビジネスクラスのチケットを選ぶ。 |
| All of the presidential candidates have **disparate** views on the current immigration policy. | すべての大統領候補は、現在の移民政策についてまったく異なる見解を持っている。 |
| The company hopes to **elicit** useful data from their questionnaire. | その会社は、アンケートから有用なデータを引き出したいと思っている。 |
| Only the most **robust** people can manage to work in Antarctica. | 南極で何とか働くことができるのは、最も頑健な人々だけだ。 |
| He **shuns** any products that are not friendly to the environment. | 彼は環境に優しくない製品は一切避けている。 |
| **Nomadic** lifestyles are becoming popular again in the digital age. | デジタル時代になって、ノマド的なライフスタイルが再び人気を集めている。 |
| Police **dispersed** the demonstrators by force. | 警察は力ずくでデモ隊を追い散らした。 |
| Heavy snow caused **havoc** all over the country. | 大雪が全国で大きな混乱を引き起こした。 |
| Their holiday party was **marred** by a winter storm. | 彼らの年末のパーティーは冬の嵐のせいで台無しになった。 |

03 48

## 0349 inception
[ɪnsépʃən]

名 〈組織などの〉発足、開始（≒beginning）（⇔end, conclusion）

## 0350 resurgence
[rɪsə́ːdʒəns]

名 再起、再燃、復活（≒revival）
形 resurgent 再起する、復活する

## 0351 delve
[délv]

動 〈徹底的に〉掘り下げる、探求する
► delve into ～ で「～を調査［探求］する」という意味。

## 0352 embed
[ɪmbéd]

① em-（中に）+ bed（苗床）

動 ① ～を埋め込む、はめ込む（≒lodge, insert）
② 〈考え・感情など〉を刻み込む
► ①②共に受け身で使われることが多い。

## 0353 bestow
[bɪstóʊ]

① be-（強意）+ stow（詰め込む）

動 〈栄誉・称号など〉を授ける、与える（≒confer, grant）

## 0354 stringent
[stríndʒənt]

① string（張る）+ -ent 形

形 〈規則などが〉厳しい、厳格な（≒strict, rigorous）（⇔flexible）
名 stringency 厳しさ、厳格さ

## 0355 dissipate
[dísəpèɪt]

① dis-（分離）+ sipate（投げる）

動 ① 消散する、消える
② 〈雲・群衆など〉を散らす、追い払う
③ 〈金・時間など〉を浪費する
名 dissipation 消失、消散

## 0356 hoax
[hóʊks]

名 虚偽の警報、いたずら
動 〈人〉をかつぐ、だます

## 0357 astound
[əstáʊnd]

動 ～をびっくり仰天させる（≒amaze, astonish）
► astonish（～を驚かせる）と同語源語。

## 0358 reinstate
[rìːɪnstéɪt]

動 ～を復帰［復職］させる（≒restore）

## 0359 momentous
[moʊméntəs]

① moment（重要性）+ -ous（満ちた）

形 きわめて重要な［重大な］（⇔insignificant）

## 0360 adjunct
[ǽdʒʌŋkt]

① ad-（～に）+ junct（結びつく）

名 付属物、補助（≒accessory）
形 付属の、補助の（≒additional, accessory）

Track 030

| | |
|---|---|
| Our company has strived to support our employees since its **inception**. | 当社は創業以来、従業員のサポートに努めてきました。 |
| The release of the new book has led to a **resurgence** in the author's popularity. | 新作の発表によって、その作家の人気が再燃した。 |
| His documentary **delves into** the lives of refugees in Europe. | 彼のドキュメンタリーは、ヨーロッパの難民の生活について掘り下げている。 |
| The old statue **was** so firmly **embedded** in the ground that it took days to dig it out. | その古い像は地面にしっかりと埋め込まれていたので、掘り出すのに何日もかかった。 |
| Many awards were **bestowed** on the scientist during his lifetime. | 生前、その科学者には多くの賞が授与された。 |
| **Stringent** measures are needed to keep factory workers safe. | 工場労働者の安全を守るためには、厳重な対策が必要だ。 |
| It took a while for the bad feelings between them to **dissipate**. | 彼らの間の悪意が消えるにはしばらく時間がかかった。 |
| The calls to the fire department were actually part of a **hoax**. | 消防署への一連の通報は、実はいたずらの一部だった。 |
| The news **astounded** us all. | その知らせは私たち全員をとても驚かせた。 |
| He was **reinstated** after being proven innocent. | 無実が証明されたあと、彼は復職した。 |
| Graduation is a **momentous** occasion for all students. | 卒業はすべての学生にとって重要な出来事だ。 |
| The smartphone app is meant to be an **adjunct** to the book. | このスマホのアプリは書籍の付録として作られている。 |

03
60

0361 **evade** [ɪvéɪd]
① e- (外に) + vade (行く)

動 ①〈義務・責任など〉を逃れる
②〈質問・話題など〉を避ける
(≒bypass) (⇔confront, face)
名 evasion 回避

0362 **benign** [bənáɪn]
① beni (よい) + gn (生まれた)

形 ①〈腫瘍などが〉良性の (⇔malignant)
②〈性格・行動などが〉優しい
(≒gentle, favorable) (⇔malign)
名 benignancy 良性

0363 **concession** [kənséʃən]
① con- (共に) + cess (行く) + -ion 名

名 譲歩 (≒compromise)
動 concede 譲歩する;〈試合・選挙など〉での敗北を認める

0364 **enlighten** [ɪnláɪtn]

動 ①〈人〉に知らせる、教える (≒educate, inform)
② ～を啓発する
名 enlightenment 啓発、教え

0365 **preclude** [prɪklúːd]
① pre- (前で) + clude (閉じる)

動 ～を妨げる、不可能にする (≒prevent)
► preclude A from *do*ing で「A が～するのを妨げる」。
名 preclusion 防止、妨害

0366 **treacherous** [trétʃərəs]
① treacher(y) (裏切り) + -ous (満ちた)

形 ① (安全に見えて) 危険な、油断できない
(≒dangerous, hazardous)
② 不誠実な、裏切りの

0367 **besiege** [bɪsíːdʒ]
① be- (～にする) + siege (包囲攻撃)

動〈大勢の人が〉～を取り囲む、～に押しかける

0368 **impeccable** [ɪmpékəbl]
① im- (否定) + pecca (罪を犯す) + -ble (できる)

形 非の打ちどころがない (≒perfect, flawless)
(⇔imperfect)
副 impeccably 申し分なく

0369 **flaunt** [flɔ́ːnt]

動 ～を誇示する、ひけらかす (≒show off)

0370 **revamp** [rìːvǽmp]

動 ～を改良する、改造する
(≒renovate, update, overhaul)

0371 **stake** [stéɪk]

名 ① (事業・計画などへの) 出資、関与;利害関係
② (競馬などの) 賭け、掛け金

0372 **opulent** [áːpjələnt | ɔ́p-]
① op (力) + -ulent (富む)

形 ① ぜいたくな、豪華な
(≒luxurious, expensive, flashy)
② 金持ちの、裕福な
名 opulence ぜいたくさ、豪華

Track 031

| | |
|---|---|
| She **evaded** taxes for years but was eventually caught and charged. | 彼女は何年も脱税していたが、最終的には逮捕され起訴された。 |
| He had a **benign** tumor removed through a minor surgery. | 彼は簡単な手術で良性の腫瘍を取り除いてもらった。 |
| The company agreed to increase vacation days as a **concession**. | その会社は譲歩として休暇の日数を増やすことに同意した。 |
| If you know what was decided in the meeting, could you **enlighten** me? | 会議で決まったことをご存じでしたら、教えていただけませんか。 |
| The lack of data **precluded** us **from** perform**ing** an appropriate analysis. | データ不足のために、私たちは適切な分析を行うことができなかった。 |
| Luckily, the ship did not sink while sailing through the **treacherous** waters. | 幸いにも、船は危険な海域を航行中に沈むことはなかった。 |
| Paparazzi **besieged** her home after her latest movie was released. | 最新の映画が公開されたあと、パパラッチが彼女の家に押しかけた。 |
| He has **impeccable** taste when it comes to interior design. | インテリアデザインに関しては、彼のセンスは非の打ちどころがない。 |
| The actress is always **flaunting** her wealth to everyone. | その女優はいつも自分の財産を皆にひけらかしている。 |
| The chef decided that the restaurant menu needed to be **revamped**. | そのシェフは、レストランのメニューを一新する必要があると判断した。 |
| He has a **stake** in the success of this project. | 彼はこのプロジェクトの成功に関わっている。 |
| She won a trip to an **opulent** resort in Mexico. | 彼女はメキシコの豪華なリゾートへの旅が当たった。 |

03
72

0373 **frigid** [frídʒɪd]

形 ① 極寒の、厳寒の
② 無感動な、冷淡な
► refrigerator（冷蔵庫）と同語源語。

0374 **embargo** [ɪmbɑ́ːrgoʊ]

① em-（中に）+ bar(go)（横木）

名 通商停止、貿易禁止
動 ～の貿易を停止する

0375 **blur** [blə́ːr]

動 見えにくくなる、ぼやける；～を見えにくくする
名 はっきり見えないもの、にじみ

0376 **bemoan** [bɪmóʊn]

① be-（～にする）+ moan（うめき）

動 ① ～について不満に思う、不平を言う（≒complain, moan）
② 〈運命・出来事など〉について嘆く、悲しむ

0377 **impasse** [ímpæs | æmpɑ́ːs]

① im-（否定）+ passe（通り過ぎる）

名 行き詰まり、難局（≒deadlock, stalemate）

0378 **inconspicuous** [ìnkənspíkjuəs]

① in-（否定）+ con-（強意）+ spicu（見える）+ -ous 形

形 目立たない、地味な（⇔conspicuous）

0379 **derelict** [dérəlɪkt]

① de-（分離）+ relict（見捨てられた）

形 〈建物などが〉（長期にわたり）遺棄された、放置された（≒abandoned, neglected）
名 見捨てられた人、放置されたもの
► relinquish（～を放棄する）と同語源語。

0380 **meager** [míːgər]

形 〈数量・質が〉不十分な、乏しい（≒scanty）

0381 **decry** [dɪkráɪ]

① de-（強意）+ cry（叫ぶ）

動 〈人・考え・行動〉を（公然と）非難する（≒condemn, disparage）（⇔praise）

0382 **botch** [bɑ́ːtʃ | bɔ́tʃ]

動 （不注意・未熟で）～をしくじる、やり損なう
形 botched 不出来な、下手な

0383 **bout** [báʊt]

名 ①（病気・活動が続く）期間；（病気の）発作（≒spell）
②（ボクシングなどの）試合

0384 **collateral** [kəlǽtərəl]

① col-（互いに）+ lateral（横の）

名 担保（物件）（≒security）
形 付随する、二次的な

Track
032

| | |
|---|---|
| **Frigid** and dangerous conditions prevented the airplane from taking off. | 極寒で危険な状況のため、飛行機は離陸できなかった。 |
| The government imposed an arms **embargo** temporarily. | 政府は一時的に武器を禁輸にした。 |
| The app makes it possible to **blur** the background of a photo. | そのアプリを使えば写真の背景をぼかすことができる。 |
| Everyone in town **bemoans** the lack of a local gas station. | 地元にガソリンスタンドがないことを町の誰もが不満に思っている。 |
| Negotiations between the two companies reached an **impasse** this morning. | 今朝、両社間の交渉は難局に差し掛かった。 |
| It is hard to be **inconspicuous** once you become a celebrity. | 一度有名になると、目立たないでいるのは難しい。 |
| The city introduced a project to restore **derelict** buildings. | 市は、放置された建物を再生するプロジェクトを導入した。 |
| He uses his **meager** income to support a family of four. | 彼はわずかな収入で家族４人を養っている。 |
| Protesters **decried** the plan to build a new pipeline. | 抗議者たちは、新しいパイプラインの建設計画を非難した。 |
| The first doctor **botched** her cosmetic surgery, and she had to get it fixed. | 最初の医者は彼女の美容整形手術に失敗し、彼女はそれを治さなければならなかった。 |
| I always have a **bout** of hay fever in early spring. | 私は春先になると必ず花粉症の症状が出る。 |
| We are putting up our house as **collateral** for a bank loan. | 銀行の融資を受けるために家を担保にするつもりだ。 |

03
84

|  |  |  |
|---|---|---|
| 0385 | **impediment** [ɪmpédəmənt]<br>ⓘ im-（中に）+ pedi（足）+ -ment 名 | 名 障害、支障（≒obstacle）<br>動 impede ～を妨げる |
| 0386 | **precocious** [prɪkóʊʃəs]<br>ⓘ pre-（早く）+ coc（熟す）+ -ious（満ちた） | 形 〈子どもが〉早熟な；大人びた、ませた<br>名 precocity 早熟 |
| 0387 | **mediocre** [mìːdióʊkər]<br>ⓘ medi（中間の）+ ocre（峰） | 形 よくも悪くもない、平凡な（≒average）（⇔exceptional）<br>名 mediocrity 平凡、月並み |
| 0388 | **negligent** [néglɪdʒənt]<br>ⓘ neglig（怠る）+ -ent 形 | 形 怠慢な、不注意な（≒careless）<br>動 neglect ～を怠る、無視する<br>名 negligence 怠慢、手抜き |
| 0389 | **kickback** [kíkbæ̀k] | 名 リベート、払い戻し |
| 0390 | **requisite** [rékwəzɪt]<br>ⓘ re-（再び）+ quis（求める）+ -ite 形 | 形 必要（不可欠）な（≒required）（⇔nonessential）<br>名 requisition 必要、要求 |
| 0391 | **exemplary** [ɪgzémpləri] | 形 模範的な、りっぱな<br>名 exemplar 模範、手本 |
| 0392 | **defiance** [dɪfáɪəns]<br>ⓘ de-（分離）+ fi（信頼）+ -ance 名 | 名 〈権威などに対する〉反抗的態度（≒disobedience）（⇔obedience）<br>動 defy ～に公然と反抗する<br>形 defiant 反抗的な、挑戦的な |
| 0393 | **concerted** [kənsə́ːrtəd] | 形 協力して行われる、協調的な（≒coordinated） |
| 0394 | **banter** [bǽntər] | 名 軽口、冗談の言い合い |
| 0395 | **antiseptic** [æ̀ntiséptɪk]<br>ⓘ anti-（反する）+ septic（腐敗性の） | 名 消毒薬［剤］、防腐剤<br>形 消毒用の、殺菌の |
| 0396 | **incessant** [ɪnsésnt]<br>ⓘ in-（否定）+ cess（止まる）+ -ant 形 | 形 絶え間のない、ひっきりなしの（≒constant）<br>副 incessantly 絶え間なく |

Track 033

| | |
|---|---|
| A major **impediment** to your success is your poor attitude. | あなたの成功に対する主な障害は、あなたの態度の悪さだ。 |
| A **precocious** musician, he could play several instruments by the age of five. | 早熟なミュージシャンだった彼は、5歳のときにはいくつかの楽器を演奏することができた。 |
| The service at the local fast food place is **mediocre**. | 地元のファストフード店のサービスは平凡だ。 |
| The truck driver's **negligent** driving led to her losing her job. | そのトラック運転手は、過失運転により職を失った。 |
| Some journalists discovered that the mayor was accepting **kickbacks**. | 一部のジャーナリストは、市長がリベートを受け取っていることを発見した。 |
| Some professors believe attending lectures is **requisite** to passing their courses. | 講義への出席が自分の学科に合格するために必要であると考える教授もいる。 |
| She was an **exemplary** employee and won awards for her skills. | 彼女は模範的な従業員で、その技術で賞をとった。 |
| **Defiance** is a very normal behavior for teenagers and sometimes younger children too. | 反抗的な態度は、ティーンエイジャーや、時にはもっと幼い子どもにとってもごく普通の行動だ。 |
| They all made a **concerted** effort to improve product quality. | 製品の品質を向上させるように全員が一致協力して努力した。 |
| After a couple of minutes of friendly **banter**, the interviewer began asking job-related questions. | 数分間和やかにたわいもない話をしたあと、面接官は仕事関連の質問を始めた。 |
| You should always apply an **antiseptic** when you cut yourself. | 切り傷を負ったときには、必ず消毒薬を塗りなさい。 |
| People living in the area are upset about the **incessant** noise coming from the construction site. | その地域に住む人々は、建設現場から絶え間なく聞こえてくる騒音に憤慨している。 |

03
96

|  |  |  |
|---|---|---|
| 0397 | **allegiance** [əlíːdʒəns] | 名 (国家・主義などに対する) 忠誠、忠実 (≒loyalty) |
| 0398 | **delinquent** [dılíŋkwənt]<br>! de- (強意)+ linqu (そのまま残す)+ -ent 形 | 形 ① 〈人が〉滞納した;〈債務などが〉支払期日を過ぎた<br>② 義務を怠った<br>③ 非行の、罪を犯した<br>名 delinquency 滞納金;不履行;(軽) 犯罪 |
| 0399 | **prod** [prάːd \| prɔ́d] | 動 ① 〈人など〉に促す、思い出させる (≒poke, urge, persuade)<br>② ～をつつく (≒poke) |
| 0400 | **coerce** [kouə́ːrs]<br>! co- (強意)+ erce (閉じ込める) | 動 〈人〉に強要する (≒force)<br>► coerce A into ～ で「A に無理やり～させる」という意味。<br>形 coercive 強制的な<br>名 coercion 強制、抑圧 |
| 0401 | **pertinent** [pə́ːrtənənt]<br>! per- (完全に)+ tin (保つ)+ -ent 形 | 形 関係のある;適切な、妥当な (≒relevant, applicable) (⇔irrelevant)<br>名 pertinence 適切、妥当 |
| 0402 | **arbitrary** [άːrbətrèri \| -bıtrəri]<br>! arbitr (裁定者)+ -ary 形 | 形 任意の、恣意(しい)的な (≒random) (⇔calculated)<br>副 arbitrarily 任意に |
| 0403 | **stagnant** [stǽgnənt] | 形 ① 〈水・空気などが〉流れの悪い、よどんだ<br>② 〈経済・活動などが〉停滞した、不振な<br>名 stagnation よどみ;停滞、不景気<br>動 stagnate よどむ;停滞する |
| 0404 | **bane** [béın] | 名 破滅のもと、悩みの種 (≒burden, struggle) |
| 0405 | **morbid** [mɔ́ːrbıd]<br>! morb (病気)+ -id 形 | 形 〈考え・性向などが〉病的な、不健全な<br>名 morbidity 病的な状態 [心理] |
| 0406 | **purge** [pə́ːrdʒ] | 動 〈政党・組織など〉から追放する;〈人〉を追放する<br>► purge A of B = purge B from A (A から B を追放する) の形で押さえておこう。 |
| 0407 | **pervasive** [pərvéısıv]<br>! per- (通って)+ vas (行く)+ -ive 形 | 形 行き渡った、まん延した<br>動 pervade 行き渡る、まん延する |
| 0408 | **appraise** [əpréız] | 動 〈土地・財産など〉を評価する、鑑定する (≒assess)<br>名 appraisal 評価、鑑定 |

Track
034

| | |
|---|---|
| He switched his **allegiance** to the opposition party after he lost the election. | 落選したあと、彼は野党にくら替えした。 |
| If you are three months **delinquent** in paying rent, you will be kicked out. | 家賃を３か月滞納すると、退去させられる。 |
| Her mother kept **prodding** her to cut her hair until she finally did. | 母親は、彼女がついに言うことを聞くまで髪を切るよう言い続けた。 |
| He claims that he was **coerced into** signing an unfair contract with the company. | 彼は、その会社との不当な契約に無理やりサインさせられたと主張している。 |
| Please provide **pertinent** information on the reverse side of this form. | この用紙の裏面に関連のある情報を記入してください。 |
| Many feel that the new school policy is completely **arbitrary**. | 多くの人が、その新しい学校の方針は完全に恣意的だと感じている。 |
| **Stagnant** water is a breeding ground for many types of insects. | よどんだ水は、種々の昆虫の繁殖場だ。 |
| Piles of paperwork are the **bane** of my life. | 山のような事務仕事が私の悩みの種だ。 |
| He has a **morbid** curiosity about the different stages of death. | 彼は死のさまざまな段階について病的な好奇心を持っている。 |
| The new policy to **purge** the town **of** crime will not work. | 街から犯罪を一掃するという新しい政策はうまくいかないだろう。 |
| **Pervasive** corruption was discovered within the local school board. | 地元の教育委員会で、汚職のまん延が見つかった。 |
| His house was **appraised** at $200,000, which was higher than he had expected. | 彼の家は 20 万ドルと評価されたが、これは予想より高い額だった。 |

04
08

0409 **nullify** [nʌ́ləfàɪ]
① null（何もない）+ -ify（～にする）

動 ～を無効にする；〈契約など〉を破棄する（≒negate）
名 nullification 無効にすること
形 null 無効な

0410 **tacit** [tǽsət]

形 〈承認・同意・知識などが〉暗黙の、無言の（≒unspoken, implicit, implied）（⇔explicit）
副 tacitly 暗黙のうちに

0411 **swerve** [swə́ːrv]

動 （急に）向きを変える、ハンドルを切る（≒turn, veer）
名 （車などが）方向を変えること

0412 **perpetrate** [pə́ːrpətrèɪt]
① per-（完全に）+ petrate（実行する）

動 〈犯罪など〉を犯す、〈悪事〉を働く（≒commit）
名 perpetrator 犯人、加害者
名 perpetration 悪事（を行うこと）

0413 **reclusive** [rɪklúːsɪv]
① re-（後ろに）+ clus（閉じる）+ -ive 形

形 隠遁（いんとん）した、引きこもりがちな
名 recluse 隠遁者、世捨て人

0414 **onus** [óʊnəs]

名 責任、義務（≒responsibility）
► onerous（骨が折れる、うんざりする）と同語源語。

0415 **cinch** [síntʃ]

名 ① たやすいこと、朝飯前のこと
② 間違いないこと、本命

0416 **mesmerize** [mézməràɪz]

動 （演技・声などで）〈人〉をすっかり魅惑する、くぎ付けにする（≒captivate, enthrall, fascinate）
形 mesmerizing 魅惑的な

0417 **lurid** [l(j)ʊ́ərɪd]

形 ① 〈話などが〉恐ろしい、残忍な
② 〈色などが〉どぎつい、けばけばしい

0418 **exhort** [ɪgzɔ́ːrt]
① ex-（強意）+ hort（あおる）

動 〈人〉に強く勧める、説得する（≒urge, persuade, convince）
► exhort A to *do*で「Aに～するように強く勧める」という意味。
名 exhortation （熱心な）勧告

0419 **throng** [θrɔ́(ː)ŋ]

名 群衆、人だかり（≒crowd）
動 〈場所〉に群がる、殺到する

0420 **thwart** [θwɔ́ːrt]

動 〈計画など〉を阻止する；〈人〉を妨げる（≒block, prevent）

Track 035

| | |
|---|---|
| The couple decided to **nullify** their marriage of 10 years. | その夫婦は10年間の婚姻関係を解消することにした。 |
| They had a **tacit** agreement not to discuss religion. | 彼らには宗教の話はしないという暗黙の了解があった。 |
| The car **swerved** to avoid a cat and spun out of control. | その車は猫を避けるため急ハンドルを切り、スピンして制御不能になった。 |
| The man was accused of **perpetrating** an investment fraud. | その男は投資詐欺を働いたとして訴えられた。 |
| The **reclusive** photographer lives in a cabin over two hours from the nearest town. | その隠遁した写真家は、一番近い町から2時間以上離れた山小屋に住んでいる。 |
| The **onus** is on companies to inform customers when their products might be dangerous. | 製品が危険かもしれなくなったとき、企業には消費者に通知する責任がある。 |
| The cake recipes in this book are a **cinch** to make. | この本に載っているケーキのレシピは作りやすい。 |
| The children were **mesmerized** by all of the beautiful lights. | 子どもたちは、美しい光の数々にくぎ付けになった。 |
| The book describes the **lurid** details of the murderer's crimes. | この本はその殺人犯が犯した罪の詳細を生々しく描いている。 |
| The lawyer **exhorted** his client **to** tell the truth. | 弁護士は依頼人に真実を話すよう説得した。 |
| She weaved through the **throng** of people like an expert. | 彼女は人だかりの中をうまくすり抜けた。 |
| His plan to steal the money was **thwarted** by the police. | 金を盗む彼の計画は警察によって阻止された。 |

04
20

0421 **insinuate**
[insínjuèit]
① in- (中に) + sinu (曲げる) + -ate (〜にする)

動 〈悪口など〉を遠回しに言う；…と遠回しに言う
形 insinuating 意味ありげな
名 insinuation 嫌味、当てこすり

0422 **canvass**
[kǽnvəs]

動 (寄付・投票などを求めて) 訪ねて回る
► 場所を目的語にする他動詞の使い方もある。canvas (キャンバス) と同音。

0423 **complacent**
[kəmpléisnt]
① com- (強意) + plac (喜ばせる) + -ent 形

形 自己満足の、悦に入った
名 complacency 満足、満悦

0424 **innuendo**
[ìnjuéndou]
① in- (〜に) + nuendo (うなずく)

名 (性的な・不快な) ほのめかし、当てこすり (≒insinuation)

0425 **clench**
[kléntʃ]

動 〈歯〉を食いしばる、〈手〉を握りしめる (≒grip)
► 決意や怒りなどを表す。

0426 **astute**
[əst(j)úːt]

形 〈人・行動などが〉鋭い、鋭敏な (≒shrewd)
副 astutely 抜け目なく
名 astuteness 抜け目のなさ

0427 **levity**
[lévəti]
① lev (軽い) + -ity 名

名 軽率さ、場違いな陽気さ (≒frivolity)

0428 **falter**
[fɔ́ːltər]

動 ① 〈人が〉(自信を失い) 口ごもる、〈声が〉震える (≒stumble)
② 〈ことが〉調子が悪くなる、勢いがなくなる

0429 **copious**
[kóupiəs]
① co- (共に) + (o)pi (富) -ous (満ちた)

形 〈数量などが〉多くの (≒plentiful, abundant)

0430 **retort**
[ritɔ́ːrt]
① re- (元に) + tort (ねじる)

動 〈人が〉(すぐに) …と言い返す、切り返す

0431 **wilt**
[wílt]

動 ① 〈草花が〉しおれる、〈野菜が〉しんなりする (≒droop)
② 〈人が〉ぐったりする

0432 **accrue**
[əkrúː]

動 〈利子・資本などが〉(徐々に) たまる (≒accumulate, amass)
名 accrual 利子

Track 036

| | |
|---|---|
| Her father always **insinuates** that she will never be successful. | 父親はいつも、彼女が決して成功しないだろうと遠回しに言う。 |
| The organization sent their volunteers to **canvass** for donations. | その団体はボランティアを送って戸別訪問で寄付を募った。 |
| If you become too **complacent**, you will not succeed in life. | 自己満足しすぎると、生涯成功することはないだろう。 |
| The film was banned for sexual **innuendo**. | その映画は性的な暗示を理由に上映を禁じられた。 |
| He has a bad habit of **clenching** his jaw when he is stressed. | 彼にはストレスがかかると歯を食いしばる悪癖がある。 |
| Her analysis of the play was **astute** and well thought out. | その劇についての彼女の分析は鋭く、よく考え抜かれていた。 |
| Everyone was surprised by the **levity** of the film despite its dark themes. | 暗いテーマとは裏腹の映画の軽薄さに誰もが驚いた。 |
| His voice **faltered** when he spoke to the crowd. | 群衆に語りかけるとき、彼の声は震えた。 |
| The artist threw **copious** amounts of paint onto the canvas. | 芸術家はキャンバスに大量の絵の具を投げつけた。 |
| She **retorted** that the crime rate had actually gone down. | 彼女は、犯罪率は実際は下がったと言い返した。 |
| The flowers **wilted** under the heat of the sun. | 花々は太陽の熱でしおれた。 |
| He **accrued** a lot of debt in his student years. | 彼は学生時代、多額の借金を抱えた。 |

04
32

0433 **reprieve** [rɪpríːv]

名 ① (危険などからの) 一時的な猶予
② (特に死刑の) 執行延期 [中止]
動 ① 〈人〉の刑の執行を延期 [中止] する
② 〈施設など〉の閉鎖 [破壊] を猶予する

0434 **rehash** [名 ríːhæʃ 動 rìːhǽʃ]

名 焼き直し (たもの)、改作
動 〈古い考え・著作など〉を焼き直す

0435 **congregate** [káːŋgrəgèɪt | kɔ́ŋ-]
① con- (共に) + greg (群がる) + -ate (〜にする)

動 集まる、集合する (≒gather) (⇔disperse)
名 congregation 集会、集合

0436 **demure** [dɪmjúər]

形 〈女性・衣服などが〉おとなしい、控えめな

0437 **mock** [máːk | mɔ́k]

形 模擬の、まがいものの (⇔real)
動 〜をばかにする、からかう
名 mockery あざけり、からかい

0438 **abscond** [əbskáːnd | -skɔ́nd]
① abs- (〜から) + cond (隠す)

動 (場所から) 逃亡する、行方をくらます
► abscond with 〜 で「〜を持ち逃げする」という意味。

0439 **ebb** [éb]

動 ① 〈人気・感情などが〉(潮が引くように) 衰退する (≒recede, lessen, subside)
② 〈潮が〉引く (⇔flow)
名 ① 衰退 ② 引き潮、退潮

0440 **dissuade** [dɪswéɪd]
① dis- (分離) + suade (忠告する)

動 〈人〉を説得して (〜を) 思いとどまらせる (≒discourage) (⇔persuade, convince)
► dissuade A from 〜 で「Aに〜を思いとどまらせる」という意味。 名 dissuasion (説得して) 思いとどまらせること

0441 **repudiate** [rɪpjúːdièɪt]

動 ① 〜を否認する
② 〜を拒絶する (≒refuse, reject, dismiss)
名 repudiation 拒否；否認

0442 **deposition** [dèpəzíʃən]

名 ① 宣誓証言 (すること)、供述調書
② 堆積、沈殿
③ (高官などの) 免職、罷免 (≒dismissal)

0443 **retention** [rɪténʃən]
① re- (後ろに) + tent (保つ) + -ion 名

名 ① 記憶、記憶力 ② 保有、保持
動 retain 〜を記憶する；〈もの・性質〉を保持する

0444 **propagation** [pràːpəgéɪʃən | prɔ̀p-]

名 ① (思想・情報などの) 伝播(でんぱ)、普及
② (動植物の) 繁殖、増殖
動 propagate 〜を広める；〜を繁殖させる

Track 037

| | |
|---|---|
| The few days of sunshine were a welcome **reprieve** from the weeks of constant rain. | その数日間の晴れ間は、何週間も続いた雨からのありがたい解放だった。 |
| All of her stories are just **rehashes** of ones she has told before. | 彼女の話はすべて、彼女が以前語ったものの焼き直しにすぎない。 |
| A large crowd **congregated** at the park to see the prime minister speak. | 首相の演説を見ようと、大勢の人が公園に集まった。 |
| Her parents raised her to be a **demure** young lady. | 両親は彼女をしとやかな女性に育てた。 |
| The teacher gave out a **mock** exam to prepare her students. | 先生は生徒に準備させるために模擬試験を配った。 |
| The waitress **absconded with** all of the day's profits. | ウェイトレスはその日のもうけをすべて持ち逃げした。 |
| His interest in history began to **ebb** after he started working. | 彼の歴史に対する興味は、仕事を始めてから薄れ始めた。 |
| Her friends tried to **dissuade** her **from** moving across the country. | 友人たちは彼女が国の反対側に引っ越すのを思いとどまらせようとした。 |
| The owner publicly **repudiated** the rumors of a merger with a rival company. | オーナーはライバル会社との合併のうわさを公然と否定した。 |
| Lawyers conducted a **deposition** of all the witnesses yesterday. | 弁護士は昨日、証人全員の供述録取を行った。 |
| Taking a nap after a study session can improve your **retention**. | 勉強のあとに仮眠を取ると記憶力を高めることができる。 |
| The famous YouTuber was criticized for his **propagation** of conspiracy theories. | その有名なユーチューバーは、陰謀論を広めたことで批判された。 |

04
44

0445 **cringe** [kríndʒ]
動 ① (恐怖などで) すくむ、後ずさりする (≒wince)
② (恥などで) 身が縮む

0446 **unruly** [ʌnrú:li]
形 言うことを聞かない、手に負えない
(≒disobedient, recalcitrant)
(⇔obedient, compliant)

0447 **dislodge** [dɪslɑ́:dʒ | -lɔ́dʒ]
! dis- (否定) + lodge (泊める)
動 〈もの・人〉を (特定の場所から) 取り除く、移動させる

0448 **tactful** [tǽktfl]
形 機転の利く、そつのない (⇔tactless)

0449 **derisive** [dɪráɪsɪv]
形 嘲笑(ちょうしょう)的な、あざけりの
名 derision 嘲笑、あざけり
動 deride ～をあざ笑う

0450 **blunder** [blʌ́ndər]
名 へま、どじ、不手際

0451 **proliferate** [prəlífərèɪt]
! proli (子孫) + fer (運ぶ) + -ate 動
動 急増する、拡散する；～を急増させる
(≒multiply)
名 proliferation 急増

0452 **boisterous** [bɔ́ɪstərəs]
形 〈子ども・動物・振る舞いなどが〉騒がしい
(≒energetic, lively, noisy)
(⇔quiet, tame, calm)

0453 **coax** [kóʊks]
動 ① 〈人・動物・もの〉をうまく連れ出す、救い出す
② 〈人〉を説得する、なだめすかす (≒cajole)

0454 **teem** [tí:m]
動 〈場所が〉(人・動物などが) 多い、うようよいる
► be teeming with～ で「～でいっぱいである」という意味。

0455 **pariah** [pəráɪə]
名 のけ者、嫌われ者

0456 **vanity** [vǽnəti]
! van (空虚な) + -ity 名
名 (容姿・能力などについての) うぬぼれ、虚栄心
形 vain うぬぼれの強い

Track 038

| | |
|---|---|
| His dog was abused as a puppy, and it **cringes** whenever he lifts his hand up. | 彼の犬は子犬のころに虐待されていたので、彼が手を上げるたびにびくびくする。 |
| The kids started to get a bit **unruly** when they were playing outside. | 外で遊んでいると、子どもたちは少し言うことを聞かなくなり始めた。 |
| Some roof tiles became **dislodged** during yesterday's windstorm. | 昨日の暴風で屋根瓦が何枚か外れてしまった。 |
| She made up a **tactful** excuse for why she could not go. | 彼女は行けない理由についてうまい言い訳をでっち上げた。 |
| She gave a **derisive** laugh in response to the man's comment. | その男性の発言に対して、彼女はばかにしたように笑った。 |
| The accounting **blunder** cost the company tens of thousands of dollars. | 会計上の不手際で、その会社は何万ドルもの損失を出した。 |
| The use of smartphones **proliferated**, and now almost everyone has one. | スマートフォンの利用は急速に広がり、今やほとんどすべての人が持っている。 |
| The students were in a **boisterous** mood on the last day of school. | 学校の最終日、生徒たちは大騒ぎだった。 |
| The firefighter **coaxed** the cat out of the tree. | 消防士はその猫をなだめて木から降ろした。 |
| Our local park **is teeming with** all kinds of wildlife. | 私たちの地元の公園には、あらゆる種類の野生生物がうようよいる。 |
| He was treated as a social **pariah** in his community. | 彼は地域で社会ののけ者として扱われていた。 |
| Her **vanity** forces her to spend a lot of money on cosmetic products. | 虚栄心のため、彼女はどうしても化粧品に多額の金を費やしてしまう。 |

04
56

|  |  |  |
|---|---|---|
| 0457 | **cumbersome** [kʌ́mbərsəm]<br>① cumber（邪魔）+ -some（傾向のある） | 形 （大きさ・重さのために）扱いづらい、運びづらい |
| 0458 | **deplorable** [dɪplɔ́ːrəbl]<br>① de-（強意）+ plor（嘆く）+ -able（できる） | 形 ① ひどい、悲惨な（≒appalling, despicable, terrible）<br>② 嘆かわしい、悲しむべき<br>動 deplore ～を非難する、残念に思う |
| 0459 | **extrovert** [ékstrəvə̀ːrt]<br>① extro-（外側に）+ vert（向ける） | 名 外向性の人、社交的な人（⇔introvert） |
| 0460 | **bravado** [brəvɑ́ːdoʊ] | 名 虚勢、強がり（≒bluster, swagger）<br>► brave（勇敢な）に当たるスペイン語から。 |
| 0461 | **dogmatic** [dɔ(ː)gmǽtɪk]<br>① dogmat（教義）+ -ic 形 | 形 ① 独断的な、独善的な<br>② 教義上の、教義に関する |
| 0462 | **lavish** [lǽvɪʃ] | 形 ① ぜいたくな、豪華な ② 気前のよい、惜しまない（≒bountiful, prodigal）<br>► lav は「洗う」を意味する語根で、lavish は「どしゃ降り」が原義。 |
| 0463 | **contrive** [kəntráɪv]<br>① con-（共に）+ trive（工夫する） | 動 ①〈装置・方法など〉を考案する<br>②〈計略・悪事など〉を企む、もくろむ<br>名 contrivance 計略；考案<br>形 contrived〈話などが〉わざとらしい |
| 0464 | **slur** [slə́ːr] | 名 誹謗（ひぼう）、中傷 |
| 0465 | **omen** [óʊmən \| -men] | 名 （よいこと・悪いことの）前兆、前触れ（≒portent） |
| 0466 | **imposition** [ìmpəzíʃən]<br>① im-（上に）+ posit（置く）+ -ion 名 | 名 ①（負担などの）押しつけ、無理強い<br>② 負荷物、税、負担（≒burden）<br>動 impose〈重荷・負担〉を負わせる |
| 0467 | **abdicate** [ǽbdɪkèɪt]<br>① ab-（離れて）+ dic（言う）+ -ate 動 | 動 〈王位・権利など〉を放棄する（≒give up）<br>名 abdication（王位からの）退位；（権力などの）放棄 |
| 0468 | **swindle** [swɪ́ndl] | 動 〈人〉をだます、（人から）〈金〉をだまし取る<br>名 swindler 詐欺師 |

Track 039

| | |
|---|---|
| The gear is **cumbersome**, but it is also keeping you safe. | その道具は扱いづらいが、安全性を確保してくれてもいる。 |
| Work conditions leading up to the event were **deplorable**. | そのイベントに至るまでの労働条件は悲惨だった。 |
| She is not such an **extrovert** as her elder sister. | 彼女は姉ほど社交的ではない。 |
| He began to regret his earlier **bravado**. | 彼は以前の強がりを後悔し始めた。 |
| She is too **dogmatic** to argue with. | 彼女はあまりに独断的で議論にならない。 |
| He lives a **lavish** lifestyle in the richest part of town. | 彼は町の最も裕福な地域でぜいたくな生活を送っている。 |
| The prisoners **contrived** a way to escape, but eventually gave up. | 囚人たちは脱出する方法を考えたが、結局あきらめた。 |
| We regard this remark as a **slur** on our humanity. | 我々はこのコメントを我々の人間性に対する誹謗と考える。 |
| Some people believe seeing a black cat is a bad **omen**. | 黒猫を見かけるのは悪いことの前触れだと信じている人もいる。 |
| If it is no **imposition**, we will gladly accept your offer. | 無理強いしないのなら、喜んであなたの申し出をお受けします。 |
| The queen **abdicated** the throne to her oldest daughter. | 女王は長女に王位を譲った。 |
| He **swindled** thousands of people out of their money with fake weight-loss pills. | 彼は偽の減量薬で何千人もの人々から金をだまし取った。 |

0469 **slouch** [sláʊtʃ]
□□□

動 前かがみになる、だらけた格好をする
形 slouchy 前かがみの、だらしない

0470 **lanky** [lǽŋki]
□□□

形 〈人が〉やせてひょろっとした

0471 **reprisal** [rɪpráɪzl]
□□□

名 報復、仕返し
(≒retaliation, vengeance, retribution)

0472 **desolate** [désələt]
□□□

! de-(強意)+ sol(寂しい)+ -ate 形

形 ① 〈場所・土地などが〉人けのない、荒れ果てた
(≒bleak)
② 〈人が〉孤独な、寂しい
名 desolation 荒廃

0473 **perennial** [pəréniəl]
□□□

! per-(通して)+ enn(年)+ -ial 形

形 ① いつまでも続く、絶え間ない
② 〈植物が〉多年生の
名 多年生植物

0474 **bluff** [blʌ́f]
□□□

動 はったりをかける
名 はったり、こけおどし

0475 **squirm** [skwə́ːrm]
□□□

動 (不快感などから)身をよじる、(逃れようと)もがく
(≒wriggle)
形 squirmy もがく、うごめく

0476 **transpire** [trænspáɪər]
□□□

! tran(s)-(貫いて)+ spire(息をする)

動 ① 〈事件などが〉起こる(≒happen, occur)
② [it transpires that...]…ということが明らかになる
③ 〈動植物が〉水分を蒸発させる
名 transpiration 蒸発、発散

0477 **aboveboard** [əbʌ́vbɔ̀ːrd]
□□□

形 公明正大な、隠しごとをしない

0478 **eminent** [émənənt]
□□□

! e-(外に)+ min(突き出る)+ -ent 形

形 高名な、著名な
名 eminence 高名、卓越

0479 **discerning** [dɪsə́ːrnɪŋ]
□□□

! dis-(分離)+ cern(ふるいにかける)+ -ing 形

形 洞察力のある、目の肥えた
動 discern ～を識別する
形 discernible 認められる、識別できる
名 discernment 洞察力、眼識

0480 **labyrinth** [lǽbərɪnθ]
□□□

名 ① 迷宮、迷路(≒maze)
② 複雑[難解]なもの[こと]
形 labyrinthine 迷路のような、非常に難解な

Track
040

| | |
|---|---|
| Be careful not to **slouch** during the interview. | 面接の間は前かがみにならないよう注意してください。 |
| She is short and stocky while her brother is tall and **lanky**. | 彼女は背が低くずんぐりしているが、弟は背が高くひょろっとしている。 |
| The terrorists threatened **reprisal** because of the sanctions against them. | テロリストたちは、自分たちに対する制裁に報復すると脅した。 |
| I saw a **desolate** landscape through the window. | 窓から荒涼とした風景が見えた。 |
| This dish is a **perennial** favorite at our restaurant. | この料理は私たちのレストランで昔から変わらず人気があります。 |
| He was only **bluffing**, but you had better watch your back anyway. | 彼ははったりをかけているだけだが、とにかく気をつけたほうがいい。 |
| The cat **squirmed** out of its owner's arms and ran off. | その猫は飼い主の腕から身をよじって逃げた。 |
| There is a clear record of what **transpired** here that night. | その夜ここで起きたことのはっきりした記録がある。 |
| We always try to do business in an **aboveboard** manner. | 私たちは公明正大に商売することを常に心がけている。 |
| All of the most **eminent** physicists attended the conference. | 最も著名な物理学者全員がその会議に出席した。 |
| They offer quality products to satisfy even the most **discerning** customer. | その店は、最も目の肥えた顧客も満足するような高品質の商品を提供している。 |
| The old town is a **labyrinth** of twisting alleys. | その古い町は、曲がりくねった路地が続く迷路のようだ。 |

0480►

0481 **conciliate** [kənsílièɪt]
動 〈人〉をなだめる、懐柔する、調停する (≒pacify)
► council (協議、会議) と同語源語。
形 conciliatory なだめるような
名 conciliation 懐柔

0482 **perfunctory** [pərfʌ́ŋktəri]
① per- (完全に) + funct (実行された) + -ory (ような)
形 ① 〈行為が〉 いい加減な、通り一遍の
② 〈人が〉 やる気 [熱意] のない

0483 **repatriate** [riːpéɪtrièɪt | -pǽ-]
① re- (元に) + patri (父) + -ate 動
動 〈人〉を本国へ送還する
名 repatriation 本国送還

0484 **traverse** [trəvə́ːrs]
① tra- (越えて) + verse (向かう)
動 〈場所〉を横切る、越える (≒cross)

0485 **bridle** [bráɪdl]
動 (憤慨を表して) つんとする
► bridle at ~ で「~に憤慨する」という意味。

0486 **queasy** [kwíːzi]
形 〈人・胃が〉 むかむかする、吐き気がする

0487 **grapple** [grǽpl]
① grap (つかむ) + -ple (反復)
動 ① (問題などに) 取り組む (≒tackle)
② (人と) 取っ組み合う (≒tackle)

0488 **livid** [lívɪd]
形 激怒した、怒り狂った
(≒furious, exasperated, infuriated, irate, incensed, indignant)

0489 **zeal** [zíːl]
名 (仕事・理想などに対する) 熱意、情熱
(≒enthusiasm)
形 zealous 熱心な、熱狂的な

0490 **stupor** [st(j)úːpər]
① stup (呆然) + -or 名
名 (飲酒などによる) 人事不省、昏睡(こんすい)状態
► stupid (愚かな) と同語源語。

0491 **harrowing** [héroʊɪŋ]
形 悲惨な、痛ましい
(≒frightening, chilling, traumatic)
(⇔uplifting)

0492 **brazen** [bréɪzn]
形 〈人・行為が〉 厚かましい、図々しい (≒shameless)

Track
041

| | |
|---|---|
| The ambassador made attempts to **conciliate** both sides in the international conflict. | 大使は、その国際紛争における両者の調停を試みた。 |
| Their customer service representatives only ever give **perfunctory** replies. | そこのカスタマーサービス担当者たちは、通り一遍の回答を返すだけだ。 |
| The government finally canceled its plan to **repatriate** refugees. | 政府は、難民を本国に送還するという計画をついに中止した。 |
| It took them five days to **traverse** the vast desert. | 彼らがその広大な砂漠を横断するのに5日かかった。 |
| He **bridled at** the suggestion that he was dishonest. | 遠回しにうそつきだと言われ、彼は憤慨した。 |
| The rocking of the boat made me **queasy**. | 船に揺られるうちに私は気分が悪くなった。 |
| The NGO is **grappling** with how to address world hunger. | そのNGOは、世界の飢餓に対処する方法に取り組んでいる。 |
| Fans were **livid** when a referee's bad call caused the team to lose. | 審判の誤審のせいでチームが負け、ファンは激怒していた。 |
| The mayor worked on the problem with great **zeal**. | 市長はその問題に大変な熱意を持って取り組んだ。 |
| He drank himself into a **stupor** last night and could not even find his way home. | 彼は昨夜泥酔し、家に帰ることすらできなかった。 |
| Her book is about the **harrowing** experiences of sexual assault. | 彼女の本は、性的暴行の悲惨な体験について書かれたものだ。 |
| They show a **brazen** disregard for the law. | 彼らは法律を平然と無視している。 |

0493 **elucidation** [ɪlùːsədéɪʃən]
① e-（外に）+ lucid（光）+ -ation 名

名 解明、明快な説明
動 elucidate〈難解なこと〉を解明する

0494 **repel** [rɪpél]
① re-（後ろに）+ pel（追いやる）

動 ① ～を追い払う、撃退する（≒drive away, rebuff, repulse）（⇔attract, draw）
② ～を不快にする
形 repellent 不快感を抱かせる

0495 **scamper** [skǽmpər]
① s-（外に）+ camp（野原）+ -er（反復）

動〈子ども・小動物などが〉すばやく走る

0496 **meander** [miǽndər]

動 ①〈川・道路などが〉曲がりくねる（≒wind）
②〈人が〉あてもなくさまよう（≒wander）
名 形 meandering 曲がりくねった（川［道］）

0497 **despondent** [dɪspɑ́ːndənt | -spɔ́n-]
① de-（分離）+ spond（答える）+ -ent 形

形 失望した、落胆した、意気消沈した
名 despondency 失望、落胆

0498 **wade** [wéɪd]

動（水の中を苦労して）歩く、歩いて渡る

0499 **inquisitive** [ɪnkwízətɪv]
① in-（中に）+ quis（尋ねる）+ -itive 形

形 ① 好奇心の強い（≒curious）
② 詮索好きな、しきりに知りたがる
動 inquire ～を尋ねる　名 inquiry 質問、問い合わせ
名 inquisition（徹底的な）探求

0500 **chastise** [tʃæstáɪz]

動〈人〉を厳しく非難する、責める

0501 **retard** [rɪtɑ́ːrd]
① re-（後ろに）+ tard（遅らせる）

動 ～を遅らせる、妨げる（≒delay, slow down）
名 retardation 遅延、延滞

0502 **complexion** [kəmplékʃən]

名 肌の色、（特に）顔色
►「分泌物の結合」が原義。

0503 **constellation** [kɑ̀ːnstəléɪʃən | kɔ̀n-]
① con-（共に）+ stella（星）+ -tion 名

名 星座

0504 **imbue** [ɪmbjúː]

動（思想などを）〈人・組織〉に植え付ける、染み込ませる（≒infuse）

Track 042

| | |
|---|---|
| The scientist's work led to the **elucidation** of the impacts of the disease. | その科学者の研究は、この病気の影響の解明につながった。 |
| He used netting to **repel** birds from his garden. | 彼は庭から鳥を追い払うためにネットを使った。 |
| The small animals **scampered** around the meadow with joy. | 小動物たちは喜んで牧草地を駆け回った。 |
| The Annapolis River **meanders** along the length of the valley. | アナポリス川は谷間に沿って蛇行している。 |
| He looks very **despondent** over the loss of his dog. | 彼は飼い犬が死んでとても落ち込んでいるようだ。 |
| She **waded** through the shallow water of the lake. | 彼女は湖の浅瀬を歩いて渡った。 |
| Young children are **inquisitive** by nature. | 幼い子どもは生来、好奇心旺盛なものだ。 |
| His parents **chastised** him for staying out too late. | 両親は彼があまりに遅くまで外出していたことをとがめた。 |
| A study suggests certain chemicals may **retard** children's brain development. | ある研究によると、ある化学物質が子どもの脳の発達を遅らせる可能性があるという。 |
| People with a pale **complexion** tend to burn more easily. | 肌の色が青白い人は日焼けしやすい。 |
| The first **constellation** she ever found was the Big Dipper. | 彼女が初めて見つけた星座は、北斗七星だった。 |
| They were **imbued** with Christian faith. | 彼らはキリスト教の信仰に染まっていた。 |

0505 **frenetic** [frənétɪk]
□□□

形 慌ただしい、狂ったような (≒excited, frantic) (⇔calm, peaceful)
形 frenzied 熱狂的な
名 frenzy 熱狂

0506 **snag** [snǽg]
□□□

名 思いがけない障害［問題］

0507 **rummage** [rʌ́mɪdʒ]
□□□

動 引っかき回して捜す

0508 **condone** [kəndóʊn]
□□□

① con-（強意）+ done（与える）

動 〈罪・違反など〉を許す、大目に見る

0509 **brusquely** [brʌ́skli | brú:skli]
□□□

副 ぶっきらぼうに、不愛想に
形 brusque ぶっきらぼうな、不愛想な

0510 **derogatory** [dɪrɑ́:gətɔ̀:ri | -rɔ́gətəri]
□□□

形 軽蔑的な、侮蔑的な (≒unflattering, pejorative) (⇔flattering)
動 derogate 〈名声・価値〉を損なう

0511 **oblique** [əblí:k]
□□□

① ob-（～の方向に）+ lique（曲がって）

形 ① 遠回しの、間接的な (≒indirect)
② 〈線・面などが〉斜めの、傾斜した

0512 **rumble** [rʌ́mbl]
□□□

動 〈雷などが〉ゴロゴロ鳴る、〈腹が〉グーグー鳴る
名 ゴロゴロ鳴る音

0513 **goad** [góʊd]
□□□

動 〈人〉をけしかける、駆り立てる
► goad A into B で「A をけしかけて B をさせる」という意味。

0514 **deduce** [dɪd(j)ú:s]
□□□

① de-（下に）+ duce（導く）

動 〈結論など〉を推定する；…であると推定する (≒infer, surmise)
名 deduction 推論

0515 **awry** [ərάɪ]
□□□

形 〈ものが〉曲がった、ゆがんだ
► go awry で「〈計画・実験などが〉予定通りいかない、不首尾に終わる」という意味。

0516 **dearth** [də́:rθ]
□□□

名 不足、欠乏 (≒lack, scarcity) (⇔abundance)

Track 043

| | |
|---|---|
| Not everyone is suited to the **frenetic** pace of cities. | 誰もが都市の慌ただしいペースに向いているわけではない。 |
| The only **snag** is I would have to move if I got the job. | 唯一の難点は、就職したら引っ越さなければならないことだ。 |
| She **rummaged** through every drawer for her ring. | 彼女はあらゆる引き出しを引っかき回して指輪を捜した。 |
| Our company does not **condone** discrimination in the workplace. | 当社は、職場における差別を容認しません。 |
| The woman explained the details of her plans **brusquely**. | 女性はぶっきらぼうに自分の計画の詳細を説明した。 |
| The lawmaker made **derogatory** remarks about other party members. | その議員は他党の議員について軽蔑的な発言をした。 |
| Everyone noticed his **oblique** attack on the president yesterday. | 昨日の彼の大統領に対する遠回しの攻撃にみな気づいた。 |
| His stomach **rumbled** so loudly that everyone in the room heard it. | 彼のおなかはとても大きな音でグーグー鳴ったので、部屋中の人に聞こえてしまった。 |
| He was **goaded into** losing his temper during the debates. | 彼はディベートの最中、挑発されてかっとなった。 |
| Police **deduced** from the evidence that he was involved in the robbery. | 警察はその証拠から、彼が強盗に関わっていると推定した。 |
| Their travel plans **went awry** when all the buses to Cusco got canceled. | クスコ行きのバスがすべてキャンセルになって、彼らの旅行の計画は駄目になった。 |
| A **dearth** of evidence meant the police could not charge her for the crime. | 証拠不足のため、警察は彼女をその犯罪で起訴することができなかった。 |

05
16

0517 **detest** [dɪtést]
① de-（非難）+ test（証言する）
動 ～を憎む、ひどく嫌う（≒hate, despise, loathe）（⇔love）
形 detestable 大嫌いな、憎むべき
名 detestation 嫌悪、憎むこと

0518 **agility** [əʤíləti]
① ag（行動する）+ il（しやすい）+ -ity 名
名 ①（動きの）機敏さ、軽快さ ②（頭の）回転の速さ
形 agile 敏捷な、軽快な

0519 **uncanny** [ʌnkǽni]
① un-（否定）+ canny（理解できる）
形 不思議な、神秘的な（≒weird）

0520 **wager** [wéɪʤər]
動 ①（～を）賭ける（≒bet） ②（～を）請け合う
名 賭け（ごと）

0521 **peruse** [pərú:z]
① per-（完全に）+ use（使う）
動 ～を読む、熟読する

0522 **invincible** [ɪnvínsəbl]
① in-（否定）+ vinc（征服する）+ -ible（できる）
形 ①〈人・軍などが〉無敵の（≒unconquerable, invulnerable）
②〈思想・態度などが〉不屈の

0523 **plenary** [plí:nəri]
① plen（完全な）+ -ary 形
形〈会議などが〉全員出席の
► plenary meeting で「全体会議、総会」という意味。

0524 **litigate** [lítəgèɪt]
① lit（訴訟）+ ig（起こす）+ -ate 動
動 訴訟を起こす、法廷で争う
名 litigation 訴訟、告訴
形 litigious 訴訟好きな

0525 **juncture** [ʤʌ́ŋktʃər]
① junct（結ぶ）+ -ure 名
名（重大な）時点、時期
► at this juncture で「この際」という意味。

0526 **sleek** [slí:k]
形〈デザイン・形などが〉しゃれた、かっこいい

0527 **indulge** [ɪndʌ́lʤ]
動 ① [indulge *oneself*] 存分に楽しむ、ふける
②〈欲望・興味など〉を満足させる
名 indulgence ふけること；甘やかし
形 indulgent 甘い、寛大な

0528 **truce** [trú:s]
名 休戦（期間）；停戦協定（≒ceasefire）
► call a truce で「休戦を宣言する」という意味。

Track 044

| | |
|---|---|
| As a child, he **detested** foods with strong flavors like kimchi or blue cheese. | 子どものころ、彼はキムチやブルーチーズのような強い風味の食べ物が大嫌いだった。 |
| She did well on the test for **agility**. | 彼女は敏捷性のテストでいい成績を出した。 |
| She has an **uncanny** resemblance to her deceased grandmother. | 彼女は亡くなった祖母に不思議なほど似ている。 |
| More than one million dollars was **wagered** on the horse race. | その競馬のレースでは100万ドル以上が賭けられた。 |
| Please **peruse** the attached documents before attending this afternoon's meeting. | 今日の午後の会議に出席する前に、添付文書を熟読しておいてください。 |
| The Roman Empire was once seen as **invincible** by all. | かつては誰もがローマ帝国は無敵だと考えていた。 |
| The second **plenary meeting** took place at the end of last month. | 2回目の総会は先月末に開催された。 |
| The company is preparing to **litigate** over software patents. | その会社はソフトウェアの特許に関して訴訟を起こす準備をしている。 |
| Any questions for the speaker can be asked **at this juncture**. | この時点で発言者へのどんな質問も承ります。 |
| The hotel has a **sleek** and modern interior. | そのホテルの内装はおしゃれで現代的だ。 |
| Every Friday, she **indulges herself** by buying an expensive steak at the grocery store. | 毎週金曜日、彼女はその食料品店で高価なステーキ肉を買って楽しんでいる。 |
| They **called a truce** in the battle for control of the family business. | 彼らは家業の主導権をめぐる争いで休戦を宣言した。 |

05
28

0529 **facetious** [fəsíːʃəs]
形 〈人が〉不真面目な、滑稽な；〈発言などが〉ふざけた

0530 **prelude** [préljuːd]
① pre-（前もって）+ lude（演奏する）
名 ①〈出来事・事件の〉前兆、前段階 ②前奏曲、序曲

0531 **libel** [láɪbl]
名 名誉毀損；中傷（≒slander）
形 libelous 名誉毀損の；中傷の

0532 **dangle** [dǽŋgl]
動 ①〈ほうびなど〉をちらつかせる ②～をぶら下げる、ぶらぶらさせる

0533 **adjourn** [əʤə́ːrn]
① ad-（～に）+ journ（日）
動 ①〈法廷・会議など〉を中断する、一時休止する ②〈会議・決定など〉を延期する（≒postpone）
名 adjournment 延期

0534 **plausible** [plɔ́ːzəbl]
① plaus（称賛する）+ -ible（できる）
形 〈話・議論などが〉もっともらしい（≒believable, conceivable）（⇔implausible, unbelievable）

0535 **altercation** [ɔ̀ːltərkéɪʃən]
名 （激しい）口論、論争（≒dispute）
動 altercate 口論する

0536 **convoluted** [kɑ́ːnvəlùːtɪd | kɔ́n-]
① con-（共に）+ volut（巻く）+ -ed 形
形 ①〈議論・制度などが〉複雑な（≒complicated） ②渦巻状の
名 convolution 複雑さ；渦巻き

0537 **immune** [ɪmjúːn]
形 ①〈批判・変化などに〉影響されない、動じない ②免疫のある
名 immunity 免疫（力）；抵抗力
動 immunize ～に免疫力をつける

0538 **replicate** [répləkèɪt]
① re-（元に）+ plic（折る）+ -ate（～にする）
動 ①〈実験など〉を再現する（≒reproduce） ②～を複製する（≒copy, duplicate）
名 replica 複製品、模造品

0539 **deter** [dɪtə́ːr]
動 〈人〉に思いとどまらせる、～を抑止する（≒dissuade, discourage）
名 deterrent 阻止するもの、妨害物
名 deterrence（戦争・犯罪などの）抑止

0540 **aggravate** [ǽgrəvèɪt]
① ag-（～に）+ grav（重い）+ -ate（～にする）
動 ①〈問題・状況など〉を悪化させる（≒worsen） ②〈人・動物〉を怒らせる（≒irritate, bother）
名 aggravation 悪化

Track
045

| | |
|---|---|
| The student only ever gives **facetious** answers to the teacher. | その生徒は先生にふざけた答えを返すことしかしない。 |
| His sickness was a **prelude** of more bad things to come. | 彼の病気は、その先に起こるもっと悪いことの前触れだった。 |
| The actor sued the newspaper for **libel** and won the case. | その俳優は新聞社を名誉毀損で訴え、勝訴した。 |
| Her parents **dangled** the promise of a new toy if she behaved the entire day. | 両親は、一日中行儀よくしていれば新しいおもちゃを買ってあげるという約束を彼女にちらつかせた。 |
| The court session was **adjourned** for a short lunch break. | 法廷は、短い昼休みのために一時中断された。 |
| There is no **plausible** explanation for why he would intentionally break his computer. | 彼が意図的にコンピュータを壊そうとする理由について、納得できる説明はない。 |
| The teachers had to split up an **altercation** between two students at recess. | 休み時間中の２人の生徒の激しい口論に、教師たちは割って入らなければならなかった。 |
| Her argument was too **convoluted** for me to follow. | 彼女の議論は複雑すぎて私にはついていけなかった。 |
| The best writers should be at least somewhat **immune** to criticism. | 最高の作家は、批判に対して少なくともある程度動じずにいられるべきだ。 |
| The students learned how to **replicate** other scientists' experiments. | 生徒たちは、ほかの科学者たちの実験を再現する方法を学んだ。 |
| His parents **deterred** him from going on a trip while sick. | 両親は、病気なのに旅行に行こうとする彼を止めた。 |
| High levels of stress **aggravated** her worsening health condition. | たまったストレスが彼女の体調不良をさらに悪化させた。 |

05
40

| | | |
|---|---|---|
| 0541 | **strain** [stréɪn] | 名 （人・生物などの）血統、品種<br>► 同じつづりで「精神的緊張、ストレス」という意味の名詞もある。 |
| 0542 | **faction** [fǽkʃən]<br>① fact（作る）+ -ion 名 | 名 （政党・組織内の）派閥、党派<br>形 factional 派閥（間）の |
| 0543 | **demise** [dɪmáɪz]<br>① de-（下に）+ mise（送る） | 名 ①（存在・活動などの）終了、終結<br>② 逝去、死亡（≒death）（⇔birth） |
| 0544 | **lethal** [líːθl]<br>① leth（死）+ -al 形 | 形 死に至る、致命的な（≒deadly, fatal）<br>副 lethally 致死的に |
| 0545 | **counterfeit** [káuntərfɪt]<br>① counter（反対）+ feit（作る） | 形 〈貨幣・商品・書類などが〉偽の、偽造の（≒fake）（⇔genuine） |
| 0546 | **avert** [əvə́ːrt]<br>① a-（分離）+ vert（向ける） | 動 ①〈事故・危険など〉を防ぐ、回避する（≒prevent, avoid）<br>②〈目・顔など〉をそらす |
| 0547 | **forensic** [fərénsɪk] | 形 科学捜査の、犯罪科学の |
| 0548 | **negate** [nɪgéɪt]<br>① neg（否定する）+ -ate 動 | 動 ① ～（の存在・正当性）を否定する（≒deny）<br>② ～（の効果）を無効にする（≒nullify）<br>名 negation 否定 |
| 0549 | **feasible** [fíːzəbl]<br>① feas（する）+ -ible（できる） | 形 〈計画・方法などが〉実現可能な（≒practicable, possible）（⇔unfeasible, impractical, impossible）<br>名 feasibility 実現できること |
| 0550 | **diminish** [dɪmínɪʃ]<br>① di-（分離）+ min（小さい）+ -ish（～にする） | 動 ① ～を減らす、小さくする（≒decrease）<br>② 減る、減少する（≒decrease）<br>名 diminution 減少、縮小 |
| 0551 | **forge** [fɔ́ːrʤ] | 動 ①〈関係など〉を築く、強化する<br>②〈文書など〉を捏造する<br>③〈金属〉を鍛造する<br>名 forgery 偽造（物） |
| 0552 | **vie** [váɪ] | 動 競う、張り合う（≒compete）<br>► vie for ～ で「～を目指して競う」という意味。 |

Track
046

| | |
|---|---|
| Scientists are currently studying the new **strain** of the virus. | 科学者たちは現在、そのウィルスの新しい変種について研究している。 |
| Several opposing **factions** in the party joined forces to take control. | 党内の対立するいくつかの派閥が主導権を握るために手を組んだ。 |
| The **demise** of the horse carriage industry was only a matter of time once cars were invented. | 自動車が発明された以上、馬車産業の終えんは時間の問題でしかなかった。 |
| The snake's bite can be **lethal** if not treated properly. | そのヘビにかまれると、適切な治療がなされなかった場合、死に至ることもある。 |
| The criminals were caught distributing **counterfeit** bills to the public. | その犯罪者たちは、偽札を一般に流通させているところを見つかった。 |
| We must work hard to **avert** the worst of climate change. | 私たちは気候変動の最悪の事態を回避するために、懸命に取り組まなければならない。 |
| **Forensic** analysis of a piece of hair left at the crime scene was used to identify the criminal. | 犯人を特定するのに、犯行現場に残された１本の髪の毛の法医学的分析が使われた。 |
| This latest research **negates** the claims that the supplement can improve a person's cholesterol. | この最新の研究は、そのサプリは人のコレステロールを改善できるという主張を否定している。 |
| It is not **feasible** to provide such a high discount on our products. | 当社の製品にそれほど高い割引をするのは不可能だ。 |
| Lack of sleep will **diminish** your ability to focus and be productive. | 睡眠不足は、集中力や生産性を低下させる。 |
| The three countries **forged** an alliance, which gave them the strength to win the war. | ３国は同盟を結び、それによって戦争に勝つ力を手に入れた。 |
| Many athletes are **vying for** a place on the Olympic team. | オリンピックの出場枠を求めて、たくさんのアスリートたちが競っている。 |

05
52

0553 **waive** [wéɪv]
□□□

動 〈権利など〉を放棄する；
〈規則など〉の適用を差し控える（≒forgo）
名 waiver 権利放棄（証書）

0554 **onset** [ɑ́:nsèt | ɔ́n-]
□□□

名 （よくないことの）開始、始まり；（病気の）初期
（≒beginning）
► set on ～（～を攻撃する）という表現も覚えておこう。

0555 **slack** [slǽk]
□□□

形 ①〈ロープなどが〉緩い、たるんだ
（≒loose）（⇔tight）
②〈商売などが〉不活発な
動 slacken ～を緩める

0556 **precedent** [présədənt]
□□□
! pre-（前に）+ ced（行く）+ -ent 形

名 前例、先例
動 precede ～に先行する

0557 **stark** [stɑ́:rk]
□□□

形 ①まったくの、完全な、明確な
②〈場所・建物などが〉殺風景な、荒涼とした
（≒bare, desolate）

0558 **anomaly** [ənɑ́:məli | ənɔ́m-]
□□□

名 異常（なこと）、例外（的なこと）
（≒aberration, abnormality）
形 anomalous 異常な、異例の

0559 **alleged** [əléʤd]
□□□
! al-（～に）+ leg（法律）+ -ed 形

形 〈もの・ことが〉疑わしい；（証拠もなく）主張された
動 allege …であると主張する
副 allegedly 伝えられるところでは

0560 **entrench** [ɪntréntʃ]
□□□
! en-（中に）+ trench（塹壕）

動 〈習慣・理念など〉を固定化する、根付かせる
► be entrenched in ～ で「～に染みついている」という意味。

0561 **deportation** [dì:pɔ:rtéɪʃən]
□□□
! de-（外に）+ port（運ぶ）+ -ation 名

名 国外追放［退去］
動 deport 〈不法外国人〉を送還する、国外退去させる

0562 **verdict** [və́:rdɪkt]
□□□
! ver（真実の）+ dict（言う）

名 （陪審員の）評決、答申
► verdictに基づいて裁判官が下す判決をjudgmentと言う。

0563 **strand** [strǽnd]
□□□

動 ～を立ち往生させる
► 同じつづりで「（ひも・ロープなどを構成する）糸、繊維」という意味の名詞もある。

0564 **eclipse** [ɪklíps]
□□□
! ec-（外に）+ lipse（いなくなる）

動 ～の影を薄くする、～を上回る
（≒outshine, overshadow）
名 ①（太陽・月の）食
②（権力・名声などの）失墜

Track 047

| | |
|---|---|
| The university often **waives** the application fee for low-income students. | その大学は、低所得の学生の出願料を免除することがよくある。 |
| The **onset** of the disease usually occurs within the first few years of life. | その病気の発症は、通常生まれて数年のうちに生じる。 |
| He tightened the **slack** rope, securing the table to the truck. | 彼は緩んだロープを締めて、テーブルをトラックに固定した。 |
| The judge's decision will set a **precedent** for future cases. | その判事の判決は今後の裁判の先例となるだろう。 |
| There is a **stark** contrast to the styles of the director's first two films. | その監督の最初の２つの映画のスタイルはまったく対照的だ。 |
| An **anomaly** was detected during a scan of her heart. | 彼女の心臓のスキャン中に異常が見つかった。 |
| She was in the news as an **alleged** dog thief. | 彼女は犬泥棒の容疑者としてニュースになっていた。 |
| Old-fashioned ideas about the roles of men and women **are** still deeply **entrenched in** this society. | 男女の役割についての古い考え方は、まだこの社会に深く根付いている。 |
| He faced **deportation** for breaking several laws in the country. | 彼はその国でいくつかの法律違反をしたため、国外追放に遭った。 |
| The news incorrectly reported that the jury had given a **verdict** of guilty. | そのニュースでは、陪審員が有罪の評決を下したという誤った報道がなされた。 |
| They were **stranded** in the bay for hours after their boat's engine died. | ボートのエンジンが停止したあと、彼らは湾で何時間も立ち往生した。 |
| The scientist's discovery has been **eclipsed** by the scandal. | その科学者の発見はスキャンダルのせいで影が薄くなった。 |

0565 **culprit**
[kʌ́lprɪt]
□□□
① cul（とがめる）+ -prit（用意された）

名 ① 犯人（≒offender） ② 被告

0566 **prerequisite**
[prìːrékwəzɪt]
□□□

名 必要条件、前提条件（≒requirement）

0567 **cohesive**
[kouhíːsɪv]
□□□
① co-（共に）+ hes（付着する）+ -ive 形

形 〈グループなどが〉結束［団結］した、まとまりのある
名 cohesion 結束、団結

0568 **covert**
[kóuvəːrt | kʌ́vət]
□□□

形 密かな、内密の（≒stealthy, clandestine）（⇔overt）

0569 **hub**
[hʌ́b]
□□□

名 （活動・商業などの）中心、中枢（≒core, center）

0570 **plight**
[pláɪt]
□□□

名 苦境、深刻な状況

0571 **spearhead**
[spíərhèd]
□□□

動 ～の先頭に立つ
名 やりの穂先

0572 **installment**
[ɪnstɔ́ːlmənt]
□□□

名 （分割払いの）1回分の支払い
► in [by] installmentsで「分割払いで」という意味。

0573 **exemplify**
[ɪgzémpləfàɪ]
□□□
① exempl（見本）+ -ify（～にする）

動 ～の典型例となる、～を例証する（≒typify）
形 exemplary 見本となる、典型的な
名 exemplification 例証

0574 **daunting**
[dɔ́ːntɪŋ]
□□□

形 人の気力をくじく、非常に手ごわい（≒intimidating, overwhelming）
動 daunt ～を威圧する

0575 **momentum**
[mouméntəm]
□□□

名 （もの・活動の）勢い、はずみ（≒energy, force）

0576 **proximity**
[prɑːksíməti | prɔks-]
□□□
① proxim（一番近い）+ -ity 名

名 （時間・距離・関係などが）近いこと

Track
048

| | |
|---|---|
| The police caught the **culprit** with the help of several civilians. | 警察は数人の民間人の助けを借りて犯人を捕まえた。 |
| A clean driving record is a **prerequisite** for applying. | 運転履歴に違反がないことが応募の条件だ。 |
| A **cohesive** team of workers can get more work done than when working independently. | 結束力のある労働者のチームは、個々に作業するときよりも多くの仕事を成し遂げられる。 |
| She once took part in **covert** operations run by the government. | 彼女はかつて政府が指揮する秘密工作に関わっていた。 |
| Toronto could be called the transportation **hub** of Canada. | トロントはカナダの交通の要と言ってもいいだろう。 |
| He wrote a book about the **plight** of Syrian refugees. | 彼はシリア難民の窮状に関する本を書いた。 |
| She **spearheaded** a campaign to improve music education in schools. | 彼女は、学校の音楽教育を改善する運動の先頭に立った。 |
| He paid for his new car **in 36 installments.** | 彼は新車の代金を36回の分割払いで払った。 |
| These works fully **exemplify** her genius. | これらの作品は彼女の天分をよく示している。 |
| Moving somewhere you do not know anyone is a **daunting** task. | 知っている人がいないところに引っ越すのはきつい務めだ。 |
| The investigation gained **momentum** after new evidence was discovered. | 新たな証拠が発見され、捜査にはずみがついた。 |
| The **proximity** of the station made the hotel very convenient. | 駅に近いおかげで、そのホテルはとても便利だった。 |

05
76

0577 **ubiquitous** [ju(:)bíkwətəs]

形 至るところに存在する、遍在する (≒pervasive, omnipresent) (⇔rare, scarce)
名 ubiquity 遍在

0578 **arid** [érɪd | ǽr-]

形 〈土地・気候などが〉乾燥した (≒dry, barren) (⇔wet, fertile)
名 aridity 乾燥

0579 **obscurity** [əbskjúərəti]

名 世に知られていないこと、無名
形 obscure よく知られていない、無名の

0580 **banal** [bənǽl | bənɑ́:l]

形 陳腐な、ありふれた (≒bland, mundane)
名 banality 陳腐さ

0581 **encroach** [ɪnkróutʃ]
① en- (中に) + croach (かぎ)

動 ①（領域などに）侵入する (≒impinge, intrude)
②（権利などを）侵害する
名 encroachment 侵害、侵犯

0582 **blister** [blístər]

名 水膨れ、まめ
動 水膨れができる；～に水膨れを作る

0583 **longevity** [lɑ:ndʒévəti | lɔn-]
① long (長い) + ev (年齢) + -ity (状態)

名 ① 寿命 ② 長寿

0584 **verification** [vèrəfɪkéɪʃən]
① ver (真実) + -ifi (～にする) + -cation 名

名 確証、証拠
動 verify ～が真実であることを証明する
名 verity 真理
形 veritable 真の、紛れもない

0585 **envoy** [énvɔɪ]
① en- (上に) + voy (道)

名 使節、使者 (≒delegate, emissary)

0586 **incur** [ɪnkə́:r]
① in- (中に) + cur (走る)

動 ①〈負債・損害など〉を負う、こうむる
②〈怒り・非難など〉を受ける

0587 **gauge** [géɪdʒ]

動 ①〈状況など〉を慎重に評価する、判断する
②（計器で）～を正確に測る
名 計器、ゲージ

0588 **foster** [fɔ́(:)stər]

動 ①〈才能など〉を育む、促進する
(≒nurture, encourage, promote)
(⇔impede, neglect)
②〈他人の子ども〉を養育する

Track
049

| | |
|---|---|
| The beverage company's ads are **ubiquitous**, and everyone is familiar with them. | その飲料メーカーの広告は至るところにあり、誰でもよく知っている。 |
| Some plants are best suited to **arid** conditions. | 乾燥した環境に最も適している植物もある。 |
| The artist faded into **obscurity** after her tragic death. | その芸術家は悲劇的な死のあと、徐々に忘れられていった。 |
| The themes found in his poetry are rather **banal**. | 彼の詩に見られるテーマはいくぶん平凡だ。 |
| This chart shows how much the suburbs have **encroached** into the rural areas. | このグラフは、郊外がどれだけ農村部に入り込んだかを表している。 |
| I got a **blister** from my new boots. | 新しいブーツのせいで靴ずれになった。 |
| The smartphone manufacturer is attempting to increase the **longevity** of its products. | そのスマートフォンメーカーは、製品の寿命を伸ばそうとしている。 |
| You will need to provide your phone number to complete our **verification** procedures. | 認証手続きを完了するには、電話番号を入力していただく必要があります。 |
| That year, the dictator secretly sent an **envoy** to negotiate a treaty with the nation. | その年、独裁者は秘密裏に使者を送り、その国と条約を結ぶ交渉をした。 |
| She **incurred** a huge debt by gambling at casinos. | 彼女はカジノでギャンブルをして多額の借金を負った。 |
| He changed the content of his speech after **gauging** the mood of the audience. | 彼は聴衆の雰囲気を見て、スピーチの内容を変えた。 |
| This program aims to **foster** children's creativity. | このプログラムは子どもの創造性を育成することを目的としている。 |

05
88

0589 **smuggle** [smʌ́gl]
動 ①（こっそり）〈人・もの〉を持ち込む、連れ込む
②～を密輸する
名 smuggling 密輸

0590 **eviction** [ɪvíkʃən]
① e-（外に）+ vict（打ち勝つ）+ -ion 名
名（土地・建物からの）追い立て、立ち退き
動 evict〈住人〉を立ち退かせる

0591 **lurk** [lə́ːrk]
動 潜む、潜伏する

0592 **dire** [dáɪər]
形〈状況・結果などが〉ひどい、悲惨な
（≒awful, dreadful）

0593 **wreak** [ríːk]
動〈損害など〉をもたらす
► wreak havoc on ～ で「～に壊滅的な打撃を与える」という意味。

0594 **burgeon** [bə́ːrʤən]
動 ① 急速に発展［成長］する
②〈植物が〉芽吹く

0595 **cumulative** [kjúːmjələtɪv]
① cuml（集める）+ -ative 形
形（効果・影響などが）しだいに増える、累積的な
（≒accrued）
副 cumulatively 累積的に
動 cumulate 累積する

0596 **fraught** [frɔ́ːt]
形 ①（危険・困難などに）満ちた（≒riddled）
②〈人が〉心配そうな；〈ことが〉不安にさせる
（≒anxious, tense）
► fraught with ～で「～に満ちた」という意味。

0597 **decipher** [dɪsáɪfər]
① de-（分離）+ cipher（暗号）
動〈暗号など〉を解読する；
〈不明瞭な文字など〉を判読する
（≒solve, decode, decrypt）（⇔encrypt, encode）

0598 **adherent** [ædhíərənt | əd-]
① ad-（～に）+ her（付着する）+ -ent 形
名（政党・理念などの）信奉者、支持者（≒supporter）
形 順守する、執着する
動 adhere（考えなどを）支持する、信奉する
名 adherence 順守、執着

0599 **bombardment** [bɑːmbɑ́ːrdmənt | bɔm-]
① bomb（爆弾）+ -ard（強意）+ -ment 名
名 爆撃、砲撃
動 bombard〈場所・人〉を爆撃する

0600 **juggle** [ʤʌ́gl]
動〈時間・仕事など〉をうまくやり繰りする

Track 050

| | |
|---|---|
| The men somehow **smuggled** several guns into the country. | 男たちは数丁の銃を何らかの方法で国内に持ち込んだ。 |
| The **evictions** of homeless people from the park made national news. | 公園からのホームレスの追い出しは、全国的なニュースになった。 |
| The thief **lurked** in the bushes, waiting for everyone to leave. | 泥棒は茂みに潜み、全員が立ち去るのを待った。 |
| The war in the country has caused a **dire** situation. | その国の戦争は悲惨な状況を引き起こしている。 |
| The mouse infestation **wreaked havoc on** their electrical system. | ネズミの侵入により、電気システムが壊滅的な状況に陥った。 |
| The city has **burgeoned** over the past few decades. | その都市は、過去数十年で急成長を遂げた。 |
| He studies the **cumulative** effects of exercise on health. | 彼は運動が健康に及ぼす累積的効果を研究している。 |
| Everyone in the office is **fraught with** tension, wondering who will be fired. | 誰が解雇されるのだろうかと、オフィスの全員が緊張感で張りつめている。 |
| She succeeded in **deciphering** the old documents after a 20-year study. | 20年にわたる研究の末、彼女はその古文書の解読に成功した。 |
| The celebrity is an **adherent** of an obscure religion. | その有名人はよくわからない宗教の信奉者だ。 |
| An aerial **bombardment** destroyed most of the city center the following night. | 次の日の夜、空爆により市街地のほとんどが破壊された。 |
| She is currently **juggling** a full-time job and freelance work. | 彼女は今のところフルタイムの仕事とフリーランスの仕事を両立させている。 |

06
00

0601 **explicit**
[ɪksplísɪt]
! ex- (外に) + plicit (折る)

形 ① 露骨な、あからさまな (≒clear) (⇔implicit)
② 明白な、あいまいさのない
副 explicitly あからさまに

0602 **insulate**
[ínsəlèɪt | -sjʊ-]
! insul (島) + -ate (〜にする)

動 ①〈熱・音など〉を遮断する
②〈人〉を隔離する、孤立させる
► insulate A against [from] B で「AをBから遮断する」という意味。 名 insulation 絶縁、隔離

0603 **pivotal**
[pívətl]

形 重要な、決定的な (≒key, critical)
名 pivot 中心点、要点

0604 **expedite**
[ékspədàɪt]
! ex- (外に) + ped (足) + -ite 動

動 〜を促進する、急がせる (≒speed up)
形 expeditious 迅速な

0605 **subdued**
[səbd(j)úːd]
! sub- (下に) + due (導く) + -(e)d 形

形 ① (いつになく) 元気のない、おとなしい
②〈光・色・音などが〉控えめの
動 subdue 〜を鎮圧する;〈感情など〉を抑える

0606 **destitute**
[déstət(j)ùːt]
! de- (分離) + stitute (建てる)

形 困窮した、極貧の
(≒poor, impoverished) (⇔rich, wealthy)
名 destitution 極貧

0607 **grievance**
[gríːvns]
! griev (重い) + -ance 名

名 苦情、不満 (≒gripe)

0608 **arduous**
[áːrdʒuəs | -dju-]

形 骨の折れる、きつい (≒strenuous)

0609 **oblivious**
[əblíviəs]
! oblivi (忘れる) + -ous (満ちた)

形 ① 気づかないで、無頓着で ② 忘れて
名 oblivion 忘却
副 obliviously 気づかずに

0610 **recoup**
[rɪkúːp]

動 〈損失・支出など〉を取り戻す (≒recover)

0611 **demoralize**
[dɪmɔ́ːrəlàɪz | -mɔ́r-]
! de- (悪化) + moral (道徳) + -ize (〜にする)

動 〈人〉の士気をくじく、〈人〉を意気消沈させる
名 demoralization 士気喪失

0612 **fraudulent**
[frɔ́ːdʒələnt]
! fraud (詐欺) + -ulent (富む)

形 〈行為・請求などが〉詐欺の、不正な
名 fraud 詐欺
名 fraudster 詐欺師

| | |
|---|---|
| The video game features strong language and **explicit** violence. | そのテレビゲームは、激しい言葉遣いとあからさまな暴力が特徴だ。 |
| The cabin is fully **insulated against** the cold. | その山小屋は十分に断熱されている。 |
| Securing funding was **pivotal** in the success of our political campaign. | 資金の確保は、私たちの政治運動を成功させる上で極めて重要だった。 |
| The company tried to **expedite** the shipping of their new perfume collection. | その会社は、新しい香水コレクションの出荷を急がせようとした。 |
| A member of the staff told him in a **subdued** voice that he was not meeting the club's dress code. | スタッフの一人が彼に控えめな声で、クラブのドレスコードを満たしていませんよと言った。 |
| Many people were left **destitute** after the hurricane destroyed their community. | ハリケーンがその地域を破壊したあと、多くの人々が困窮したままになっていた。 |
| Please take any **grievances** you may have to customer support. | 苦情がありましたらカスタマーサポートまでお寄せください。 |
| Their climb to the top of the mountain was long and **arduous**. | 彼らの登頂は長く、困難なものだった。 |
| She was so focused on work that she was **oblivious** to the struggles of her husband. | 彼女は仕事に集中していて、夫の奮闘に気づいていなかった。 |
| The company never did **recoup** their losses and eventually went out of business. | その会社は損失を取り戻せず、ついに倒産した。 |
| The captain's injury in the opening minutes of the game **demoralized** the entire team. | 試合開始後数分でのキャプテンの負傷は、チーム全体の士気をくじいた。 |
| He discovered **fraudulent** payments had been made with his credit card. | 彼は自分のクレジットカードで不正な支払いが行われたことに気づいた。 |

Track 051

06
12

0613 **frantic** [frǽntɪk]
形 ①（心配・恐怖などで）取り乱した（≒distraught）
②大慌ての、慌てふためいた（≒hectic）

0614 **incremental** [ìŋkrəméntl]
形〈量・金額などが〉少しずつ増加する
► increase（増加する）と同語源語。
名 increment 増大、増加

0615 **afflict** [əflíkt]
ⓘ af-（～に）+ flict（打つ）
動〈病気・災害などが〉〈人・国など〉を苦しめる、悩ませる
名 affliction 苦痛、苦悩

0616 **plummet** [plʌ́mət]
動 ①〈価格などが〉急落する（≒plunge）
②真っ逆さまに落ちる
► plumb（測鉛）と同語源語。

0617 **stunt** [stʌ́nt]
名 ①（人目を引くための）派手な行為
②曲芸、スタント
► 同じつづりで「〈成長・発達など〉を妨げる」という意味の動詞もある。

0618 **liable** [láɪəbl]
ⓘ li（結びつける）+ -able（できる）
形 ①（法的に）責任がある、義務がある
②[be liable to *do*] ～しがちだ
名 liability（法的）責任

0619 **premise** [prémɪs]
ⓘ pre-（前に）+ mise（置く）
名 ①前提、根拠
②[premises]（建物の）敷地、構内

0620 **demolition** [dèməlíʃən]
ⓘ de-（否定）+ molit（建設する）+ -ion 名
名（古い建物などの）破壊、取り壊し
動 demolish ～を取り壊す

0621 **turbulent** [tə́ːrbjələnt]
ⓘ turb（混乱）+ -ulent（富む）
形 ①〈世の中・時代などが〉動乱の、混乱した（≒unstable）（⇔calm）
②〈天候などが〉荒れ狂う
名 turbulence 混乱；乱気流

0622 **allot** [əlάːt | əlɔ́t]
ⓘ al-（～に）+ lot（くじで分配する）
動〈仕事・時間・予算など〉を割り当てる、割り振る（≒assign）
名 allotment 配分、分配

0623 **dissect** [dɪsékt]
ⓘ dis-（分離）+ sect（切る）
動 ①（研究のために）〈動物の死体・植物〉を解剖する
②〈理論・状況など〉を分析する（≒analyze）
③〈土地など〉を分割する
名 dissection 解剖；分析；分割

0624 **provision** [prəvíʒən]
ⓘ pro-（前に）+ vis（見る）+ -ion 名
名 ①（契約・法律などの）条項、規定
②（必需品の）供給、支給

Track
052

| | |
|---|---|
| He became **frantic** when he noticed the important documents were missing. | 彼は重要書類がなくなっていることに気づいて取り乱した。 |
| His doctor recommended making **incremental** changes to his diet over the following months. | 彼の主治医は、これから数か月かけて徐々に食生活を変えていくことを勧めた。 |
| Their youngest child is **afflicted** with a skin condition. | 彼らの末っ子は皮膚疾患に悩まされている。 |
| The company's stocks **plummeted** after the insider trading scandal. | インサイダー取引疑惑のあと、その会社の株は急落した。 |
| The band held a free, unannounced concert in the park as a publicity **stunt**. | そのバンドは、宣伝活動のために公園で無料のゲリラコンサートを開いた。 |
| Since he did not purchase insurance, he was **liable** for the damage to the vehicle. | 保険に加入していなかったので、彼はその車両の損傷に対して責任を負うことになった。 |
| The whole **premise** of the report is actually incorrect. | そのレポートの根拠全体が実際間違っている。 |
| The city is carrying out the **demolition** of a whole neighborhood. | 市は近隣一帯の取り壊しを行っている。 |
| The castle has witnessed 250 years of **turbulent** history. | その城は250年にわたる激動の歴史を目撃してきた。 |
| Make sure to **allot** enough time to finish all your work. | すべての作業を完了するのに十分な時間を確保してください。 |
| They **dissected** a pig heart in biology class last week. | 彼らは先週、生物学の授業でブタの心臓を解剖した。 |
| The man could not agree with all of the **provisions** added to his contract. | 男性は、契約に追加された条項のすべてには同意できなかった。 |

06
24

0625 **hone**
[hóʊn]

動 〈技術など〉に磨きをかける（≒sharpen）

0626 **jeopardy**
[dʒépərdi]

名 （損失・失敗などの）危険、危機（≒danger）
► in jeopardy（危険な）の形で使われる。
動 jeopardize ～を危険にさらす

0627 **disintegration**
[dɪsìntəgréɪʃən]
! dis-（逆）+ integr（統合する）+ -ation 名

名 崩壊、分解
動 disintegrate 崩壊する、分解する

0628 **misnomer**
[mɪsnóʊmər]
! mis-（誤った）+ nomer（名づける）

名 ふさわしくない名前［呼び名］；誤称

0629 **pitfall**
[pítfɔ̀:l]

名 隠れた危険、落とし穴（≒hazard, risk）

0630 **meekly**
[mí:kli]

副 おとなしく、従順に
形 meek おとなしい、従順な

0631 **terrain**
[təréɪn]

名 地形、地勢、土地

0632 **brew**
[brú:]

動 ①〈茶・コーヒーなど〉をいれる、煎（せん）じる
②〈ビールなど〉を醸造する
名 brewery ビール醸造所

0633 **pseudonym**
[s(j)ú:dənìm] ▲ 発音注意。
! pseudo-（偽の）+ nym（名前）

名 （作家などの）ペンネーム、筆名（≒pen name）

0634 **stealth**
[stélθ]
! steal（こっそり動く）+ -th 名

名 密かな行動
形 〈爆撃機などが〉レーダーで捕捉されにくい
副 stealthily 密かに

0635 **mosaic**
[moʊzéɪɪk]

名 モザイク風のもの、寄せ集め

0636 **ponder**
[pá:ndər | pɔ́n-]

動 〈問題〉について熟考する（≒consider, examine）
► 「重さを量る」が原義。

Track
053

| | |
|---|---|
| She is keen to **hone** her English speaking skills. | 彼女は英語のスピーキング力を磨きたいと強く思っている。 |
| Your reckless behavior put everyone's safety **in jeopardy**. | あなたの無謀な行動によって、みんなの安全が脅かされた。 |
| The **disintegration** of the country's colonial empire continued over the following century. | その国の植民地帝国の崩壊は、その後の１世紀にわたって続いた。 |
| The term "morning sickness" is in fact a **misnomer**. | morning sickness（つわり）という言葉は、実際には不適切な呼び名だ。 |
| Make sure you avoid the **pitfalls** of buying online. | オンラインで購入する際の落とし穴を避けるよう気をつけてください。 |
| She **meekly** accepted her new position in the department. | 彼女はその部署での新しい地位をおとなしく受け入れた。 |
| A small car like that would not be able to drive through the rough **terrain**. | そんな小さな車ではその荒れた土地を走り抜けられないだろう。 |
| She **brews** a cup of coffee every morning right after waking up. | 彼女は毎朝起きるとすぐにコーヒーをいれる。 |
| The famous crime novelist also wrote romances under a **pseudonym**. | その有名な推理作家はペンネームで恋愛小説も書いた。 |
| **Stealth** is key to the success of your mission. | 密かな行動があなたの任務成功のカギだ。 |
| The country is a **mosaic** of different cultures and religions. | その国にはさまざまな文化や宗教がモザイク風に存在している。 |
| She **pondered** whether she should leave her current company and accept the job offer. | 彼女は今の会社を辞めてその仕事のオファーを受けるべきかじっくり考えた。 |

06
36

0637 **flex** [fléks]

動 〈筋肉〉を動かす；
（筋肉を伸ばすため）〈手足など〉を曲げる
形 flexible 曲げやすい、柔軟な
名 flexibility 曲げやすさ、柔軟性

0638 **testament** [téstəmənt]

① test(a)（証言する）+ -ment 名

名 あかし、証拠
► 「（神と人との）契約」という意味もあり the Old [New] Testament（旧約［新約］聖書）のように使われる。

0639 **prudence** [prú:dəns]

① pru-（前もって）+ den（見る）+ -ce（こと）

名 思慮、分別、用心深さ
形 prudent 用心深い、慎重な
副 prudently 慎重に

0640 **adjacent** [əʤéɪsnt]

① ad-（～に）+ jac（投げる）+ -ent 形

形 隣の、隣接した
► adjacent to ～ で「～に隣接する」という意味。

0641 **confederation** [kənfèdəréɪʃən]

① con-（共に）+ feder（信頼）+ -ation 名

名 同盟、連合
形 confederate 同盟に加わっている、連合の

0642 **chant** [ʧǽnt | ʧá:nt]

動 〈スローガンなど〉を一斉に唱える、繰り返す（≒recite）

0643 **endemic** [endémɪk]

① en-（中に）+ dem（人々）+ -ic 形

形 ①〈深刻な状況・問題などが〉（地域・集団に）よく見られる（≒prevalent）
②〈病気・動植物が〉（地域に）特有の、固有の
名 風土病、地方病

0644 **unravel** [ʌnrǽvl]

① un-（取り去る）+ ravel（ほぐす）

動 ①〈難問など〉を解決する、〈謎など〉を解く
②〈より糸・編んだものなど〉をほどく

0645 **curfew** [kə́:rfju:]

名 ①（夜間）外出禁止令
②（子どもの）門限

0646 **spate** [spéɪt]

名 多発、続発（≒flurry, succession）
► a spate of ～ で「～の多発、続発」という意味。

0647 **infringe** [ɪnfrínʤ]

① in-（中に）+ fringe（壊す）

動 （権利・自由などを）侵害する、制限する（≒violate）
名 infringement（権利などの）侵害

0648 **crackdown** [krǽkdàʊn]

名 （犯罪・悪事に対する）厳重な取り締まり
► crack down on ～（～を厳しく取り締まる）という表現も合わせて覚えておこう（2045 参照）。

Track 054

| | |
|---|---|
| The bodybuilder **flexed** his muscles for the judges to see. | そのボディービルダーは、審査員に見えるように筋肉を動かした。 |
| The success of these recent graduates is a **testament** to the value of hard work. | これらの新卒者の成功は、努力の価値を証明するものだ。 |
| His father taught him at a young age to exercise **prudence** with his finances. | 父親は幼い彼に、お金の使い方には慎重になるようにと教えた。 |
| His office is **adjacent to** a delicious Turkish restaurant. | 彼のオフィスはおいしいトルコ料理店に隣接している。 |
| The American colonies formed a **confederation**, which enabled them to cooperate during their war for independence. | アメリカ植民地は同盟を結んだため、独立戦争で協力することができた。 |
| Demonstrators **chanted** slogans against the increase in military spending. | デモ参加者たちは、軍事費の増大に反対するスローガンを連呼した。 |
| An investigative report found that corruption is **endemic** in local government offices. | ある調査報告書によると、地方自治体の役所では汚職がまん延しているとのことだった。 |
| Scientists are working to **unravel** the secrets of this incredible plant. | 科学者たちはこの驚くべき植物の秘密を解明するために取り組んでいる。 |
| The government ordered a **curfew** in order to control the riots. | 暴動を鎮圧するため、政府は夜間外出禁止令を出した。 |
| Thick fog caused **a spate of** road accidents yesterday. | 昨日は濃霧のために交通事故が多発した。 |
| Don't **infringe** on our privacy. | 我々のプライバシーを侵害するな。 |
| The police have launched a **crackdown** on crime in the city. | 警察は市の犯罪の取り締まり強化を開始した。 |

06
48

0649 **reminiscent**
[rèmənísnt]
① re- (再び)+ minis(c) (心)+ -ent 形

形 連想させる、思い出させる
名 reminiscence 回顧;思い出話、回顧録

0650 **aptitude**
[ǽptət(j)ù:d]
① apti (適した)+ -tude 名

名 才能、素質、適性 (≒propensity, knack)

0651 **regenerate**
[rɪʤénərèɪt]
① re- (再び)+ gener (生む)+ -ate 動

動 〈地域・社会など〉を再生させる、再建する
名 regeneration 再生、再建
形 regenerative 再生力のある

0652 **fixture**
[fíkstʃər]
① fix (固定する)+ -ture 名

名 ① 欠かせない人 [もの]、定番
② (建物・家屋の) 備えつけの設備、備品
動 fix ~を固定する
形 fixed 固定した;決められた

0653 **perplexed**
[pərplékst]
① per- (完全に)+ plex (編む)+ -ed 形

形 当惑した、まごついた (≒puzzled, baffled)
動 perplex 〈人〉を当惑させる
名 perplexity 当惑、困惑

0654 **dissident**
[dísɪdənt]
① dis- (分離)+ sid (座る)+ -ent 形

名 反体制派の人;(政府などに) 異議を唱える人
形 反体制派の
名 dissidence (意見・性格などの) 相違

0655 **rapport**
[ræpɔ́:r] ▲ 発音注意。

名 信頼関係、協調

0656 **typify**
[típəfàɪ]
① typ (典型)+ -ify (~にする)

動 ~の典型となる、特徴を示す
名 type 典型
形 typical 典型的な、代表的な
副 typically 一般的に;典型的に

0657 **impunity**
[ɪmpjú:nəti]
① im- (否定)+ puni (罰)+ -ty 名

名 処罰を受けないこと、免責
(⇔liability, responsibility)

0658 **novice**
[ná:vəs | nɔ́v-]

名 (ある分野の) 初心者、未熟者
(≒amateur, beginner) (⇔expert)
► nov は「新しい」を意味する語根で novel (新奇な)、innovation (刷新) などと同語源語。

0659 **amnesty**
[ǽmnəsti]

名 (政治犯などに対する) 恩赦、特赦
(≒forgiveness, pardon)

0660 **ablaze**
[əbléɪz]
① a- (~に)+ blaze (炎)

形 ① (激しく) 燃えて (≒aflame)
② (明るく) 輝いて (≒alight)

Track 055

| | |
|---|---|
| The flower-patterned dress is **reminiscent** of 1950's fashion. | その花柄のドレスは1950年代のファッションを彷彿とさせる。 |
| Her parents discovered her **aptitude** for sports at a young age. | 両親は、彼女が幼いころにスポーツの才能を見出した。 |
| The country hopes that easing visa restrictions will **regenerate** the tourist industry. | 国はビザ規制の緩和で観光産業が再生することを期待している。 |
| The artist's painting of Louis XIV is a permanent **fixture** in school history books. | その画家が描いたルイ14世の肖像画は、歴史の教科書の永遠の定番だ。 |
| She was **perplexed** by the contents of the letter she received. | 彼女は受け取った手紙の内容に困惑した。 |
| Political **dissidents** in the country are sometimes sentenced to death. | この国の政治的反体制派は、時には死刑に処せられることもある。 |
| It is important for teachers to establish a close **rapport** with their students. | 生徒と親密な信頼関係を築くことは教師にとって重要だ。 |
| The movie star **typifies** the macho image. | その映画スターはマッチョなイメージの典型だ。 |
| The crowds stole with **impunity**, grabbing items off shelves right in front of store staff. | 群衆は店員の目の前で棚から商品を奪い取るなど、とがめられることなく盗みを働いた。 |
| **Novice** wine drinkers are often confused about what type of wine they should drink. | ワインの初心者は、どんな種類のワインを飲んだらいいか混乱することが多い。 |
| The refugees were granted **amnesty** for entering the country illegally. | 難民たちは不法入国に対して恩赦を与えられた。 |
| The arsonist set the house **ablaze** using gasoline and some matches. | その放火犯はガソリンとマッチを使って家に火を放った。 |

06
60

0661 **stipulation** [stìpjəléɪʃən]
□□□

名 (法律・契約などの) 規定、条項
動 stipulate (条件として) ～を規定する

0662 **commune** [kά:mju:n | kɔ́m-]
□□□

名 (宗教・信条などを共有する) 共同社会、共同体

0663 **chronic** [krά:nɪk | krɔ́n-]
□□□
① chron (時間) + -ic 形

形 〈病気が〉 慢性の (≒constant, recurring) (⇔acute)
副 chronically 慢性的に

0664 **protocol** [próʊtəkɑ̀:l | prə́ʊtəkɔ̀l]
□□□

名 ① 儀礼、礼儀作法 (≒code)
② 手順、手続き
③ 条約議定書

0665 **temper** [témpər]
□□□

動 ～を加減する、抑制する
名 ① 冷静、平常心 ② (一時的な) 気分、機嫌

0666 **retrospect** [rétrəspèkt]
□□□
① retro- (後方を) + spect (見る)

名 回顧、回想
► in retrospect で「振り返ってみると、今にして思えば」という意味。
形 retrospective 回顧的な

0667 **interim** [íntərim]
□□□
① inter- (間に) + im 副

形 ① 仮の、暫定的な (≒temporary, provisional)
② 〈結果・配当などが〉 中間の
名 合間、しばらくの間 (≒interval)

0668 **capitalize** [kǽpətəlàɪz]
□□□

動 ① 利用する、活用する ② ～を資本化する
名 capital 資本；首都
名 capitalization 資本化

0669 **antithesis** [æntíθəsɪs]
□□□
① anti- (反対) + thesis (命題)

名 正反対、対照
► 複数形は antitheses。
形 antithetic 正反対で

0670 **ordinance** [ɔ́:rdənəns]
□□□
① ordin (命令) + -ance 名

名 (地方自治体の) 条例

0671 **align** [əláɪn]
□□□
① a- (～に) + lign (線)

動 ～を一直線 [1 列] に並べる
名 alignment 整列

0672 **repeal** [rɪpí:l]
□□□
① re- (元に) + peal (呼ぶ)

動 〈法律など〉 を廃止する、撤廃する (≒reverse, nullify)
名 (法律などの) 廃止

Track 056

| | |
|---|---|
| There are no **stipulations** regarding injury in this contract. | この契約には傷害に関する規定はない。 |
| He decided to join a **commune** in rural Kansas. | 彼は、カンザスの田舎にある生活共同体に加わることにした。 |
| She has dealt with **chronic** pain ever since the car accident. | 彼女は自動車事故以来ずっと、慢性的な痛みと付き合ってきた。 |
| You need to fully understand and follow the company **protocol**. | 会社の規定をよく理解して守るようにしてください。 |
| He was careful to **temper** his criticism with some words of praise as well. | 彼は注意深く、褒め言葉も添えて批判を和らげた。 |
| **In retrospect**, spending that much money on a toy was a bad idea. | 振り返ってみると、おもちゃ一つにあんなにお金を使ったのはまずかった。 |
| As an **interim** measure, we have decided to take the following approach. | 当面の措置として、次の方法を採用することを決定した。 |
| We need to **capitalize** on the gains we made in the last quarter. | 前四半期に得た利益を活用する必要がある。 |
| Some people say love is the **antithesis** of selfishness. | 愛は利己主義の対極にあると言う人もいる。 |
| The city council passed a new **ordinance** banning farm animals. | 市議会は家畜を禁ずる新しい条例を可決した。 |
| All the desks in the classroom are **aligned** in even rows and columns. | 教室の机はすべて、横にも縦にもまっすぐに並べられている。 |
| Activists are working hard to have several laws **repealed**. | 活動家たちは、いくつかの法律を撤廃させるために懸命に取り組んでいる。 |

06
72

0673 **underscore** [ʌ̀ndərskɔ́ːr]
動 ① ～を強調する、明確にする (≒emphasize)
② ～に下線を引く (≒underline)

0674 **ardent** [ɑ́ːrdnt]
形 熱心な、熱狂的な (≒enthusiastic, passionate)
►「燃えている」が原義。
名 ardor 情熱、熱意

0675 **depreciate** [dɪpríːʃièɪt]
ⓘ de- (下に) + preci (値段) + -ate (～にする)
動 〈価値・価格などが〉下がる；～の価値 [価格] を下げる (⇔appreciate)
名 depreciation 価値の低下

0676 **hype** [háɪp]
名 誇大広告
動 ～を誇大広告する

0677 **adversary** [ǽdvərsèri | -səri]
ⓘ ad- (～に) + vers (向ける) + -ary 形
名 敵；(競技・試合などの) 相手、対戦者 (≒opponent)
形 adverse 敵対的な
形 adversarial 敵対関係にある

0678 **moratorium** [mɔ̀ːrətɔ́ːriəm | mɔ̀-]
ⓘ morat (延期) + -orium (手段)
名 ① (製造・使用などの) 一時的停止 [禁止]
② 支払い猶予
► 複数形は moratoria または moratoriums。

0679 **ailing** [éɪlɪŋ]
形 ① (慢性的に) 病気の、病弱な ② 不況の、不振の
動 ail 患う
名 ailment 病気

0680 **relentless** [rɪléntləs]
ⓘ re- (元に) + lent (曲がる) + -less (ない)
形 ①〈不快なことが〉容赦なく続く ② 情け容赦のない、厳しい ► unrelenting (〈激しさ・速度などが〉弱まることのない、容赦ない) も出題されたことがある。
動 relent 態度を和らげる

0681 **transient** [trǽnʃənt | -ziənt]
ⓘ trans- (越えて) + i (行く) + -ent 形
形 一時的な、束の間の (≒temporary, fleeting)
名 放浪者、流れ者 (≒drifter)
名 transience はかなさ

0682 **orchestrate** [ɔ́ːrkəstrèɪt]
動 〈複雑な計画など〉を企てる、周到に準備する (≒coordinate, arrange)
名 orchestration 調整、組織化

0683 **sprout** [spráʊt]
動 ① 発芽する (≒germinate)
② 急成長する

0684 **assail** [əséɪl]
ⓘ as- (～に) + sail (跳ぶ)
動 (身体的に・言葉で)〈人・もの〉を攻撃する (≒bash, blast, berate)
形 assailable 攻撃できる
名 assailant 攻撃者

Track 057

| | |
|---|---|
| This study **underscores** the need for stronger healthcare initiatives. | この研究は、医療に対する取り組みを強化する必要性を強調している。 |
| He is an **ardent** believer in practicing mindfulness through yoga. | 彼はヨガを通じたマインドフルネスの実践の熱狂的な信奉者だ。 |
| The value of new cars **depreciates** rapidly after the first year. | 新車の価値は、初年度を過ぎると急速に下がる。 |
| The director's movies always live up to the **hype**. | その監督の映画はいつも派手な宣伝に違わぬ素晴らしさだ。 |
| Her political **adversary** has much more funding than she does. | 彼女の政敵は、彼女よりはるかに多くの資金を持っている。 |
| The government has declared a **moratorium** on lobster fishing. | 政府はロブスター漁の一時停止を発表した。 |
| He went to visit his **ailing** father in the retirement home. | 彼は老人ホームにいる病気の父親の元を訪れた。 |
| Her manager put **relentless** pressure on her to meet sales targets. | 彼女の上司は、売上目標を達成するよう彼女に執拗なプレッシャーをかけた。 |
| Cherry blossoms are appreciated more due to their **transient** nature. | 桜の花は、そのはかなさゆえにより尊ばれる。 |
| He **orchestrated** the merging of two rival companies last year. | 彼は昨年、ライバル会社２社の合併を画策した。 |
| The seeds **sprouted** within just a few days of planting them. | その種は植えてほんの数日で発芽した。 |
| The movie was **assailed** by critics for its numerous plot holes and unrealistic characters. | その映画は、ストーリー上の数々の矛盾と非現実的な登場人物を批評家たちに激しく批判された。 |

06
84

0685
**affable**
[ǽfəbl]
ⓘ af- (～に) + fa (話す) + -ble (できる)

形 愛想のよい、気さくな (≒genial)
名 affability 愛想のよさ

0686
**disheveled**
[dɪʃévld]
ⓘ di- (分離) + shevel (髪) + -ed 形

形 〈髪が〉乱れた；〈服装が〉だらしない

0687
**insatiable**
[ɪnséɪʃəbl]
ⓘ in- (否定) + sati (十分な) + -able (できる)

形 〈欲求・好奇心などが〉飽くことを知らない、貪欲な (⇔satisfied, content, full)

0688
**defraud**
[dɪfrɔ́:d]
ⓘ de- (分離) + fraud (だます)

動 〈人〉から (金・権利などを) だまし取る、詐取する

0689
**arcane**
[ɑ:rkéɪn]

形 (普通の人には) 難解な、少数の人だけが理解している (≒mysterious)

0690
**autonomously**
[ɔ:tɑ́:nəməsli | ɔ:tɔ́n-]
ⓘ auto (自身の) + nom (法律) + -ous (満ちた) + -ly 副

副 自律的に、自発的に
形 autonomous 自律的な
名 autonomy 自律性

0691
**distraught**
[dɪstrɔ́:t]

形 (心配などで) 取り乱した、動転した

0692
**affix**
[動 əfíks 名 ǽfɪks]

動 〈もの〉を貼る、添付する
名 接辞

0693
**wayward**
[wéɪwərd]

形 ①〈人が〉わがままな、手に負えない (≒rebellious, errant) (⇔compliant)
②〈感情が〉揺れ動く；〈方向が〉定まらない

0694
**allude**
[əlú:d]
ⓘ al- (～と) + lude (遊ぶ)

動 ほのめかす、遠回しに言う (≒imply)
► allude to ～ で「～について遠回しに言う」という意味。
名 allusion ほのめかし
形 allusive ほのめかした

0695
**cordon**
[kɔ́:rdn]
ⓘ cord (ロープ) + -on (指小辞)

名 (警察などによる) 非常線、包囲網

0696
**tatter**
[tǽtər]

名 ぼろ、ぼろ切れ
► in tatters で「ひどい状態で、破綻した」という意味。

Track 058

| | |
|---|---|
| She is an **affable** person who is great to take out. | 彼女は愛想がよく、誘って出かけるのにとてもよい人だ。 |
| She was late for work, so her hair and clothes were very **disheveled**. | 彼女は仕事に遅れ、髪も洋服もとても乱れていた。 |
| He has an **insatiable** appetite for anything made of fruit. | 彼は果物を使ったものなら何にでも旺盛な食欲を見せる。 |
| The woman used several fake identities to **defraud** the bank. | 女性はいくつかの偽の身元を使って銀行から金をだまし取った。 |
| He has **arcane** knowledge of the forests and rivers. | 彼は森と川について難解なことを知っている。 |
| There are still many problems with cars that can drive **autonomously**. | 自動運転車にはまだまだ多くの問題がある。 |
| She was **distraught** over the loss of her childhood stuffed animals. | 彼女は子どものころの動物のぬいぐるみを失くして動転していた。 |
| She **affixed** a stamp to the letter, then dropped it into the mailbox. | 彼女は手紙に切手を貼り、ポストに投函した。 |
| They are concerned about their son's **wayward** behavior. | 彼らは息子のわがままな振る舞いについて心配している。 |
| The CEO **alluded to** his possible retirement at the Christmas party. | その CEO はクリスマスパーティーで引退の可能性をほのめかした。 |
| Police formed a **cordon** around the building to prevent any civilians from entering. | 警察は建物の周囲に非常線を張り、民間人が立ち入れないようにした。 |
| The ongoing war has the whole country **in tatters**. | 進行中の戦争のせいで、その国全体がぼろぼろだ。 |

0696

0697 **careen**
[kəríːn]
動 〈人・車などが〉大きく揺れながら疾走する

0698 **haggle**
[hǽgl]
動 値切る、（値段などについて）交渉する

0699 **contrition**
[kəntríʃən]
名 （犯した罪・悪行などについての）悔恨

0700 **woo**
[wúː]
動 〈人〉の支持を得ようと努める；〈支持・名声など〉を得ようと努める

0701 **retroactively**
[rètrouǽktɪvli]
① retro-（後ろに）+ active（効力がある）+ -ly 副
副 〈法律の効力などが〉さかのぼって
形 retroactive 〈法律などが〉さかのぼって効力のある

0702 **rowdy**
[ráudi]
形 乱暴な、騒々しい（≒disorderly）

0703 **stump**
[stʌ́mp]
動 〈難題などが〉〈人〉を困らせる（≒baffle）

0704 **protrude**
[prətrúːd]
① pro-（前に）+ trude（突っ込む）
動 突き出る
名 protrusion 突出物、隆起物

0705 **laudable**
[lɔ́ːdəbl]
形 〈目標・努力などが〉称賛に値する（≒admirable）
動 laud ～を称賛する

0706 **chauvinism**
[ʃóuvənìzm]
名 ① 男性優位主義 ② 狂信的な優越心［愛国心］
► ①は male chauvinism とも言う。female chauvinism で「女性優位主義」。
名 chauvinist 男性優位主義者

0707 **skirmish**
[skə́ːrmɪʃ]
名 小規模な戦闘、小競り合い

0708 **austerity**
[ɔːstérəti]
名 ①（経済政策の）緊縮 ② 厳格さ、厳しさ
形 austere 〈財政が〉緊縮の；厳格な

Track 059

| | |
|---|---|
| The car **careened** around the corner at a dangerous speed. | その車は危険な速度で揺れながら角を曲がっていった。 |
| She was not used to **haggling**, so she ended up paying too much for the items. | 彼女は値切るのに慣れていなかったので、その商品を高値で買うはめになった。 |
| The look of **contrition** on his face was apparent to all. | 彼の顔に浮かんだ悔恨の表情は誰の目にも明らかだった。 |
| Aspiring pop stars are **wooed** by promises of fame and fortune. | アイドル歌手の卵たちは、富と名声を約束されて集められる。 |
| The mayor was harshly criticized for trying to enforce the new law **retroactively**. | 市長は、新しい法律をさかのぼって施行しようとして激しく批判された。 |
| Her neighbors are always throwing **rowdy** parties. | 彼女の隣人は、いつも騒々しいパーティーを開いている。 |
| She was **stumped** by her daughter's complicated math homework. | 彼女は娘の難しい数学の宿題に窮(きゅう)した。 |
| People on the beach saw a fin **protruding** from the water and panicked. | ビーチにいた人々は、魚のヒレが水面から突き出ているのを見てパニックになった。 |
| While the aim is **laudable**, there will be many challenges ahead. | その目標は称賛に値するが、立ちはだかる課題は多い。 |
| Male **chauvinism** was still the norm in the early 1900s. | 男性優位主義は、1900年代の初頭にはまだごく普通のことだった。 |
| There was a small **skirmish** on the border of the two countries. | 2国の国境で小規模な武力衝突があった。 |
| The Great Depression of the 1930s was a period of great **austerity**. | 1930年代の大恐慌は、経済が非常に緊縮した時代だった。 |

07
08

0709 **abort** [əbɔ́:rt]

動 ①〈計画など〉を中止する（≒terminate）
②〈妊娠〉を中絶する
名 abortion 計画の中止；妊娠中絶
形 abortive 失敗に終わった

0710 **pry** [prάɪ]

動（私生活などを）のぞく、詮索する
形 prying 詮索するような

0711 **connoisseur** [kὰ:nəsə́:r | kɔ̀n-]

名（美術・食べ物などの）通、目利き、鑑定家

0712 **impassive** [ɪmpǽsɪv]

ⓘ im-（否定）+ pass（感じる）+ -ive 形

形〈顔・表情などが〉感情を表さない、平然とした
副 impassively 平然と

0713 **extenuating** [ɪksténjuèɪtɪŋ]

形 酌量（しゃくりょう）すべき
動 extenuate（情状酌量して）〈罪など〉を軽く見る
名 extenuation 情状酌量

0714 **nocturnal** [nɑ:ktə́:rnl | nɔk-]

形〈動物が〉夜行性の、夜行動する（⇔diurnal）
► nocturne（夜想曲、ノクターン）と同語源語。

0715 **squalid** [skwά:ləd | skwɔ́l-]

形〈環境などが〉汚い、不潔な
名 squalor 汚さ、不潔さ

0716 **posthumous** [pά:stʃəməs | pɔ́stjə-]

形 ① 死後の、死後に起きた
②〈作品が〉著者の死後に出版された
副 posthumously 死後に

0717 **maneuver** [mənú:vər]

ⓘ man（手）+ euver（仕事）

名 ①（軍隊などの）作戦行動、軍事演習
② 操作、策略
動 ～を操作する、操縦する
形 maneuverable〈乗り物などが〉操作しやすい

0718 **brawl** [brɔ́:l]

名（公衆の場での集団の）騒々しいけんか、乱闘

0719 **chiseled** [tʃízld]

形 筋骨隆々の；〈顔などが〉彫りの深い
動 chisel ～を彫る、彫刻する

0720 **deadlock** [dédlὰ:k | -lɔ̀k]

名 ①（交渉などの）行き詰まり、こう着状態
（≒impasse, standstill, stalemate）
②（競技の）同点
形 deadlocked 行き詰まった

Track 060

| | |
|---|---|
| They had to **abort** the flight because of poor visibility. | 視界不良のため、彼らは飛行を中止しなければならなかった。 |
| His neighbors are always trying to **pry** into his private life. | 彼の隣人はいつも彼の私生活をのぞこうとしている。 |
| He is a **connoisseur** of Japanese art, and collector of Ukiyo-e prints. | 彼は日本美術通で、浮世絵版画のコレクターだ。 |
| He remained **impassive** during the hearing. | 聴取の間、彼は無表情のままだった。 |
| Late fees will only be waived in **extenuating** circumstances. | 遅延料金は、酌量すべき事情がある場合にのみ免除される。 |
| Owls are **nocturnal**, so it is rare to see one during the day. | フクロウは夜行性なので、昼間に見かけることはほとんどない。 |
| She could not believe the **squalid** living conditions of the people in the slum. | 彼女は、スラム街の人々の不衛生な生活環境が信じられなかった。 |
| The journalist was honored with a **posthumous** award. | そのジャーナリストは死後に賞を授与された。 |
| The creative military **maneuver** saved the lives of many troops. | 独創的な軍事作戦により、多くの兵士の命が救われた。 |
| A **brawl** broke out between two groups of fans at the hockey game. | ホッケーの試合で、２つのファングループの間に乱闘が起きた。 |
| He spent countless hours at the gym to get his **chiseled** abs. | 彼は割れた腹筋を手に入れるため、ジムで数えきれないほどの時間を過ごした。 |
| The negotiations appeared to have reached a total **deadlock**. | 交渉は完全に行き詰まったように思われた。 |

07/20

0721 **zest** [zést]
名 ① 熱意、熱情、強い喜び ② 面白味、魅力
形 zestful 熱心な

0722 **omit** [oumít | əu-]
① o-（反対に）+ mit（送る）
動 〈人・もの・情報など〉を抜かす、省略する（≒leave out, exclude）
名 omission 省略

0723 **audacity** [ɔːdǽsəti]
名 （人・計画・行為などの）大胆さ；厚かましさ
形 audacious 大胆な

0724 **devoid** [dɪvɔ́ɪd]
① de-（分離）+ void（からにする）
形 欠いている（≒lacking）
► be devoid of ～「～を欠いている」という意味。

0725 **malaise** [məléɪz]
① mal（悪い）+ aise（安楽さ）
名 （人の）不調、不快感

0726 **avenge** [əvénʤ]
① a-（～に）+ venge（復讐する）
動 〈こと〉の復讐をする、仕返しをする

0727 **blare** [bléər]
動 騒々しく不快な音を立てる

0728 **regurgitate** [rɪgə́ːrʤɪtèɪt]
① re-（再び）+ gurgit（渦）+ -ate（～にする）
動 ① 〈人・動物が〉〈飲み込んだ食べ物〉を口に戻す、吐く
② （理解せずに）〈他人の言葉など〉を受け売りする

0729 **convene** [kənvíːn]
① con-（共に）+ vene（来る）
動 〈人・会議など〉を招集する；〈会議〉を開催する（≒summon）

0730 **sever** [sévər]
動 ① 〈関係・つながり〉を断つ
② 〈ひも・体の一部など〉を切断する
名 severance 分離

0731 **scuttle** [skʌ́tl]
動 〈計画など〉を駄目にする、水の泡にする

0732 **intravenous** [ìntrəvíːnəs]
① intra-（内に）+ venous（静脈の）
形 静脈注射の、点滴の
► intravenous drip で「点滴」という意味。

Track 061

| | |
|---|---|
| With her **zest** for life, she tends to improve the mood and energy of everyone around her. | 生きることへの情熱により、彼女は周りのすべての人の気分やエネルギーをよい方向に持っていく傾向がある。 |
| The candidate's name was **omitted** from the list. | その候補者の名前がリストから抜けていた。 |
| The actress was shocked at the **audacity** of the interviewer when he asked such a personal question. | その女優は、そのような個人的な質問をされて、インタビュアーの厚かましさにショックを受けた。 |
| The ocean floor **is** mostly **devoid of** life, but there are some rare life forms down there. | 海底に生命はほとんど存在しないが、そのような場所でも珍しい生命体がいくつか存在する。 |
| Those symptoms may be accompanied by headache and a feeling of **malaise**. | それらの症状とともに頭痛や倦怠感が起きる可能性があります。 |
| The story is about a woman who tries to **avenge** the murder of her husband. | それは、殺された夫の復讐をしようとする女性を描いた話だ。 |
| The ambulance's sirens **blared** as it sped through the neighborhood. | 近くを疾走する救急車のサイレンが鳴り響いた。 |
| Many birds **regurgitate** food to their chicks. | 多くの鳥が食べ物をひなの口に戻す。 |
| The school board **convened** a meeting to address parents' concerns about the new textbook. | 教育委員会は、新しい教科書に関する保護者の懸念に対処するための会議を招集した。 |
| When she turned eighteen, she **severed** her ties with her abusive parents. | 18 歳になって、彼女は虐待する両親との関係を断った。 |
| The company had to **scuttle** its plans to hire more people after sales targets were not reached. | 売上目標が達成できず、その会社は雇用を増やす計画を断念せざるを得なかった。 |
| The patient's antibiotics were administered via an **intravenous drip**. | その患者の抗生物質は点滴で投与された。 |

07
32

0733 **surreptitiously** [sə̀ːrəptíʃəsli | sʌ̀r-]
① sur- (下に) + reptit (ひったくる) + -ious 形 + -ly 副

副 ひそかに、こっそりと (≒covertly)
形 surreptitious ひそかな

0734 **painstaking** [péɪnztèɪkɪŋ]
① pains (痛み) + tak (取る) + -ing 形

形 細心の注意を払った、丹念な；骨の折れる (≒meticulous, scrupulous)

0735 **illegible** [ɪléʤəbl]
① il- (否定) + leg (読む) + -ible (できる)

形 〈文字・印刷などが〉読みにくい、判読できない (≒unintelligible, unreadable) (⇔legible)

0736 **ratification** [rætəfɪkéɪʃən]
① rat (計算した) + -ifi (～にする) + -cation 名

名 〈合意・条約などの〉批准、承認
動 ratify ～を批准する

0737 **scam** [skǽm]

名 詐欺、ぺてん (≒fraud, hoax)

0738 **equitable** [ékwətəbl]

形 〈決定・分配などが〉公平な、公正な (≒fair) (⇔unfair, inequitable)
副 equitably 公平に
名 equity 公平

0739 **innately** [ɪnéɪtli]
① in- (中に) + nate (生まれる) + -ly 副

副 生まれつき、生来、本質的に
形 innate 生得的な、生来の

0740 **grudge** [grʌ́ʤ]

名 恨み、悪意
動 ～を与えるのを惜しむ
形 grudging 嫌々の
副 grudgingly 嫌々ながら

0741 **optimum** [ɑ́ːptəməm | ɔ́p-]

形 〈条件・状態などが〉最適の、最高の (≒ideal, optimal) (⇔poorest)
► optim は「最良の」を意味する語根。
動 optimize ～を最適化する

0742 **converge** [kənvə́ːrʤ]
① con- (共に) + verge (向かう)

動 ①〈人・乗り物などが〉集まる、集結する、群がる (≒gather, assemble) (⇔disperse, scatter)
②〈線・道路などが〉一点に集まる (⇔diverge)
名 convergence 集中、収束　形 convergent 一点に集まる

0743 **snowball** [snóʊbɔ̀ːl]

動 雪だるま式に増加する
名 雪玉

0744 **abridged** [əbríʤd]
① a- (～にする) + bridg (短い) + -ed (～された)

形 短縮された、簡約版の
動 abridge ～を簡略にする
名 abridg(e)ment 簡約 (版)

Track 062

| | |
|---|---|
| He **surreptitiously** looked through his girlfriend's phone while she was in the bathroom. | 彼は、ガールフレンドがトイレにいる間にこっそり彼女の携帯電話をのぞき見た。 |
| The artist painted each tiny character in **painstaking** detail. | 画家はそれぞれの小さな人物を細部まで丹念に描き込んだ。 |
| His handwriting was totally **illegible** and I could not figure out what was written. | 彼が書いた字はまったく判読できず、何が書かれているかわからなかった。 |
| The senator is strongly opposed to the **ratification** of the treaty. | その上院議員は条約の批准に強く反対している。 |
| Don't use this website. It has to be a **scam**. | このウェブサイトは使わないほうがいいよ。詐欺に違いない。 |
| The court ordered an **equitable** distribution of the divorced couple's assets. | 裁判所は、離婚した夫婦の資産の公平な分配を命じた。 |
| She believes that humans are **innately** good. | 彼女は、人間は生まれつき善良であると信じている。 |
| She still holds a **grudge** against her sister for stealing her boyfriend. | 彼女は、自分のボーイフレンドを奪った妹を今でも恨んでいる。 |
| We need to make **optimum** use of natural resources. | 私たちは天然資源を最大限に活用する必要がある。 |
| Local citizens **converged** on the construction site, protesting the building project. | 地元市民が建設現場に集結し、建設計画に抗議した。 |
| The cost of the wedding began to **snowball** as their planning progressed. | 計画が進むにつれて、結婚式の費用は雪だるま式に増え始めた。 |
| Students in high school usually read an **abridged** version of the novel. | 高校生はふつう、その小説の要約版を読む。 |

07
44

0745 **thrifty**
[θrífti]
□□□

形 質素な、倹約する
名 thrift 質素、倹約

0746 **mutter**
[mʌ́tər]
□□□

動 (～を) つぶやく；(…と) 不平を言う
(≒murmur, grumble)

0747 **enunciate**
[ɪnʌ́nsièɪt]
□□□
ⓘ e- (外に)+ nunci (報告する)+ -ate 動

動 〈言葉〉を明確に発音する
名 enunciation (考えなどの) 発表、言明

0748 **inhale**
[ɪnhéɪl]
□□□
ⓘ in- (中に)+ hale (息)

動 〈空気・煙などを〉吸い込む、吸入する (⇔exhale)
名 inhalation 吸入

0749 **consignment**
[kənsáɪnmənt]
□□□
ⓘ con- (共に)+ sign (印をつける)+ -ment 名

名 発送された商品 [荷物]
動 consign ～に委ねる；〈商品など〉を発送する

0750 **frazzled**
[frǽzld]
□□□

形 へとへとに疲れた

0751 **irrepressible**
[ìrɪprésəbl]
□□□
ⓘ ir- (否定)+ re- (後ろに)+ press (押す)+ -ible (できる)

形 ① 〈人が〉快活な、自信にあふれた
② 〈人・感情・行為などが〉抑えられない

0752 **debrief**
[dìːbríːf]
□□□

動 〈軍人・外交官・パイロットなど〉に報告を求める

0753 **expropriate**
[ɪkspróuprièɪt]
□□□
ⓘ ex- (外に)+ propri (占有する)+ -ate (～にする)

動 〈政府などが〉〈土地・財産など〉を没収する、収用する
名 expropriation 収用、没収

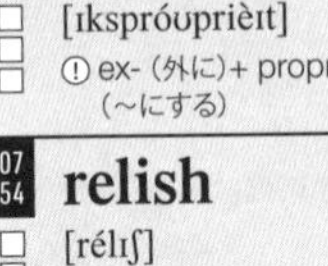

0754 **relish**
[rélɪʃ]
□□□

動 〈思いつき・可能性〉を楽しむ
名 喜び、楽しみ

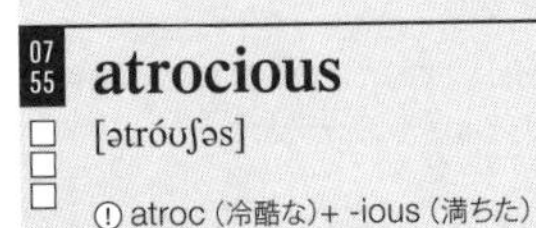

0755 **atrocious**
[ətróuʃəs]
□□□
ⓘ atroc (冷酷な)+ -ious (満ちた)

形 ① 〈品質などが〉悪い、ひどい (≒awful)
② 残虐な
名 atrocity 凶悪性、極悪

0756 **infuse**
[ɪnfjúːz]
□□□
ⓘ in- (中に)+ fuse (注ぐ)

動 〈思想・活力など〉を吹き込む
► infuse A with B で「A に B を吹き込む」という意味。

Track 063

| | |
|---|---|
| As a **thrifty** person, she is always finding deals and coupons for things. | 彼女は倹約家で、いつもお買い得品やクーポンを探している。 |
| Her son **muttered** something under his breath after she told him to clean up his room. | 彼女が部屋を片づけるように言うと、息子は小声で何かぶつぶつ言った。 |
| **Enunciate** your words so that everyone can understand you. | みんなが理解できるように、言葉をはっきりと発音してください。 |
| Be careful not to **inhale** the fumes when you spray. | スプレーするときにガスを吸い込まないように注意してください。 |
| The shop received a large **consignment** of books to be sold. | その店は発送された販売用の本を大量に受け取った。 |
| She was feeling **frazzled** after a long day at work. | 仕事で長い一日を過ごして、彼女はへとへとに疲れていた。 |
| She is **irrepressible**, which makes up for her lack of technical skills. | 彼女は快活で、それが技術的なスキルの不足を補っている。 |
| The pilot was **debriefed** immediately after his flight. | パイロットは飛行の直後に報告を求められた。 |
| The government plans to **expropriate** the land to build an airport. | 政府は空港を建設するためにその土地を収用する予定だ。 |
| She **relished** the chance to try authentic Thai foods during her visit to Chiang Mai. | 彼女は、チェンマイ訪問中に本場のタイ料理を食べてみる機会を楽しんだ。 |
| The documentary pointed out the **atrocious** living conditions in the refugee camps. | そのドキュメンタリーは、難民キャンプの劣悪な生活環境を指摘した。 |
| The teacher **infused** his students **with** enthusiasm for learning. | その先生は生徒に勉強に対する熱意を吹き込んだ。 |

07
56

0757 **assiduous**
□□□
[əsídʒuəs | əsídjuəs]
① as-（～に）+ sidu（座る）+ -ous 形

形 根気強い、勤勉な；入念な
名 assiduity 根気、勤勉

0758 **detonate**
□□□
[détənèɪt]
① de-（強意）+ ton（雷）+ -ate（～にする）

動〈爆弾など〉を爆発させる
名 detonation 爆発

0759 **sumptuous**
□□□
[sʌ́mptʃuəs]
① sumptu（費用）+ -ous（満ちた）

形 豪華な、ぜいたくな（≒luxurious）

0760 **hurtle**
□□□
[hə́:rtl]

動〈車などが〉猛スピードで進む、突進する

0761 **profusion**
□□□
[prəfjú:ʒən]
① pro-（前に）+ fus（注ぐ）+ -ion 名

名 多数、多種多様
形 profuse 大量の、豊富な

0762 **perspire**
□□□
[pərspáɪər]
① per-（通して）+ spire（息をする）

動 汗をかく、発汗する（≒sweat）
名 perspiration 発汗

0763 **impromptu**
□□□
[ɪmprɑ́:mpt(j)u: | -prɔ́m-]
① im-（中に）+ promptu（準備）

形 即席の、即興の、準備なしの（≒improvised）
副 即席で、即興で、準備なしで

0764 **indiscretion**
□□□
[ìndɪskréʃən]
① in-（否定）+ discret（分別のある）+ -ion 名

名 ① 軽率な言動 ② 軽率、無分別
形 indiscreet 軽率な

0765 **catapult**
□□□
[kǽtəpʌ̀lt]
① cata-（下に）+ pult（投げつける）

動〈人〉を一躍（有名・スターなどに）押し上げる
► 「投石器、石弓」が原義。

0766 **jest**
□□□
[dʒést]

名 冗談、しゃれ（≒joke）
► in jest で「冗談で、ふざけて」という意味。

0767 **teeter**
□□□
[tí:tər]

動 ぐらつく、よろめく
► teeter on the brink of～ で「～の危機に瀕している」という意味。

0768 **footage**
□□□
[fútɪdʒ]

名 映像、（テレビ・映画などの）場面

Track 064

| | |
|---|---|
| The engineer's **assiduous** attention to details results in programs with few to no bugs. | エンジニアが細部まで念入りに注意を払ったので、バグがほとんどかまったくないプログラムになっている。 |
| Special tools are used to remove the landmines without **detonating** them. | 地雷を爆発させずに除去するのに、特別な道具が使われる。 |
| The **sumptuous** banquet featured exotic foods from around the world. | その豪華な晩さん会では、世界中の珍しい料理が振る舞われた。 |
| The sports car **hurtled** down the highway at dangerously high speed. | そのスポーツカーは危険なほどの猛スピードで大通りを疾走した。 |
| Every spring, the garden produces a **profusion** of colorful flowers. | 毎年春になると、その庭にはおびただしい数の色とりどりの花が咲く。 |
| He was **perspiring** heavily under his thick uniform. | 彼は厚い制服の下で大汗をかいていた。 |
| He suddenly stood up and made an **impromptu** speech. | 彼は突然立ち上がり、即興でスピーチをした。 |
| His **indiscretion** of sharing confidential company information with a reporter cost him his job. | 会社の機密情報を記者に漏らすという軽率な行為によって、彼は職を失った。 |
| The young singer's hit song **catapulted** her into fame. | その若い歌手は、そのヒット曲で一躍有名になった。 |
| The governor explained that the comments were said entirely **in jest**. | 知事はその発言はまったくの冗談のつもりだったと釈明した。 |
| The city is **teetering on the brink of** financial collapse. | その都市は財政破綻の危機に瀕している。 |
| Everyone thought this rare **footage** from the old movie had been lost. | 誰もがこの古い映画の珍しい映像は失われたと思っていた。 |

0769 **amiable**
[éɪmiəbl] ⚠ 発音注意。
① ami (友人) + -able (できる)
形 人当たりのよい、愛想のよい

0770 **idly**
[áɪdli]
副 怠けて、何もしないで
► stand idly by で「傍観する」という意味。

0771 **balk**
[bɔ́:k]
動 躊躇(ちゅうちょ)する、ためらう
► 野球用語にもなっている。

0772 **degenerate**
[dɪʤénərèɪt]
動 悪化する、堕落する
名 degeneration 堕落、退廃

0773 **secrete**
[sɪkríːt]
動 〈器官が〉~を分泌する
名 secretion 分泌 (作用)

0774 **quizzical**
[kwízɪkl]
形 〈表情が〉いぶかしげな、不思議そうな

0775 **dazzle**
[dǽzl]
動 ① 〈美しさ・能力などで〉〈人〉を驚嘆させる
② 〈強い光が〉~の目をくらませる
形 dazzling 印象的な;目もくらむほどの
副 dazzlingly 目もくらむほど

0776 **upshot**
[ʌ́pʃɑ̀ːt | -ʃɔ̀t]
名 結末、結論 (≒consequence)

0777 **dupe**
[d(j)úːp]
動 〈人〉をだます、かつぐ (≒trick, con, deceive)
名 だまされやすい人

0778 **insurgency**
[ɪnsə́ːrʤənsi]
① in- (~に) + surg (立ち上がる) + -ency 名
名 反乱、暴動
形 insurgent 反乱を起こした

0779 **proscribe**
[proʊskráɪb]
① pro- (前に) + scribe (書く)
動 (危険・有害だとして法的に) ~を禁止する (≒forbid)
名 proscription 禁止

0780 **slam**
[slǽm]
動 ① ~を酷評する、こき下ろす
② 〈ドア・窓など〉をバタン [ピシャリ] と閉める
名 酷評

Track 065

| | |
|---|---|
| His grandmother was an **amiable** person who was known for being kind to everyone she met. | 彼の祖母は愛想のよい人で、会う人誰にでも親切にすることで知られていた。 |
| He will not **stand idly by** while others are in danger. | 彼は危険にさらされている人がいるのに傍観したりしない。 |
| Her secretary **balked** at the task of filing the huge pile of documents. | 彼女の秘書は、膨大な書類の山をファイリングするという仕事にたじろいだ。 |
| The once-thriving district has **degenerated** into an area filled with graffiti and abandoned buildings. | かつて栄えたその地区は、落書きと廃屋だらけの地域に成り果てている。 |
| Insulin is **secreted** when the blood sugar level rises. | 血糖値が上がるとインスリンが分泌される。 |
| He came up to me with a **quizzical** expression. | 彼はいぶかしげな表情で私に近づいてきた。 |
| The soccer player **dazzled** fans with his outstanding skills. | そのサッカー選手は傑出した技術でファンを驚嘆させた。 |
| The **upshot** of the meeting was that the advertising budget should be increased. | 会議の結論は、広告予算を増やすべきだというものだった。 |
| She was **duped** by the fake news article's claims about the dangers of the medicine. | 彼女はその薬の危険性に関するフェイクニュースの記事の主張にだまされた。 |
| The communist **insurgency** in the Philippines, also known as the Hukbalahap rebellion, began in 1946. | フクバラハップの反乱としても知られる、フィリピンにおける共産主義者の暴動は、1946 年に始まった。 |
| The country **proscribes** many actions that are allowed in free democracies. | 自由な民主主義国では許される多くの行動を、この国は禁止している。 |
| After the argument, her daughter **slammed** the door to her bedroom. | 口論のあと、彼女の娘は寝室のドアをバタンと閉めた。 |

07
80

0781 **glitch** [glítʃ]
名 (計画の) 狂い；(機械などの) 故障、不調 (≒bug, hitch)

0782 **arable** [ǽrəbl]
形 〈土地が〉 耕作に適した (≒farmable)

0783 **rant** [rǽnt]
動 (興奮した声で) わめき散らす、声を張り上げる

0784 **recurrent** [rɪkə́:rənt | -kʌ́r-]
ⓘ re- (後ろに) + cur(r) (走る) + -ent 形
形 繰り返し起こる、再発する
名 recurrence 再発、繰り返し
動 recur 再び起きる

0785 **orator** [ɔ́:rətər | ɔ́-]
ⓘ orat (演説する) + -or (人)
名 雄弁家、達弁家
形 oratorial 雄弁な
名 oratory 雄弁、熱弁
名 oration 演説

0786 **bail** [béɪl]
名 保釈金；保釈

0787 **bogus** [bóʊgəs]
形 偽の、偽造の (≒false, fake) (⇔genuine, authentic)

0788 **query** [kwíəri]
名 (組織・専門家への) 質問、問い合わせ

0789 **frisk** [frísk]
動 〈人〉 のボディチェックをする
名 ボディチェック

0790 **secluded** [sɪklú:dɪd]
ⓘ se- (離して) + clud (閉じる) + -ed 形
形 〈場所が〉 人目につかない、人里離れた
動 seclude 〈人〉 を隔離する
名 seclusion 隔絶、隠遁

0791 **infallible** [ɪnfǽləbl]
ⓘ in- (否定) + fall (誤る) + -ible (できる)
形 〈人・判断などが〉 常に正しい、間違いのない (⇔fallible)

0792 **expletive** [éksplətɪv | ɪksplí:tɪv]
名 ののしり言葉 (≒swearword)

Track 066

| | |
|---|---|
| The software **glitch** causes the program to freeze for a few seconds. | ソフトウェアの不具合で、そのプログラムは数秒間フリーズする。 |
| The property has a large area of **arable** land that could be used to grow crops. | その敷地内には、作物の栽培に使えるかもしれない広大な耕作地がある。 |
| Every time I meet him, he **rants** about how terrible his life is. | 会うたびに、彼は自分の人生がいかにひどいかをわめき散らす。 |
| Their son often woke up screaming from the **recurrent** nightmare. | 彼らの息子は、繰り返される悪夢からしばしば叫び声を上げて目を覚ました。 |
| The famous **orator** gets paid thousands of dollars to speak at company events. | その有名な演説者は、企業のイベントで講演して数千ドルの報酬を受け取っている。 |
| He called his sister from jail to ask if she would lend him money for **bail**. | 彼は刑務所から妹に電話をかけて、保釈金を貸してもらえないかとか尋ねた。 |
| He was arrested for carrying a **bogus** passport. | 彼は偽造パスポート所持で逮捕された。 |
| His job mostly involves responding to customers' **queries** regarding their online orders. | 彼の仕事は主に、オンラインでの注文に関する顧客の問い合わせに対応することだ。 |
| The security guard **frisked** the man to make sure he was not carrying any weapons. | 警備員はその男のボディチェックをして、武器を持っていないことを確認した。 |
| He completed his novel while staying at a **secluded** cabin in the woods. | 彼は森の中の人目につかない小屋に滞在している間に小説を書き上げた。 |
| The car's navigation system is not **infallible**, so please confirm your route before proceeding. | カーナビは万全ではないので、ルートを確認してから進んでください。 |
| Her father let out a string of **expletives** when he dropped the heavy jar on his foot. | 彼女の父親は重い瓶を自分の足の上に落とし、一連ののしり言葉を吐いた。 |

0793 **clinch**
[klíntʃ]

動 ① 〈不確定な状況・問題など〉を確定的にする
② ～を（どうにか）獲得する、勝ち取る

0794 **congenial**
[kəndʒíːniəl]
ⓘ con-（共に）+ genial（愛想のよい）

形 〈職場・場所・雰囲気などが〉快適な、好みに合った

0795 **headway**
[hédwèɪ]
ⓘ head（前方へ）+ way（行くこと）

名 （仕事の）進捗（しんちょく）、進展

0796 **complicity**
[kəmplísəti]

名 （犯罪などの）共謀、共犯
（≒involvement, participation）
► 「共犯者」は accomplice。
形 complicit 共謀した

0797 **memento**
[məméntoʊ]

名 記念品、思い出の品（≒keepsake, souvenir）

0798 **commensurate**
[kəménsərət | -ʃərət]
ⓘ com-（共に）+ mens（測る）+ -ur 名 + -ate 形

形 〈報酬・責任などが〉見合った、相応の
► commensurate with ～ で「～に相応の」という意味。

0799 **dormant**
[dɔ́ːrmənt]
ⓘ dorm（眠る）+ -ant 形

形 活動停止中の、休止状態の
（≒inactive）（⇔active）
名 dormancy 活動休止状態

0800 **haven**
[héɪvn] ▲ 発音注意。

名 避難所、安全な場所（≒refuge, shelter）
► tax haven は「租税回避地」。

0801 **forgo**
[fɔːrgóʊ]

動 〈楽しみなど〉を控える、我慢する
► forego ともつづる。

0802 **rife**
[ráɪf]

形 ① 〈病気・うわさなどが〉広まって（≒widespread）
② 〈よくないものが〉あふれて、いっぱいで
（≒abundant）（⇔scarce）

0803 **restraint**
[rɪstréɪnt]
ⓘ re-（後ろに）+ straint（きつく縛った）

名 ① 自制、慎み（≒self-control）
② 抑制、制約、制限
動 restrain ～を抑制する、抑える
形 restrained 控えめの、抑制された

0804 **tentative**
[téntətɪv]
ⓘ tent（試みる）+ -ative 形

形 ① 〈予定などが〉仮の、暫定的な
（≒provisional）（⇔final, definite）
② 自信なさげな、ためらいがちな（≒hesitant）
副 tentatively 仮に

Track 067

| | |
|---|---|
| The football team has **clinched** a place in the playoffs with this most recent win. | そのアメフトチームは、つい先日の勝利によりプレーオフへの出場を確実にした。 |
| The small company has a **congenial** atmosphere and is overall a pleasant place to work. | その小さな会社は和気あいあいとした雰囲気で、全体として働きやすいところだ。 |
| The construction team made significant **headway** on the building despite the poor weather. | 建設チームは、悪天候にもかかわらずその建築を大きく前進させた。 |
| She was not present at the robbery, but she was found guilty of **complicity** in the crime. | 強盗現場にはいなかったが、その犯罪に共謀したとして彼女は有罪になった。 |
| The box was filled with photographs and **mementos** from his childhood. | その箱は、彼の幼いころの写真や思い出の品でいっぱいだった。 |
| He likes the job, but his salary is not **commensurate with** the amount of work required. | 彼は、仕事は気に入っているが、給料が要求される仕事量に見合っていない。 |
| The volcano has remained **dormant** since 1859. | その火山は 1859 年以来、休止状態にある。 |
| The nature preserve provides a safe **haven** for wildlife. | その自然保護区は野生動物に安全な避難所を提供している。 |
| Monks are required to **forgo** a number of worldly pleasures that regular people enjoy. | 修道士は、一般の人々が享受している多くの世俗的な楽しみを放棄することを求められる。 |
| Rumors are **rife** that the company will lay off employees next month. | その会社が来月従業員を解雇するといううわさが飛び交っている。 |
| He wanted to order the crab, but he showed **restraint** and got a cheaper dish instead. | 彼はカニを注文したかったのだが、自制心を発揮し、代わりにもっと安い料理を頼んだ。 |
| These plans are **tentative**, as we do not know the exact dates of our trip yet. | 私たちはまだ旅行のはっきりした日程を知らないので、この計画は暫定的なものだ。 |

0805 **stammer**
[stǽmər]
① stam（どもる）+ -mer（反復）

動 〈人が〉口ごもる、どもる（≒stutter）
名 どもること

0806 **yardstick**
[já:rdstìk]

名 （判断・比較などの）基準、尺度
（≒criterion, gauge, benchmark）
►「1ヤードの定規」が原義。

0807 **rudimentary**
[rù:dəméntəri]
① rudi（未熟の）+ -ment（状態）+ -ary 形

形 ① 未発達の、初期段階の
② 基本的な（≒easy, basic, simple）
（⇔advanced, difficult）
名 rudiment 基本原理、初歩

0808 **clichéd**
[kli:ʃéɪd | klí:ʃeɪd]

形 言い古された、陳腐な

0809 **gust**
[gʌ́st]

名 突風、一陣の風

0810 **redress**
[rɪdrés]
① re-（元に）+ dress（真っすぐにする）

名 （損害に対する）補償、賠償（金）（≒compensation）
動 〈こと〉を正す、是正する

0811 **curt**
[kə́:rt]

形 〈人・言葉・態度などが〉素っ気ない、ぶっきらぼうな
（≒blunt）

0812 **ensconce**
[ɪnskɑ́:ns | -skɔ́ns]

動 [be ensconced / ensconce *oneself*] 身を落ち着ける

0813 **revel**
[révl]
① re-（再び）+ vel（騒ぎ）

動 大いに楽しむ、喜ぶ
► revel in ~ で「~を大いに楽しむ［喜ぶ］、~に夢中になる」という意味。

0814 **premeditated**
[prì:médətèɪtɪd]
① pre-（前に）+ medit（考える）+ -ate 動 + -(e)d 形

形 前もって考えた、計画的な
名 premeditation （犯行などの）計画

0815 **intermittently**
[ìntərmítntli]

副 断続的に、途切れ途切れに
形 intermittent 断続的な

0816 **transitory**
[trǽnsətɔ̀:ri | -təri]

形 一時的な、つかの間の（≒fleeting, temporary）

Track 068

| | |
|---|---|
| The witness **stammered** and grew visibly nervous as the attorney asked more and more questions. | 弁護士が次々質問するにつれ、証人は口ごもり、目に見えて緊張していった。 |
| Material wealth is not the only **yardstick** for success. | 物質的な豊かさだけが成功を測る尺度ではない。 |
| The Sumerians developed **rudimentary** technology for irrigation and agriculture. | シュメール人は灌漑（かんがい）と農業のための初歩的な技術を開発した。 |
| Most critics complained about the film's **clichéd** characters and situations. | ほとんどの批評家は、その映画の陳腐な登場人物や場面について不満を述べた。 |
| A strong **gust** of wind turned his umbrella inside out. | 強い突風が吹いて、彼の傘は裏返しになった。 |
| They are seeking **redress** for unfair dismissal. | 彼らは不当解雇に対する補償を求めている。 |
| His wife's **curt** response to his question made it clear that she was upset about something. | 彼の質問に対する妻の素っ気ない返事から、彼女が何かに腹を立てていることは明らかだった。 |
| In the evenings, he **ensconces himself** in his office to focus on his novel. | 夕方、彼は仕事場にこもり、自分の小説に集中する。 |
| All the members **reveled in** the huge success of their first album. | メンバー全員がファーストアルバムの大成功を大いに喜んだ。 |
| Prison sentences are usually longer for crimes that are **premeditated** rather than just opportunistic. | 懲役刑はふつう、出来心からの犯罪よりも計画的な犯罪のほうが長い。 |
| He fasts **intermittently** and usually only eats between the hours of 4 and 7 p.m. | 彼は断続的に断食をしていて、普段は午後４時から７時の間しか食事をしない。 |
| The investor believes the economic slowdown is **transitory**. | その投資家は、経済の減速は一時的なものだと考えている。 |

08
16

0817 **imprudent** [ɪmprúːdnt]
形 軽率な、無分別な (⇔prudent)
! im- (否定) + pru- (前に) + dent (見る)

0818 **avail** [əvéɪl]
動 [avail *oneself* of ~] ~を利用する
名 利益、効果
形 available 利用 [入手] 可能な、役に立つ
名 availability 利用 [入手] できること

0819 **wrest** [rést]
動 ①〈支配権・承諾など〉を力ずくで奪う
②~をもぎ取る

0820 **abet** [əbét]
動〈人〉をそそのかす、〈犯罪〉をほう助 [教唆(きょうさ)] する

0821 **confound** [kənfáʊnd | kən-]
動 ①〈人〉を困惑 [混乱] させる (≒baffle)
②〈人など〉の誤りを証明する (≒disprove)
! con- (共に) + found (注ぐ)

0822 **intrinsic** [ɪntrínzɪk]
形〈価値・性質などが〉固有の、本来備わっている (≒inherent, innate) (⇔extrinsic)
副 intrinsically 元来
! in- (中に) + trinsic (並んで)

0823 **oust** [áʊst]
動〈人〉を追放する、失脚させる
► 政治や歴史に関して使われることが多い。
! ou- (反対して) + st (立つ)

0824 **disparage** [dɪspérɪʤ | pǽr-]
動〈人・ものなど〉を批判する、けなす (≒belittle)
名 disparagement 批判、非難

0825 **brandish** [brǽndɪʃ]
動 (威嚇して)〈武器など〉を振り回す

0826 **relapse** [動 rɪlǽps 名 ríːlæps]
動〈人が〉病気を再発する;(悪癖などに) 再び陥る
名 (病気の) 再発、ぶり返し
! re- (元に) + lapse (滑り落ちる)

0827 **morsel** [mɔ́ːrsl]
名 ① (食べ物の) 一口分、一切れ
② 少量、ほんの一かけら
! mors (かむ) + -el (指小辞)

0828 **excavate** [ékskəvèɪt]
動〈場所〉を発掘する;〈埋もれたもの〉を掘り出す (≒unearth, dig up)
名 excavation 発掘
! ex- (外に) + cavate (うつろにする)

Track 069

| | |
|---|---|
| It would be **imprudent** to ignore the potential problem. | 潜在的な問題を無視するのは軽率だろう。 |
| He **availed himself of** the opportunity to attend the programming classes for free. | 彼はそのプログラミング教室に無料で参加する機会を利用した。 |
| After their father died, he tried to **wrest** control of the company from his brothers. | 父親が亡くなったあと、彼は兄弟から会社の経営権を奪い取ろうとした。 |
| The woman who blocked the road is accused of **abetting** the robbers' escape. | 道路をふさいだその女性は、強盗の逃走をほう助したとして告発されている。 |
| He was completely **confounded** by the complex instructions in the recipe. | 彼はそのレシピの複雑な指示にすっかり混乱した。 |
| Children have an **intrinsic** desire to understand the world around them. | 子どもたちは、自分の周りの世界を理解しようとする生まれながらの欲求を持っている。 |
| After three years of ruling, the dictator was **ousted** from power. | 3年間の統治のあと、その独裁者は権力の座から追放された。 |
| She was careful not to **disparage** her employees' ideas in front of their peers. | 彼女は仲間の前で従業員の考えをけなさないように気をつけていた。 |
| The man **brandished** a knife and told the woman to give him her purse. | その男はナイフを振り回し、ハンドバッグを渡せと女性に言った。 |
| After 10 years of being sober, the loss of his mother caused him to **relapse**. | 彼は10年間断酒していたが、母親を亡くしたことで逆戻りしてしまった。 |
| As a vegetarian, she has not eaten a **morsel** of meat for five years. | 菜食主義者として、この5年間彼女は肉を一口も食べていない。 |
| Once the fossils have been **excavated**, they will be displayed in a local museum. | 化石は発掘されたら、地元の博物館で展示される。 |

08
28

0829 **volatile** [vá:lətl | vɔ́lətàɪl]
① volat (飛ぶ) + -ile (できる)

形 〈状況・気分などが〉変わりやすい、不安定な (⇔stable)
名 volatility 変わりやすいこと、気まぐれ

0830 **devious** [dí:viəs]
① de- (離れた) + vi (道) + -ous (満ちた)

形 〈人・行為などが〉悪質な、狡猾(こうかつ)な
動 deviate それる

0831 **tenet** [ténət]

名 (集団・思想などの) 主義、教義 (≒belief, principle)
► ten は「保持する」を意味する語根で、tenant (テナント)、tenacious (粘り強い) などと同語源語。

0832 **appease** [əpí:z]
① ap- (～に) + pease (平和)

動 〈人〉をなだめる；〈反発など〉を鎮める (≒pacify)
名 appeasement なだめること

0833 **instigate** [ínstəgèɪt]
① in- (～に) + stig (突き棒) + -ate 動

動 ① (扇動して)〈反乱・暴動など〉を起こさせる (≒provoke)
② 〈公的な活動など〉を始める；～を引き起こす
名 instigation 扇動

0834 **resonate** [rézənèɪt]
① reson (反響) + -ate (～にする)

動 ① 〈音が〉鳴り響く、響きわたる；反響する (≒echo, reverberate)
② 〈作品などが〉感銘を与える、響く
名 resonance 響き、反響　形 resonant 鳴り響く

0835 **obliterate** [əblítərèɪt]
① ob- (反対して) + liter (文字) + -ate (～にする)

動 ～を跡形もなく破壊する (≒annihilate)
名 obliteration 完全破壊、抹殺

0836 **jostle** [ʤá:sl | ʤɔ́sl]

動 ① 〈人〉を突き飛ばす、押しのける ② 争う、競う
名 押し合い

0837 **hunch** [hʌ́ntʃ]

名 直感、予感、虫の知らせ
► have a hunch (that) ... で「…という予感がする」という意味。

0838 **lament** [ləmént]

動 ～を嘆く、悲しむ (≒grieve, mourn)
名 lamentation 深い悲しみ、悲嘆
形 lamentable 悲しむべき

0839 **trample** [trǽmpl]
① tramp (踏みつける) + -le (反復)

動 ① (〈希望・権利など〉を) 踏みにじる
② ～を踏みつける、踏みつぶす (≒stomp on)

0840 **squabble** [skwá:bl | skwɔ́bl]

動 (つまらないことで) 言い争う (≒bicker)
名 口論、口げんか

Track 070

| | |
|---|---|
| The company's **volatile** stock price has scared away most investors. | その会社の不安定な株価のせいで、ほとんどの投資家は怖くなって手を引いた。 |
| Halfway through the movie, the hero uncovers the villain's **devious** plan to poison the water supply. | 映画の中盤、主人公は水道に毒を入れるという悪役の悪だくみを暴く。 |
| Limiting the suffering of living creatures is a major **tenet** of Buddhism. | 生き物の苦しみに歯止めをかけることは、仏教の主要な教えだ。 |
| People in ancient civilizations often sacrificed animals to **appease** their gods. | 古代文明の人々は、神々を鎮めるために、しばしば動物をいけにえにささげた。 |
| The man who insulted him was clearly trying to **instigate** a fight. | 彼を侮辱した男は、明らかにけんかを売ろうとしていた。 |
| His powerful singing voice **resonated** throughout the concert hall. | 彼の力強い歌声はコンサートホール全体に響き渡った。 |
| The building was completely **obliterated** in the tornado. | その建物は竜巻で跡形もなくなった。 |
| Members of the audience **jostled** each other to get a better view of the celebrity. | 観客たちは、その有名人をもっとよく見ようと押し合いへし合いした。 |
| She **had a hunch that** the stock market would crash, so she sold her shares. | 彼女は株式市場が暴落する予感がしたので、持っていた株を売った。 |
| Fans **lamented** the untimely death of the young actress. | ファンたちはその若い女優の早すぎる死を嘆いた。 |
| Her remark **trampled** the boy's innocent feelings. | 彼女の言葉は少年の無垢な感情を踏みにじった。 |
| The two kids **squabbled** over who should get to press the elevator button. | その２人の子どもはどちらがエレベーターのボタンを押すべきかで言い争った。 |

08
40

0841 **resilient** [rɪzíljənt | -zíli-]
形 ① 回復力がある、立ち直りが早い ② 弾力性のある
名 resilience 回復力

0842 **void** [vɔ́ɪd]
名 ① 空虚、喪失感 ② 真空
形 ① 〈契約などが〉無効の (≒invalid) ② からの、空虚な (≒empty)

0843 **innocuous** [ɪnɑ́:kjuəs | -nɔ́k-]
① in- (否定)+ nocuous (有害な)
形 〈言動が〉当たり障りのない、無難な (≒harmless, inoffensive) (⇔harmful, offensive)

0844 **taunt** [tɔ́:nt]
動 〈人〉をあざける、嘲笑(ちょうしょう)する
名 あざけり、嘲笑

0845 **reverberate** [rɪvə́:rbərèɪt]
動 ① 〈音などが〉反響する、鳴り響く (≒echo, ring, resound) ② 〈出来事などが〉影響する
名 reverberation 反響;影響

0846 **illustrious** [ɪlʌ́striəs]
① il- (上に)+ lustri (光)+ -ous (満ちた)
形 ① (功績により)〈人が〉著名な、有名な (≒distinguished) ② 〈業績などが〉輝かしい

0847 **verbose** [vərbóus | və:-]
① verb (言葉)+ -ose (満ちた)
形 言葉数が多い、冗長な (≒wordy) (⇔succinct, concise)
名 verbosity 冗長

0848 **gallant** [gǽlənt]
形 勇敢な、堂々とした (≒courageous, brave) (⇔fearful, scared)
副 gallantly 勇敢に
名 gallantry 勇敢さ

0849 **pulverize** [pʌ́lvəràɪz]
① pulver (粉)+ -ize (~にする)
動 ~を粉状にする、粉々にする

0850 **forlorn** [fərlɔ́:rn]
① for- (強意)+ lorn (失った)
形 ① 〈人が〉孤独な、みじめな ② 〈場所が〉さびれた
副 forlornly わびしく

0851 **inveterate** [ɪnvétərət]
① in- (~にする)+ veter (年取った)+ -ate 形
形 〈病気・悪習・感情などが〉根深い、頑固な
► veteran (ベテラン) と同語源語。

0052 **pester** [péstər]
動 〈人〉をしつこく悩ます、困らせる

Track 071

| | |
|---|---|
| The human body can be amazingly **resilient**. | 人体は驚くほど回復力がある。 |
| Volunteering helped to fill the **void** after he lost his wife in the accident. | 事故で妻を亡くしたあと、ボランティア活動が彼の喪失感を埋めてくれた。 |
| He started the speech with an **innocuous** joke about the weather. | 彼は天気についての当たり障りのない冗談からスピーチを始めた。 |
| The soccer player was penalized for **taunting** his opponents. | そのサッカー選手は対戦相手を侮辱したことでペナルティを受けた。 |
| The announcer's voice **reverberated** throughout the stadium as he spoke. | アナウンサーが話すその声はスタジアム中に響き渡った。 |
| He is one of Japan's most **illustrious** authors. | 彼は日本で最も著名な作家の一人だ。 |
| In contrast to Hemingway's concise writing style, Faulkner's was more **verbose**. | ヘミングウェイの簡潔な文体とは対照的に、フォークナーの文体はより冗長だった。 |
| The **gallant** firefighter ran back into the building to save the child trapped upstairs. | その勇敢な消防士は、2階に閉じ込められた子どもを救出するために建物の中に駆け戻った。 |
| Put all the ingredients in the food processor and **pulverize** them into a fine powder. | すべての材料をフードプロセッサーにかけて、細かい粉末状にしてください。 |
| The little girl was alone and looked **forlorn**. | その小さな女の子は一人ぼっちで寂しげだった。 |
| She is an **inveterate** reader of both fiction and non-fiction. | 彼女はフィクションもノンフィクションも読む根っからの本の虫だ。 |
| Her son **pestered** her for a new toy, but she would not buy one. | 彼女の息子は新しいおもちゃをせがんだが、彼女は買おうとしなかった。 |

08
52

0853
**mirage**
[mərɑ́ːʒ | mírɑːʒ]

名 ① 蜃気楼(しんきろう) ② 幻覚、幻想（≒illusion）
► mirror（鏡）と同語源語。

0854
**ingratiate**
[ɪngréɪʃièɪt]
① in-（中に）+ grati（気に入って）+ -ate（～にする）

動 〈人〉のご機嫌を取る、～に取り入る
► ingratiate *oneself* with ～で「～に取り入る、～の機嫌を取る」という意味。
形 ingratiating 人の機嫌を取るような

0855
**transgression**
[trænsgréʃən]
① trans-（越えて）+ gress（進む）+ -ion 名

名 違反、犯罪（≒violation）
動 transgress 〈法・規則など〉を犯す

0856
**usurp**
[ju(ː)sə́ːrp | -zə́ːp]
① usu（使う）+ rp（奪う）

動 〈権力・地位など〉を不法に奪う、強奪する

0857
**exasperate**
[ɪgzǽspərèɪt]
① ex-（強意）+ asper（粗い）+ -ate（～にする）

動 〈人〉をいら立たせる、激しく怒らせる
名 exasperation 憤慨

0858
**resuscitate**
[rɪsʌ́sətèɪt]
① re-（再び）+ suscit（起こす）+ -ate 動

動 ① ～を蘇生させる ② ～を復活させる、復興する
名 resuscitation 蘇生；復活

0859
**sojourn**
[sóʊdʒəːrn | sɔ́dʒən]
① so-（下に）+ journ（日）

名 （一時的な）滞在

0860
**parry**
[péri | pǽri]

動 ① 〈質問・議論など〉を（うまく）かわす、受け流す
② 〈攻撃など〉をかわす

0861
**pageant**
[pǽdʒənt]

名 野外劇、歴史ショー

0862
**omniscient**
[ɑːmníʃənt | ɔmnísiənt]
① omni（すべて）+ scient（知っている）

形 全知の、博識の
名 omniscience 全知全能

0863
**propitious**
[prəpíʃəs]
① pro-（前に）+ piti（求める）+ -ous 形

形 好都合な、幸先のよい

0864
**fumble**
[fʌ́mbl]

動 （不器用に）手探りする
► 「球を取りそこなう」というスポーツ用語にもなっている。

Track 072

| | |
|---|---|
| They thought they were walking toward water, but it was just a **mirage**. | 彼らは水に向かって歩いていると思ったが、それは蜃気楼に過ぎなかった。 |
| He is eager to **ingratiate himself with** his new boss. | 彼は新しい上司に取り入ろうと躍起になっている。 |
| She is old enough to understand stealing is a **transgression**. | 彼女はもう盗みが犯罪であるとわかる年齢だ。 |
| The young king quickly crushed their attempt to **usurp** the throne. | その若い王は、王位を奪おうとする彼らの企てをただちに打ち砕いた。 |
| He was **exasperated** by the computer's refusal to print the documents. | コンピュータがどうしてもその文書を印刷しないことに、彼はいら立った。 |
| The patient's heart stopped for a while, but the medics were able to **resuscitate** him. | 患者の心臓はしばらく止まったが、医者は彼を蘇生させることができた。 |
| They ended their trip with a brief **sojourn** to a popular ski town. | 彼らは旅行の最後に、人気のあるスキータウンに短期間滞在した。 |
| The spokesperson cleverly **parried** every question about the recent factory fire. | 広報担当者は、最近の工場火災に関する質問をすべて巧みに受け流した。 |
| Carnaval de Barranquilla is a traditional **pageant** celebrated annually in Colombia. | バランキージャのカーニバルは、コロンビアで毎年祝われる伝統的な歴史ショーだ。 |
| This novel is a third person narrative and told by an **omniscient** narrator. | この小説は三人称形式で、全知話者によって語られる。 |
| Surprisingly, a recession is a **propitious** time to start a business. | 意外にも、不況はビジネスを始めるのに絶好の時期だ。 |
| He **fumbled** for a switch in the dark. | 彼は暗闇の中でスイッチを探した。 |

0865 **enumerate**
[ın(j)úːmərèıt]
① e- (外に) + numer (数える) + -ate 動

動 ～を数え上げる、列挙する
名 enumeration 列挙

0866 **petulant**
[pétʃələnt | pétjə-]

形 いらいらした、すねた
名 petulance いらいら、すねること

0867 **hamper**
[hǽmpər]

動 〈動き・活動など〉を邪魔する；〈進行など〉を阻止する (≒impede)

0868 **dismantle**
[dısmǽntl]
① dis- (分離) + mantle (マント)

動 ① 〈機械など〉を分解する、解体する (≒disassemble, undo) (⇔assemble)
② 〈組織・制度など〉を廃止する、解体する

0869 **stigma**
[stígmə]

名 汚名、烙印(らくいん)、悪いイメージ
► 複数形は stigmas あるいは stigmata。
形 stigmatic 不名誉な
動 stigmatize ～に烙印を押す

0870 **deviate**
[díːvièıt]
① de- (分離) + via (道) + -te 動

動 〈車などが〉それる；〈人・行為などが〉(規範などから) 逸脱する
形 devious 曲がりくねった；狡猾な

0871 **fortify**
[fɔ́ːrtəfàı]
① fort (強い) + -ify (～にする)

動 ① 〈都市など〉の防御を固める、～を要塞化する (≒reinforce) (⇔weaken)
② 〈人〉を (精神的・肉体的に) 元気にする
名 fortification 要塞化

0872 **cerebral**
[sérəbrəl]

形 ① 知的な、理性的な (≒intellectual)
② 脳の

0873 **coalesce**
[kòuəlés]
① co- (共に) + alesce (成長する)

動 〈グループなどが〉連合する、合併する (≒amalgamate)
名 coalescence 連合、合併

0874 **forage**
[fɔ́ːrıdʒ | fɔ́r-]

動 ① (食べ物を) あさる、探し回る
② (引き出しなどの中を) 引っかき回す

0875 **hedge**
[hédʒ]

名 ① (金銭的損失からの) 防護手段、損失防止策
② 生け垣、垣根
動 〈投資など〉を分散して損失を防止する

0876 **shackle**
[ʃǽkl]

動 ～を制限する、束縛する
名 ① 束縛 ② 手かせ、足かせ

Track 073

| | |
|---|---|
| The little girl **enumerated** all of the reasons her parents should buy her a pony. | その少女は、両親が自分にポニーを買ってくれるべき理由をすべて列挙した。 |
| Stop acting like a **petulant** child. | すねた子どものように振る舞うのはやめなさい。 |
| The language barrier **hampered** communication with the native people. | 言語の壁が、先住民とのコミュニケーションを阻んだ。 |
| I **dismantled** my bike to give it a thorough cleaning. | 私は自転車を分解して徹底的に洗浄した。 |
| The **stigma** surrounding couples therapy prevents many from seeking it out. | 夫婦療法にまつわる偏見は、多くの人がそのセラピーを受けることを阻んでいる。 |
| Benjamin Franklin rarely **deviated** from his daily routine, which started at 5 a.m. | ベンジャミン・フランクリンが午前5時に始まる自分の日課から外れることはほとんどなかった。 |
| William the Conqueror's White Tower was **fortified** with a moat and defensive walls. | ウィリアム征服王のホワイトタワーは、堀と防御壁により要塞化された。 |
| She is a very **cerebral** comedian, so many people do not understand her jokes. | 彼女は非常に知的なコメディアンなので、多くの人は彼女のジョークを理解できない。 |
| Those groups gradually **coalesced** into a political party. | それらのグループは徐々に一つの政党にまとまっていった。 |
| Primitive humans likely spent much of their time **foraging** for food. | 原始人は、おそらく多くの時間を食物の採集に費やしていた。 |
| She bought bonds as a **hedge** against stock market risk. | 彼女は、株式市場のリスクに対する防御手段として債券を買った。 |
| The lack of funds **shackled** the small company's growth potential. | 資金不足はその小さな会社の成長の可能性の足かせとなった。 |

0876

0877 **relinquish** [rɪlíŋkwɪʃ]
① re-（あとに）+ linqu（残す）+ -ish 動

動〈権利・権力など〉を放棄する（≒cede, yield）

0878 **smear** [smíər]

動 ① ～を塗りつける（≒plaster, spread）
② ～を汚す

0879 **benevolent** [bənévələnt]
① bene（よい）+ vol（意志）+ -ent 形

形 ① 慈悲深い、親切な（≒kind）（⇔malevolent, unkind）
② 慈善を行う
名 benevolence 慈悲心

0880 **scourge** [skə́ːrdʒ]

名 災いの元凶；天罰、たたり

0881 **segregate** [ségrəgèɪt]
① se-（離して）+ greg（群れ）+ -ate（～にする）

動 ①〈もの・場所など〉を分ける、分割する
②（人種・宗教などの違いにより）〈人・集団〉を差別する（⇔integrate）
名 segregation 分離、隔離；人種差別

0882 **preside** [prɪzáɪd]
① pre-（前に）+ side（座る）

動（会議などで）議長［司会］を務める

0883 **circumspect** [sə́ːrkəmspèkt]
① circum（周りを）+ spect（見る）

形〈人・行為などが〉慎重な、用心深い（≒cautious）

0884 **conglomeration** [kənglɑ̀ːməréɪʃən | -glɔ̀m-]

名 ① 集合体、集塊、寄せ集め ② 複合企業化
名 conglomerate 複合企業

0885 **venerable** [vénərəbl]
① vener（尊敬する）+ -able（できる）

形〈人が〉尊敬すべき；〈建物・場所などが〉由緒ある（≒respected, esteemed, venerated, revered）
動 venerate ～を尊敬する
名 veneration 尊敬（の念）

0886 **combustion** [kəmbʌ́stʃən]

名 燃焼；酸化
動 combust（～を）燃焼する
名 combustion 燃焼
形 combustible 燃えやすい

0887 **illicit** [ɪlísɪt]
① il-（否定）+ licit（合法の）

形 ① 違法な、不法な（≒illegal）（⇔lawful）
②（道徳的に）許されない、不義の
副 illicitly 違法に

0888 **sequester** [sɪkwéstər]

動〈陪審員など〉を隔離する（≒isolate）

Track 074

| | |
|---|---|
| Due to her illness, she has no choice but to **relinquish** control of the company. | 病気のため、彼女は会社の経営権を手放すしかない。 |
| He **smeared** butter thickly on his toast. | 彼はトーストにバターをたっぷり塗った。 |
| The **benevolent** woman helped the lost child find his mother. | その親切な女性は、迷子の子どもが母親を見つけるのを手伝った。 |
| The Bubonic Plague was a **scourge** that killed millions of people across Europe. | 腺ペストは、ヨーロッパ全土で何百万人もの人々の命を奪った災厄だった。 |
| The room was **segregated** into smoking and non-smoking areas. | その部屋は喫煙コーナーと禁煙コーナーに分けられていた。 |
| A neutral third party was asked to **preside** over the negotiations. | 中立的な第三者が交渉を取り仕切るよう求められた。 |
| The unfortunate experience taught him to be **circumspect** in his dealings with strangers. | この不幸な経験から、彼は知らない人との取引には慎重になることを学んだ。 |
| The **conglomeration** of luxury brands is now owned by a single company. | その高級ブランドの集合体は、現在、単一の企業によって所有されている。 |
| Every year, the people hold a festival to celebrate their **venerable** leader. | 毎年、その人々は尊敬すべき指導者を祝う祭りを開催している。 |
| The invention of the **combustion** engine revolutionized the transportation industry. | 内燃機関の発明は、輸送業界に革命をもたらした。 |
| She was arrested for attempting to sell **illicit** drugs. | 彼女は違法薬物の販売を試みたとして逮捕された。 |
| The judge ordered the jury **sequestered** to ensure a fair trial. | 判事は裁判の公正を期すために陪審員の隔離を命じた。 |

0888

|  |  |  |
|---|---|---|
| 0889 | **sustenance** [sʌ́stənəns] ① sus-（下から）+ ten（支える）+ -ance 名 | 名 ① 生命の維持；食物 ② 生計；（生活の）維持<br>動 sustain ～を維持する<br>形 sustainable 維持できる；持続可能な |
| 0890 | **subjugate** [sʌ́bdʒəgèɪt] ① sub-（下に）+ jug（くびき）+ -ate（～にする） | 動 ① ～を征服する（≒conquer）<br>② ～を服従させる（≒subdue）<br>名 subjugation 征服 |
| 0891 | **covet** [kʌ́vət \| -ɪt] | 動 〈他人のものなど〉をひどく欲しがる<br>形 covetous むやみに欲しがる |
| 0892 | **abominable** [əbɑ́:mənəbl \| -bɔ́mɪ-] ① ab-（離れて）+ omin（前兆）+ -able（できる） | 形 嫌悪感を抱かせる、ひどい（≒terrible, horrible, vile）（⇔delightful）<br>動 abominate ～を（激しく）嫌悪する<br>名 abomination 嫌悪、憎悪 |
| 0893 | **soggy** [sɑ́:gi \| sɔ́gi] | 形 ① 湿った；〈食べ物が〉しんなりした<br>② 〈天候が〉じめじめした |
| 0894 | **precipitate** [動 prɪsípɪtèɪt 形 prɪsípɪtət] | 動 （突然）〈よくない状態・結果〉を引き起こす<br>形 〈行動・決定などが〉せっかちな、拙速な<br>►「降水する」という意味もあり、その名詞形が precipitation（降水量）。 形 precipitous 〈増減などが〉急激な |
| 0895 | **foray** [fɔ́:reɪ \| fɔ́r-] | 名 ① 襲撃、急襲（≒raid）<br>② （不慣れな分野への）進出 |
| 0896 | **prodigy** [prɑ́:dədʒi \| prɔ́d-] | 名 神童、天才児<br>形 prodigious 驚嘆すべき |
| 0897 | **allure** [əlúər] ① al-（～を）+ lure（魅惑する） | 名 魅力、魅惑（≒charm, appeal）<br>動 ～を魅惑する（≒attract）<br>形 alluring 魅惑的な |
| 0898 | **decoy** [dí:kɔɪ] | 名 おとり（役）（≒fake, distraction） |
| 0899 | **furtive** [fə́:rtɪv] | 形 〈行為などが〉人目を盗んだ、内緒の |
| 0900 | **snub** [snʌ́b] | 動 〈人〉を冷たくあしらう；〈申し出など〉をはねつける（≒shun） |

Track 075

| | |
|---|---|
| The people of the village depend on the river for **sustenance**. | 村の人々は、生命維持のための食物をその川に依存している。 |
| The conqueror sought to **subjugate** every nation bordering his country. | その征服者は、自分の国と国境を接するすべての国を征服しようとした。 |
| She felt guilty for **coveting** her best friend's diamond ring. | 彼女は、親友のダイヤの指輪を欲しがったことに気がとがめた。 |
| The food at the restaurant was good, but the service was **abominable**. | そのレストランの料理はおいしかったが、サービスはひどかった。 |
| The bread got **soggy** with the sauce. | パンがソースでしんなりしてしまった。 |
| The founder's death **precipitated** a crisis within the company. | 創業者の死は社内に危機を招いた。 |
| They made a **foray** into enemy territory. | 彼らは敵の陣地を急襲した。 |
| The young **prodigy** was a champion chess player by the age of seven. | その若き天才少年は、7歳にしてチェスのチャンピオンだった。 |
| The **allure** of the city attracts young people from more rural areas. | その市の魅力は、より多くの地方から若者たちを引き寄せている。 |
| The criminal used a **decoy** to distract the police while he escaped. | 犯人は逃亡する際、おとりを使って警察の気をそらした。 |
| The two boys exchanged **furtive** smiles from across the classroom. | 2人の少年は教室の端と端からこっそりとほほ笑みを交わした。 |
| She said hello to him, but he just **snubbed** her. | 彼女は彼にあいさつしたが、彼はただ冷たくあしらっただけだった。 |

0900

0901 **irascible**
[ɪrǽsəbl]
形 短気な、怒りっぽい（≒irritable）

0902 **rejuvenate**
[rɪʤú:vənèɪt]
① re-（再び）+ juven（若い）+ -ate（～にする）
動〈人〉を若返らせる、～の元気を回復させる（≒revitalize）
名 rejuvenation 若返り

0903 **glean**
[glí:n]
動〈情報・知識など〉を少しずつ収集する

0904 **emanate**
[émənèɪt]
① e-（外に）+ manate（流れる）
動 ①〈光・におい・感情など〉を発する、発散する ②〈光・音・におい・考え・うわさなどが〉生じる、広まる
名 emanation 発散（されたもの）

0905 **rectify**
[réktəfàɪ]
① rect（正しい）+ -ify（～にする）
動〈問題・状況・誤りなど〉を正す、修正する（≒correct）
名 rectification 訂正、修正
形 rectifiable 訂正できる

0906 **garnish**
[gá:rnɪʃ]
動〈料理〉に付け合わせを添える
名（料理の）付け合わせ

0907 **insular**
[ínsələr | ínsjələ]
① insul（島）+ -ar 形
形 ① 偏狭な、島国根性の ② 島の、島国の
► peninsula（半島）も同語源語。
名 insularity 島国根性

0908 **extricate**
[ékstrəkèɪt]
① ex-（外に）+ tric（困難）+ -ate 動
動 ～を（難局・身動きできない場所から）救い出す、脱出させる
名 extrication 救出、解放

0909 **recant**
[rɪkǽnt]
① re-（逆）+ cant（歌う）
動（〈自説・前言など〉を）（正式に）撤回する

0910 **dreary**
[dríəri]
形 ① 陰うつな、物寂しい ② つまらない、退屈な（≒dull）

0911 **morose**
[məróʊs]
① mor（マナー）+ -ose（満ちた）
形 不機嫌な、むっつりした

0912 **trite**
[tráɪt]
形〈表現・考えなどが〉古くさい、陳腐な

Track 076

| | |
|---|---|
| Alexander the Great was an **irascible** man with a very short temper. | アレキサンダー大王はとても気が短く、怒りっぽい男だった。 |
| She went to a spa in hopes of **rejuvenating** her tired body. | 彼女は疲れた体に元気を取り戻したいと思って温泉に行った。 |
| The chess player has **gleaned** new strategies from each of his opponents. | そのチェスプレーヤーは、対戦相手一人ひとりから新しい戦略を得てきた。 |
| The Buddhist monk **emanates** peace and harmony, which makes everyone around him feel calmer. | その僧侶は平和と調和を発し、周りにいるすべての人々を穏やかな気持ちにする。 |
| The politician wants to **rectify** his damaged reputation before the next election. | その政治家は、次の選挙までに傷ついた評判を正したいと思っている。 |
| If you are serving the dish to guests, **garnish** it with lemon slices. | その料理をお客さんに出す場合は、レモンのスライスを添えます。 |
| The village is quite isolated and people there are **insular**. | その村はとても孤立していて、住民は閉鎖的だ。 |
| Hours later, they were finally able to **extricate** the dog from the drain pipe. | 数時間後、彼らはついに犬を排水管から救出することができた。 |
| The politician **recanted** the statement after learning that it was false. | その政治家は、誤りであることを知って、その声明を撤回した。 |
| The **dreary** weather made her want to stay in bed reading all day. | 陰うつな天気のせいで、彼女はベッドで一日中本を読んでいたくなった。 |
| He became **morose** after his marriage ended unexpectedly. | 結婚が不意に終わって、彼は気難しくなった。 |
| The book is full of **trite** statements like "money cannot buy happiness." | この本には、「お金で幸せは買えない」というような陳腐な言葉がたくさん出てくる。 |

09
12

0913 **ornate**
□□□
[ɔːrnéɪt]
① orn (飾る) + -ate 動

形 (派手に) 飾り立てた；凝りすぎた (⇔plain)

0914 **decrepit**
□□□
[dɪkrépət]

形 老衰した、老朽化した
名 decrepitude 老衰；衰弱

0915 **impalpable**
□□□
[ɪmpǽlpəbl]
① im- (否定) + palp (触る) + -able (できる)

形 ① 感知できない、触っても感じられない (⇔palpable)
② 容易に理解できない

0916 **sham**
□□□
[ʃǽm]

名 偽物、見せかけ、いんちき (≒hoax)

0917 **prevaricate**
□□□
[prɪvǽrɪkèɪt]

動 言葉を濁す、はぐらかす
名 prevarication 言い逃れ

0918 **renunciation**
□□□
[rɪnʌ̀nsiéɪʃən]
① re- (反対) + nunci (報告する) + -ation 名

名 (信念・権利などの) 放棄、断念
動 renounce ～を放棄する

0919 **sluggish**
□□□
[slʌ́gɪʃ]

形 〈動きが〉鈍い、緩慢な；〈経済などが〉停滞した (≒lethargic) (⇔energetic)

0920 **regress**
□□□
[rɪgrés]
① re- (後ろに) + gress (進む)

動 (以前の悪い状態に) 後退する、逆戻りする (⇔progress)
名 regression 後戻り
形 regressive 後戻りする

0921 **superfluous**
□□□
[su(ː)pə́ːrfluəs]
① super- (過度に) + flu (流れる) + -ous 形

形 余分な、過剰な (≒unnecessary) (⇔essential)
名 superfluity 過剰

0922 **enthrall**
□□□
[ɪnθrɔ́ːl]
① en- (～にする) + thrall (奴隷)

動 〈人〉を魅了する、夢中にさせる (≒mesmerize, captivate, entrance) (⇔bore, repel)

0923 **perforation**
□□□
[pə̀ːrfəréɪʃən]
① per- (通して) + for (穴をあける) + -ation 名

名 切り取り線、ミシン目
動 perforate 〈紙〉にミシン目を入れる

0924 **debase**
□□□
[dɪbéɪs]
① de- (悪化) + base (低い)

動 ～の価値 [品質] を落とす (≒devalue)
名 debasement 価値 [品質] の低下

Track 077

| | |
|---|---|
| His grandmother loved **ornate** jewelry with intricate designs and large gemstones. | 彼の祖母は、複雑なデザインと大きな宝石をあしらった華麗なジュエリーが大好きだった。 |
| The **decrepit** building was transformed into an excellent hotel. | その老朽化した建物は素晴らしいホテルに生まれ変わった。 |
| Radiation is invisible and **impalpable**. | 放射線は目に見えず、触っても感じられない。 |
| The report turned out to be a complete **sham**. | そのレポートは完全なでっち上げであることが判明した。 |
| Stop **prevaricating** and tell me why you did not finish your homework! | ごまかすのはやめて、なぜ宿題を終わらせなかったのか言いなさい！ |
| These negotiations led to the **renunciation** of terrorism. | これらの交渉がテロ行為の放棄につながった。 |
| Economic recovery throughout the country has been **sluggish**, which has been a problem for businesses. | 全国的に景気回復の動きが鈍く、企業にとって課題となっている。 |
| After the severe injury to her head, she **regressed** to a childlike state. | 頭部に重傷を負ってから、彼女は子どものような状態に退行した。 |
| All software has **superfluous** functions. | どんなソフトウェアにも余計な機能が付いている。 |
| His show **enthralled** the audience with his dynamic dance. | 彼のショーはそのダイナミックな踊りで観衆を魅了した。 |
| The **perforations** in the paper make it easier to tear out of the notebook. | 紙にミシン目が入っているので、ノートから簡単に切り取ることができる。 |
| Some claim that professional sports have been **debased** by commercialism. | プロスポーツは商業主義によって堕落したと主張する人もいる。 |

09
24

0925 **vestige** [véstɪʤ]
名 痕跡、名残り (≒trace)
形 vestigial 痕跡の

0926 **proviso** [prəváɪzoʊ]
名 (条約・契約などの) ただし書き、条件 (≒condition, provision)

0927 **remission** [rɪmíʃən]
名 ① (病気・症状などの) 一時的軽減、緩和
② (負債などの) 免除

0928 **foment** [foʊmént]
動 〈混乱・暴動など〉を助長する、扇動する

0929 **travesty** [trǽvəsti]
! tra- (越えて) + vesty (服を着る)
名 まがいもの、茶番 (≒farce)

0930 **procrastinate** [prəkrǽstɪnèɪt]
動 (やるべきことを) 先延ばしにする (≒put off)
名 procrastination 先延ばし

0931 **nebulous** [nébjələs]
! nebul (星雲) + -ous 形
形 漠然とした、あいまいな (≒vague, ambiguous) (⇔definite, distinct)

0932 **clump** [klʌ́mp]
名 群れ、塊
動 ① 群れをなす、かたまる ② どしんどしん歩く
形 clumpy 塊状の

0933 **tally** [tǽli]
名 (支出などの) 記録、勘定；(競技の) 得点
動 ～を計算する、集計する

0934 **saturate** [sǽʧərèɪt]
! satur (十分な) + -ate (～にする)
動 ～を濡らす、浸す (≒soak, drench)
名 saturation 浸潤、充満
形 saturated びしょ濡れの、染み込んだ

0935 **rendition** [rendíʃən]
! rend (演奏する) + -ition 名
名 (絵画・音楽などによる) 表現、描写、演奏
動 render ～を表現する、演奏する

0936 **pensive** [pénsɪv]
! pens (考える) + -ive 形
形 〈人・表情などが〉もの思いに沈んだ

Track 078

|  |  |
| --- | --- |
| There still remains a **vestige** of the ancient culture in their life. | 彼らの生活には古い文化の痕跡がまだ残っている。 |
| This article contains several important **provisos.** | この条項にはいくつかの重要なただし書きが含まれている。 |
| His cancer has gone into **remission**, so he is holding a party to celebrate. | がんが寛解したので、彼はお祝いにパーティーを開くつもりだ。 |
| The government has accused media outlets of helping **foment** the unrest. | 政府は社会不安を助長したとして報道機関を非難している。 |
| The judge's decision is a **travesty** of justice. | その裁判官の決定は司法の茶番だ。 |
| Because he **procrastinates**, he is always highly stressed right before a deadline. | 彼は先延ばしにするので、締め切り直前にはいつもとてもイライラしている。 |
| At first, the plan was pretty **nebulous**. | 当初、計画はかなり漠然としていた。 |
| Some kids were throwing **clumps** of dirt at the wall. | 何人かの子どもたちが壁に土の塊を投げていた。 |
| The manager keeps a **tally** of the restaurant's expenses and revenue. | 店長は、レストランの経費と収益の記録をつけている。 |
| She **saturated** the sponge with water before cleaning the dishes. | 彼女は食器を洗う前にスポンジに水を含ませた。 |
| Their band released a rock **rendition** of the popular hip hop song. | 彼らのバンドは、人気のヒップホップ曲をロックにアレンジして発表した。 |
| When he is feeling **pensive**, he often writes poetry or goes for long walks. | 気持ちが沈んでいるとき、彼はよく詩を書いたり長時間散歩をしたりする。 |

09
36

0937 □□□
**charade**
[ʃəréɪd | -rá:d]
名 見せかけ、(見え透いた)うその芝居

0938 □□□
**caricature**
[kǽrɪkətʃʊ̀ər]
名 風刺画
動 ～を風刺的に描く

0939 □□□
**entangle**
[ɪntǽŋgl]
ⓘ en-(～にする)+ tangle(もつれ)
動 ～をもつれさせる、絡ませる
名 entanglement もつれ

0940 □□□
**piety**
[páɪəti]
名 敬虔さ、信仰(心)
形 pious 敬虔な

0941 □□□
**babble**
[bǽbl]
動 まくしたてる

0942 □□□
**propel**
[prəpél]
ⓘ pro-(前方に)+ pel(追いやる)
動 ① ～を推進する、前進させる(≒push, drive)
② 〈人〉を駆り立てる

0943 □□□
**vanquish**
[vǽŋkwɪʃ]
ⓘ vanqu(征服する)+ -ish 動
動 〈敵・相手〉を破る、負かす(≒defeat)

0944 □□□
**revoke**
[rɪvóʊk]
ⓘ re-(後ろに)+ voke(呼ぶ)
動 〈免許・法律など〉を無効にする、廃止する
(≒nullify, rescind)
名 revocation (法律・決定の)廃止、撤回

0945 □□□
**precinct**
[prí:sɪŋkt]
ⓘ pre-(前に)+ cinct(囲んだ)
名 行政区、選挙区

0946 □□□
**inaugurate**
[ɪnɔ́:gjərèɪt]
ⓘ in-(～に対し)+ augur(前兆)+ -ate(～にする)
動 ① 〈人〉を就任させる ② 〈新事業など〉を発足させる
③ ～の落成式を行う
名 inauguration 就任;落成式;発足
形 inaugural 就任の;落成の

0947 □□□
**insipid**
[ɪnsípɪd]
ⓘ in-(否定)+ sipid(味のある)
形 ① 無味乾燥な、面白くない
② 〈食品が〉味のない、おいしくない

0948 □□□
**indignant**
[ɪndígnənt]
ⓘ in-(否定)+ dign(価値がある)+ -ant 形
形 〈人・表情などが〉憤慨した、怒った
名 indignation 憤慨

Track 079

| | |
|---|---|
| Everyone is saying their marriage is a **charade**. | 彼らの結婚は見せかけだというもっぱらのうわさだ。 |
| The **caricature** of the president was shared widely on social media. | 大統領の風刺画はソーシャルメディアで広く共有された。 |
| The dolphin became **entangled** in a fishing net. | そのイルカは漁網にからまってしまった。 |
| The priest praised him for his extreme **piety**. | その司祭は彼の極めて高い信仰心を称賛した。 |
| My father will **babble** on forever about politics unless you tell him to stop. | やめるよう言われない限り、父は永遠に政治についてしゃべり続ける。 |
| The powerful engines **propelled** the satellite into space. | 強力なエンジンは、衛星を宇宙へと送り出した。 |
| He quickly **vanquished** all of his enemies in the video game. | 彼はテレビゲームであっという間に敵をすべて打ち負かした。 |
| After she caused a second accident, a judge **revoked** her driver's license. | 彼女が２度目の事故を起こしたあと、裁判官は彼女の運転免許を取り消した。 |
| That is the police station for this **precinct**. | そこがこの地区の警察署だ。 |
| Thousands attended the ceremony to **inaugurate** the new president. | 新大統領の就任式には数千人が出席した。 |
| The **insipid** movie has poor character development and a lack of tension or conflict. | その退屈な映画は、登場人物の展開が少なく、緊張感や葛藤に乏しい。 |
| Jessica became **indignant** when she was wrongly blamed for the data entry error. | ジェシカは、データの入力ミスを不当に責められて憤慨した。 |

09
48

0949
□□□
**premonition**
[prìːmənɪ́ʃən]
ⓘ pre- (前もって) + monit (警告する) + -ion 名

名 (悪い) 予感、虫の知らせ

0950
□□□
**dexterity**
[dekstérəti]
ⓘ dexter (右側の、器用な) + -ity 名

名 ① (手先の) 器用さ ② 利口さ、抜け目なさ
形 dexterous (手先の) 器用な

0951
□□□
**wrench**
[réntʃ]

動 〈ものなど〉をもぎ取る；〈人〉を引き離す (≒wrest)
名 ① レンチ、スパナ ② (別れなどの) つらい悲しみ
► throw a wrench in ~ ((わざと) ~を邪魔する) という成句で出題されたこともある。

0952
□□□
**ecstatic**
[ɪkstǽtɪk]

形 興奮した、有頂天になった (≒euphoric)
名 ecstasy 歓喜、有頂天

0953
□□□
**quirk**
[kwə́ːrk]

名 (行動・考えの) 変わった癖、奇行 (≒peculiarity)
形 quirky 一風変わった、癖のある

0954
□□□
**regale**
[rɪgéɪl]
ⓘ re- (強意) + gale (喜び)

動 (話・冗談などで)〈人〉を楽しませる

0955
□□□
**vacillate**
[vǽsəlèɪt]

動 〈心・考えなどが〉ぐらつく、揺れる (≒waver)

0956
□□□
**concoct**
[kənkɑ́ːkt | -kɔ́kt]
ⓘ con- (共に) + coct (料理した)

動 ① 〈話・言い訳など〉を考え出す、でっち上げる (≒fabricate, invent)
② (材料を混ぜて)〈食べ物など〉を作る
名 concoction でっち上げ；調理

0957
□□□
**pilfer**
[pílfər]

動 ~をくすねる、ちょろまかす (≒steal)

0958
□□□
**prescient**
[préʃənt | -siənt]
ⓘ pre- (前もって) + sci (知る) + -ent 形

形 予知する、先見の明がある
名 prescience 予知、予見

0959
□□□
**suffocate**
[sʌ́fəkèɪt]
ⓘ suf- (下に) + foc (のど) + -ate (~にする)

動 ~を窒息 (死) させる (≒choke, stifle, smother)
名 suffocation 窒息死

0960
□□□
**intrepid**
[ɪntrépɪd]
ⓘ in- (否定) + trepid (心配して)

形 恐れを知らない、勇敢な (≒brave)

Track 080

| | |
|---|---|
| The day of the earthquake she had had a **premonition** that something bad would happen. | 地震のあったその日、彼女は何か悪いことが起こる予感がしていた。 |
| The athlete handles the ball with impressive **dexterity**. | そのアスリートは驚くほど器用にボールを扱う。 |
| The toddler tried to **wrench** himself free of his mother's grip. | その幼児は、身をよじって母親の手から逃れようとした。 |
| She was **ecstatic** when they announced her as the winner of the award. | その賞の受賞者として発表されたとき、彼女は有頂天になった。 |
| Everyone has their own unique **quirks**. | 誰にでも独特の変な癖というものがある。 |
| He **regaled** us with stories of his days as a pilot. | 彼はパイロットだったころの話をして私たちを楽しませた。 |
| He **vacillated** between two choices. | 彼の気持ちは２つの選択肢の間で揺れた。 |
| He **concocted** a story about his car breaking down when he was late for work. | 彼は仕事に遅刻したとき、車が故障したという話をでっち上げた。 |
| A coworker accused him of **pilfering** money from the company. | 同僚が彼が会社からお金をくすねたと非難した。 |
| The economist was **prescient** about the financial crisis. | その経済学者は金融危機を予見していた。 |
| Two men were found in a car **suffocated** to death. | ２人の男性が車の中で窒息死しているのが発見された。 |
| The **intrepid** explorer traveled deep into the Amazon rainforest. | その勇敢な探検家は、アマゾンの熱帯雨林の奥深くまで旅をした。 |

09
60

**0961 matrimony**
[mǽtrɪmòʊni | -məni]
ⓘ matri (母)+ -mony (状態)

名 結婚、婚姻 (≒marriage)
形 matrimonial 結婚の

**0962 subservient**
[səbsə́ːrviənt]
ⓘ sub- (下に)+ serv (仕える)+ -ient 形

形 従属的な、へつらった
名 subservience 追従、へつらい

**0963 interlude**
[íntərlùːd]
ⓘ inter- (間に)+ lude (劇)

名 ① 合い間、合い間の出来事
② (劇・映画などの) 幕間
③ 間奏曲

**0964 decorum**
[dɪkɔ́ːrəm]

名 礼儀正しい行動、上品さ
形 decorous 礼儀正しい

**0965 rescind**
[rɪsínd]
ⓘ re- (強意)+ scind (分ける)

動 〈法律・契約など〉を撤回する、無効にする
名 rescission 廃止、無効化

**0966 ruse**
[rúːs | rúːz]

名 策略、計略

**0967 undermine**
[ʌ̀ndərmáɪn]
ⓘ under- (下を)+ mine (掘る)

動 〈自信・権威など〉をひそかに傷つける、〈健康など〉をむしばむ

**0968 scarcity**
[skéərsəti]

名 (食料・資源などの) 不足、欠乏 (≒shortage)
形 scarce 乏しい、不十分な
副 scarcely ほとんど～ない

**0969 profound**
[prəfáʊnd]
ⓘ pro- (前に)+ found (底)

形 ① 〈影響などが〉深刻な、重大な
② 〈もの・ことが〉深い
副 profoundly 深く
名 profundity 深刻さ、深さ

**0970 deploy**
[dɪplɔ́ɪ]
ⓘ de- (分離)+ ploy (折る)

動 〈部隊など〉を展開させる、配置する (≒dispatch)
名 deployment 展開、配置

**0971 denounce**
[dɪnáʊns]
ⓘ de- (悪く)+ nounce (知らせる)

動 ① 〈人・行為など〉を (公然と) 非難する、責める (⇔praise, compliment)
② 〈人〉を告発する、訴える
名 denunciation (公然の) 非難、弾劾

**0972 slash**
[slǽʃ]

動 ① 〈価格・予算など〉を大幅に削減する (≒cut)
② ～をさっと切る、切り裂く
名 斜線、スラッシュ (/)

Track
081

| | |
|---|---|
| They were joined in **matrimony** last week. | 彼ら先週結婚した。 |
| In ancient Greek society, women were expected to be **subservient** to their husbands. | 古代ギリシャ社会では、女性は夫に従属するものとされた。 |
| She left the office for a brief **interlude**, during which she got a coffee. | 彼女は少しの間オフィスを出て、コーヒーを飲んだ。 |
| She always behaves with **decorum** and modesty. | 彼女は常に礼儀正しく謙虚に振る舞う。 |
| The company **rescinded** the job offer after discovering his dishonesty. | 彼の不誠実な態度が発覚し、その会社は彼の採用を取り消した。 |
| The promise of a free gift card was a **ruse** to collect personal information. | 無料ギフトカードの約束は、個人情報を収集するための策略だった。 |
| The casual attitude of a few employees was **undermining** the manager's authority. | 数人の従業員のなれなれしい態度によって、マネージャーの権威が傷つけられていた。 |
| The **scarcity** of gold and silver has historically made them very valuable. | 金と銀は、その希少性から歴史的に非常に価値の高いものとなっている。 |
| The book *Meditations* by Marcus Aurelius is filled with **profound** insights. | マルクス・アウレリウスの著書『自省録』には深い洞察が詰まっている。 |
| The government was forced to **deploy** more troops to the area. | 政府はその地域にさらに軍を配備することを余儀なくされた。 |
| The politician has been criticized for not **denouncing** the use of violence. | その政治家は、暴力の行使を非難しないとして批判されてきた。 |
| The president's plan to **slash** taxes was very popular with the people. | 大統領の減税計画は国民にとても好評だった。 |

**0973** **liaison** [líːəzɑ̀ːn | liéɪzn]
□□□
① li (結びつける)+ -aison (行動)

名 ① 連絡、連携 (≒contact, connection)
② 連絡係

**0974** **rigorous** [rígərəs]
□□□
① rigor (厳格)+ -ous (満ちた)

形 厳しい、厳格な (≒strict, harsh)
副 rigorously 厳しく、厳格に
名 rigor 厳格さ

**0975** **mitigate** [mítəgèɪt]
□□□
① mitig (柔らかくする)+ -ate (～にする)

動 〈苦痛・悲しみなど〉を和らげる、鎮める
(≒alleviate, lessen)
名 mitigation 緩和、軽減

**0976** **imperative** [ɪmpérətɪv]
□□□
① imper (命令する)+ -ative 形

形 ① 絶対必要で、必須で (≒vital, crucial)
② 命令的な

**0977** **depict** [dɪpíkt]
□□□
① de- (完全に)+ pict (描く)

動 (絵画・彫刻などで) ～を表現する;
(言葉で) ～を描写する
名 depiction 描写、叙述

**0978** **amass** [əmǽs]
□□□
① a- (～に)+ mass (かたまり)

動 (時間をかけて)〈財産・情報など〉を集める、蓄える
(≒accumulate)

**0979** **dissent** [dɪsént]
□□□
① dis- (分離)+ sent (感じる)

名 異議、不賛成 (≒disagreement) (⇔approval)
形 dissenting 反対 (意見) の
名 dissension 意見の相違

**0980** **replenish** [rɪplénɪʃ]
□□□
① re- (再び)+ plen (満たす)+ -ish (～にする)

動 ～を補充する、補給する;～を再び満たす
(≒restock, restore) (⇔deplete)

**0981** **tangible** [tǽndʒəbl]
□□□
① tang (触る)+ -ible (できる)

形 ① 〈事実・証拠などが〉明白な、確実な
② 〈ものが〉触れられる
(≒palpable) (⇔intangible)

**0982** **splurge** [splə́ːrdʒ]
□□□

動 散財する、ぜいたくをする

**0983** **savvy** [sǽvi]
□□□

形 (実際的な) 知識を持った、やり手の
(≒shrewd, experienced) (⇔naive)

**0984** **acclaim** [əkléɪm]
□□□
① ac- (～に)+ claim (叫ぶ)

名 (人・業績に対する) 称賛、歓呼 (⇔criticism)
動 ～を称賛する

Track 082

| | |
|---|---|
| We can improve **liaison** between parents and teachers with an email newsletter. | メルマガで、保護者と教師との連絡を改善することができる。 |
| To be the best, Olympic athletes must maintain a **rigorous** training program. | 最高のパフォーマンスを発揮するため、オリンピック選手は厳しいトレーニングプログラムを継続する必要がある。 |
| Taking motion sickness pills can **mitigate** some negative side effects of this drug. | 乗り物酔いの薬を飲めば、この薬のマイナスの副作用を一部軽減できる。 |
| It is **imperative** that they get to the airport in time for their flight. | フライトに間に合うように空港に到着することが彼らには絶対必要だ。 |
| The writer has an unusual talent for **depicting** vivid scenes in his novels. | その作家は、小説の中で生き生きとした情景を描く類いまれな才能を持っている。 |
| They **amassed** enough evidence to support their idea. | 彼らは自説を支持するのに十分な証拠を集めた。 |
| She voiced her **dissent** on the decision to downsize the company. | 彼女は会社を縮小するという決定に異議を唱えた。 |
| It is important to **replenish** the fluids you lose from sweating. | 汗をかいて失った水分を補給することが大切だ。 |
| The most obvious **tangible** benefit will be increased revenue for the company. | 最もはっきりした具体的な利益は、会社の収益の増加だ。 |
| He decided to **splurge** on a new suit to wear to the event. | 彼はそのイベントに着ていく新しいスーツを奮発して買うことにした。 |
| Her **savvy** business skills helped her to quickly rise through the company. | 抜け目ないビジネススキルによって、彼女はその会社でたちまち出世した。 |
| Although the film received critical **acclaim**, it was not very popular overall. | その映画は批評家からは高い評価を得たが、全体としてはあまり人気がなかった。 |

0984

0985 **gadget**
[gǽdʒɪt]
☐☐☐

名 （小型で有用な）装置、機械

0986 **postulate**
[pɑ́ːstʃəlèɪt | pɔ́stjə-]
☐☐☐

動 （自明なものとして）〈もの・こと〉を仮定する

0987 **manifest**
[mǽnəfèst]
☐☐☐

形 （目で見て）明らかな、はっきりした（≒obvious, unmistakable）（⇔concealed, vague）
動 〈感情・態度など〉をはっきりと示す
名 manifestation 表明

0988 **affinity**
[əfínəti]
☐☐☐
ⓘ af-（～に）+ finity（境界）

名 ① 親近感、相性、親和性（≒fondness, attraction）
② 類似性

0989 **revert**
[rɪvə́ːrt]
☐☐☐
ⓘ re-（後ろに）+ vert（向かう）

動 （元の状態・話題などに）戻る（≒go back）
► revert to ～ で「〈前の状態など〉に戻る」という意味。
名 reversion 逆戻り

0990 **vilify**
[víləfàɪ]
☐☐☐
ⓘ vil（非常に悪い）+ -ify（～にする）

動 ～を中傷する、けなす
（≒denigrate, belittle, malign, revile）
（⇔compliment, praise）

0991 **incapacitate**
[ìnkəpǽsətèɪt]
☐☐☐
ⓘ in-（否定）+ capacit（能力）+ -ate（～にする）

動 ① 〈病気・事故などが〉〈人〉から能力を奪う（≒disable）
② ～を正常に機能しないようにする（≒disable, maim）

0992 **calamity**
[kəlǽməti]
☐☐☐

名 災難、惨事（≒disaster）
形 calamitous 不幸な、悲惨な

0993 **mortality**
[mɔːrtǽləti]
☐☐☐
ⓘ mort（死）+ -ality 名

名 ① 死亡（数、率）
② 死ぬ運命（⇔immortality）
形 mortal 致命的な；死ぬべき運命の
副 mortally 致命的に

0994 **onslaught**
[ɑ́ːnslɔ̀ːt | ɔ́n-]
☐☐☐
ⓘ on-（～に）+ slaught（一撃）

名 ① （人・事柄に対する）激しい攻撃
② （処理し切れないほどの）大量
► an onslaught of ～ で「おびただしい数の～」という意味。

0995 **revelation**
[rèvəléɪʃən]
☐☐☐

名 ① 驚くべき新事実 ② （秘密などの）暴露、摘発
動 reveal ～を明らかにする

0996 **lull**
[lʌ́l]
☐☐☐

動 ① 〈人〉を寝かしつける ② 〈感情など〉を鎮める

Track 083

| | |
|---|---|
| The store offers a variety of kitchen **gadgets** and cookware. | その店はさまざまな台所用品や調理器具を扱っている。 |
| Some scientists have **postulated** that life may exist on other planets without oxygen or water. | 酸素や水のないほかの惑星に生命が存在する可能性を仮定する科学者もいた。 |
| The importance of stories is **manifest** in the popularity of books and films. | 物語の重要性は、本や映画の人気を考えれば明らかだ。 |
| She and the cat had an immediate **affinity** for one another, so she adopted it. | 彼女とその猫はすぐにお互い親近感を覚えたので、彼女はその猫を引き取った。 |
| On days when he is tired, he **reverts to** his old eating habits. | 疲れている日には、彼は昔の食生活に戻る。 |
| The politician was **vilified** in the newspapers for stealing public tax money. | その政治家は、公金を横領したとして新聞で叩かれた。 |
| She was **incapacitated** for the first few days following her stroke. | 脳卒中のあとの数日間、彼女は体が不自由だった。 |
| The flood was a serious **calamity** for local farmers. | その洪水は地元の農家にとって大きな災難だった。 |
| As a country becomes more developed, its infant **mortality** rate drops. | 国が発展するにつれて、乳児死亡率は下がる。 |
| The area continues to face the **onslaught** of rough weather. | その地域は厳しい天候の襲来に直面し続けている。 |
| Most people cannot predict the shocking **revelation** at the end of the film. | 映画の最後にわかる衝撃的な新事実を予測できる人はほとんどいない。 |
| The rocking of the train **lulled** her to sleep. | 電車の揺れに誘われて、彼女は眠ってしまった。 |

09
96

0997 **surmise**
[sərmáɪz]
① sur- (上に) + mise (送る)

動 …と推測する (≒guess, speculate)

0998 **harness**
[há:rnəs]

動 ①〈自然の力など〉を利用する
②〈馬〉に馬具をつける
名 馬具

0999 **solicit**
[səlísət]
① soli (完全に) + cit (動かす)

動〈金銭・援助・情報など〉を請い求める
(≒request, entreat)
名 solicitation 懇請

1000 **dispatch**
[dɪspǽtʃ]

動 ①〈部隊・使者など〉を派遣する (≒send)
②〈手紙・小包など〉を急送する

1001 **multitude**
[mʌ́ltət(j)ù:d]
① multi (多くの) + -tude (状態)

名 ① 多数の ② (力を持たない) 大衆、群衆
► a multitude of ~ で「多数の~」という意味。

1002 **supplant**
[səplǽnt | -lá:nt]
① sup- (下に) + plant (足の裏)

動〈古いもの・人〉に取って代わる (≒replace, usurp)

1003 **imminent**
[ímənənt]
① im- (上に) + min (突き出る) + -ent 形

形〈悪いことが〉差し迫った、切迫した
(≒impending, looming)
副 imminently 差し迫って
名 imminence 切迫、急迫

1004 **wrangle**
[rǽŋgl]
① wrang (争う) + -le (反復)

動 言い争う、口げんかをする

1005 **scour**
[skáʊər]

動〈場所・書類など〉をくまなく調べる、探し回る

1006 **threshold**
[θréʃhoʊld]

名 ① (新しいものの) 出発点、発端 (≒dawn, entrance)
② 戸口、敷居
③ (何かが起きる・変化する) 限界点；閾(いき)
► ①の意味では、ふつう at [on] the threshold の形で使う。

1007 **dividend**
[dívədènd]
① divid (分ける) + -end (されたもの)

名 (株式の) 配当

1008 **pundit**
[pʌ́ndɪt]

名 (ある分野の) 評論家、専門家、有識者

Track 084

| | |
|---|---|
| Based on the symptoms, we can **surmise** that the illness is a viral infection. | 症状から考えると、その病気はウイルスによる感染症であると推測できる。 |
| New technologies are being developed to **harness** wind, tidal energy, and ocean currents. | 風力や潮力、海洋の流れを利用する新たなテクノロジーが開発されつつある。 |
| Volunteers for the organization go door-to-door trying to **solicit** donations. | その団体のボランティアは、寄付を募るため一軒一軒を回る。 |
| More troops were **dispatched** to the front lines this week. | 今週、さらに多くの軍隊が前線に派遣された。 |
| Our education system faces **a multitude of** problems. | わが国の教育制度は数多くの問題に直面している。 |
| Conventional lamps are being **supplanted** by LED lighting. | 従来の照明はLED照明に取って代わられつつある。 |
| The storm was **imminent**, with dark clouds gathered on the horizon. | 嵐が差し迫っていて、地平線には暗い雲が立ち込めていた。 |
| The two sides have been **wrangling** over the terms of the contract for days. | 何日もの間、両者は契約条件をめぐって争っている。 |
| She **scoured** the library for books mentioning the obscure topic. | 彼女はそのよく知られていないテーマについて書かれた本を求めて、図書館中を探し回った。 |
| The scientists claim that they are **on the threshold** of a major breakthrough. | その科学者たちは、自分たちは大発見の入り口に立っているのだと主張している。 |
| The company pays out **dividends** quarterly. | その企業は四半期ごとに配当を行っている。 |
| He is a former professional soccer player and sports TV **pundit**. | 彼は元プロサッカー選手で、今はテレビのスポーツ評論家だ。 |

10
08

1009 **incubate** [íŋkjəbèɪt]
□□□
① in- (上に) + cubate (横たわる)

動 〈卵〉を抱く、ふ化させる
名 incubation 抱卵、ふ化

1010 **attrition** [ətríʃən]
□□□
① attrit (摩擦する) + -ion 名

名 ①(人員などの) 自然減 ② 消耗、損耗

1011 **incense** [ɪnséns]
□□□

動 〈人〉を激怒させる
► 同じつづりで「香(をたく)」という意味の語もある。

1012 **poach** [póʊtʃ]
□□□

動 (~を) 密猟する、密漁する
名 poacher 密猟者
名 poaching 密猟、密漁

1013 **intercept** [ìntərsépt]
□□□
① inter- (間で) + cept (つかまえる)

動 〈人・もの〉を途中で捕らえる;〈通信〉を傍受する
名 interception 途中で奪うこと;傍受

1014 **deceased** [dɪsí:st]
□□□
① de- (分離) + ceas (行く) + -ed 形

形 ① 死去した (≒dead, departed) (⇔living)
② [the deceased] 故人
► 最近亡くなった場合に使う。

1015 **straddle** [strǽdl]
□□□

動 ①〈馬・いすなど〉にまたがる
②〈複数のもの・境界〉にまたがる

1016 **corrode** [kəróʊd]
□□□
① cor- (強意) + rode (かみ切る)

動 〈金属など〉を腐食させる;〈金属などが〉腐食する
(≒erode, deteriorate)
形 corrosive 腐食性の
名 corrosion 腐食

1017 **nurture** [nə́:rtʃər]
□□□
① nurt (養う) + -ure 名

動 ①〈子ども・植物など〉を育てる、養育する
②〈思想・感情など〉を育む、助長する
名 養育、教育

1018 **connotation** [kɑ̀:nətéɪʃən | kɔ̀n-]
□□□
① con- (共に) + not (印をつける) + -ation 名

名 (言葉の) 言外の意味、含意
(≒implication, nuance) (⇔denotation)
動 connote ~を含意する

1019 **anecdotal** [æ̀nɪkdóʊtl]
□□□

形 ①〈話などが〉個人の話に基づく、裏づけに乏しい
② 逸話的な
名 anecdote 逸話、エピソード

1020 **smother** [smʌ́ðər]
□□□

動 ①〈感情・反対など〉を抑制する、抑える
② ~を覆い尽くす
③〈人〉を窒息(死)させる
(≒choke, suffocate, stifle)

Track 085

| | |
|---|---|
| He **incubated** the egg under a heat lamp for a few weeks. | 彼は数週間ヒートランプの下で卵を暖めてふ化させた。 |
| The company cut about 200 employees through **attrition** and layoffs. | その会社は自然減と解雇によって約200人の従業員を削減した。 |
| The announcement of the unexpected fees **incensed** the airline's passengers. | 予想外の料金の発表に、その航空会社の乗客は激怒した。 |
| People try to **poach** the rhinos so that they can sell their horns. | 角を売るために、人々はサイを密猟しようとする。 |
| War broke out after the secret letter was **intercepted** by the foreign spy. | その密書が外国のスパイに奪われ、戦争が始まった。 |
| The **deceased** man's family and friends attended an event in his honor. | 亡くなった男性の家族や友人は、彼をしのぶイベントに出席した。 |
| His friend took a picture of him **straddling** his new motorcycle. | 彼の友人は、彼が新しいオートバイにまたがっている写真を撮った。 |
| The acidic water gradually **corroded** the pipes until they started leaking. | 酸性水がパイプを徐々に腐食させ、ついに水が漏れ始めた。 |
| She carefully **nurtured** the young plants by providing them with water and sunlight. | 彼女は水と日光を与えて、その苗木を慎重に育てた。 |
| This word has a slightly negative **connotation**. | この言葉には少し否定的な含意がある。 |
| A common tactic when giving speeches is to start with an **anecdotal** story. | スピーチをするときによく使われる手は、逸話から始めるというものだ。 |
| He often felt **smothered** by his mother's relentless affection. | 彼は、母親の執拗な愛情にしばしば息苦しさを感じた。 |

10
20

1021 **tilt** [tílt]
動 〈人・ものが〉傾く；〈もの〉を傾ける
名 傾く［傾ける］こと

1022 **embroil** [ɪmbrɔ́ɪl]
① em-（中に）+ broil（混ぜる）
動 ～を（争い・議論などに）巻き込む

1023 **exponent** [ɪkspóʊnənt]
① ex-（外に）+ pon（置く）+ -ent（人）
名 （理論・主義などの）主唱者、主導者
（≒supported, advocate, proponent）
（⇔enemy. opponent）

1024 **impeach** [ɪmpíːtʃ]
① im-（中に）+ peach（足かせ）
動 〈政治家・官僚など〉を弾劾する、告発する
名 impeachment 弾劾、告発

1025 **residual** [rɪzídʒuəl | -zídju-]
形 残留している、残りの（≒remaining）
名 residue 残り、残余

1026 **boon** [búːn]
名 恩恵、ありがたいもの

1027 **retract** [rɪtrǽkt]
① re-（後ろに）+ tract（引く）
動 ①〈前言〉を撤回する、取り消す（≒withdraw）
②～を引っ込める（≒withdraw）
名 retraction 撤回；引っ込めること
形 retractable 引っ込められる、格納式の

1028 **insurrection** [ìnsərékʃən]
① in-（～に）+ sur（上がる）+ -rection 名
名 暴動、反乱
（≒uprising, rebellion, revolt, insurgency）

1029 **dispassionate** [dɪspǽʃənət]
① dis-（分離）+ passion（感情）+ -ate 形
形 〈人・態度が〉感情に左右されない、冷静な
（≒calm）

1030 **wanton** [wáːntn | wɔ́ntən]
① wan（否定）+ ton（導かれた）
形 ①理不尽な、むちゃな
②抑えられない、抑制できない

1031 **fray** [fréɪ]
名 争い、いさかい（≒brawl, ruckus）
► 同じつづりで「〈布・ロープなど〉をほつれさせる、すり切れさせる」という意味の動詞もある。

1032 **defame** [dɪféɪm]
① de-（分離）+ fame（うわさ）
動 ～を中傷する、～の名誉を傷つける
名 defamation 中傷
形 defamatory 中傷的な

Track 086

| | |
|---|---|
| The dog **tilted** its head to the side when it heard her voice through the phone. | 電話から彼女の声が聞こえると、犬はその方向に首をかしげた。 |
| The mayor was **embroiled** in a scandal involving misuse of public funds. | 市長は公費の不正使用の絡んだスキャンダルに巻き込まれた。 |
| The writer Mary Wollstonecraft was an **exponent** of feminist literature. | 作家のメアリー・ウルストーンクラフトは、フェミニズム文学の主導者だった。 |
| The politician was **impeached** for his corrupt conduct. | その政治家は汚職を糾弾された。 |
| A few days later he was still experiencing the **residual** effects of the surgery. | 数日後、彼にはまだ手術の影響が残っていた。 |
| The new program for part-time workers is a **boon** for working mothers. | パートタイム労働者のための新制度は、働く母親にとってありがたいものになっている。 |
| The CEO was forced to **retract** his statement regarding selling the company. | CEOは、会社の売却に関する発言を撤回せざるを得なくなった。 |
| In the capital city there is an **insurrection** going on against the government. | 首都では反政府暴動が続いている。 |
| He believes that an effective business leader should remain **dispassionate**. | 彼は、有能なビジネスリーダーは常に冷静であるべきだと信じている。 |
| Certain human activities lead to the **wanton** destruction of the environment. | 人間活動が理不尽な環境破壊につながることもある。 |
| Both parties entered the election **fray**. | 両陣営は選挙戦に突入した。 |
| Famous people are often **defamed** by the media. | 有名人はしばしばメディアによって名誉を傷つけられる。 |

10
32

1033 **veto** [víːtoʊ]
名 〈大統領・知事などが行使する〉拒否権
動 〈法案など〉を拒否する

1034 **buoyant** [bɔ́ɪənt]
① buoy（浮く）+ -ant 形
形 ①〈価格・景気などが〉上向きの ②うきうきした、楽天的な（≒upbeat, cheerful）（⇔depressed） ③浮力がある
名 buoyancy 上昇傾向；楽天的性格；浮力

1035 **invert** [ɪnvə́ːrt]
① in-（中に）+ vert（向ける）
動 ～を逆にする、ひっくり返す（≒reverse）
名 inversion 逆転

1036 **invigorate** [ɪnvígərèɪt]
① in-（～に）+ vigor（元気）+ -ate（～にする）
動 ①〈人〉を元気づける、～の心身をさわやかにする（≒revitalize, energize, strengthen） ②～を活性化する

1037 **tyranny** [tírəni]
① tyrann（暴君）+ -y（状態）
名 専制政治、暴政（≒autocracy, dictatorship）
形 tyrannical 専制君主の、専制的な
動 tyrannize（～に）暴政を行う
名 tyrant 専制君主

1038 **stitch** [stítʃ]
動 〈布・傷口など〉を縫う、縫い合わせる
名 縫い目、編み目
► stitch upで「～を縫い合わせる」という意味だが、「〈人〉を犯人に仕立て上げる」という意味もある。

1039 **nimble** [nímbl]
形 ①〈人・動作が〉素早い、敏しょうな（≒adept, agile） ②〈頭が〉回転の速い

1040 **infiltrate** [ɪnfíltreɪt]
① in-（中に）+ filtrate（ろ過する）
動 〈スパイなどが〉〈組織など〉に潜入する；〈スパイなど〉を潜入させる
名 infiltration 潜入行為

1041 **persecute** [pə́ːrsəkjùːt]
① per-（完全に）+ secute（追跡する）
動 〈宗教・人種・政治的信条などの理由で〉～を迫害する、弾圧する（≒harass）
名 persecution 迫害

1042 **colloquial** [kəlóʊkwiəl]
① col-（共に）+ loqu（話す）+ -ial 形
形 〈語・文章などが〉口語の、日常会話の（⇔literary）

1043 **trajectory** [trədʒéktəri]
① tra-（越えて）+ ject（投げる）+ -ory 形
名 ①〈弾丸・ミサイルなどの〉弾道、軌道（≒curve, path） ②〈出来事の〉軌跡、進展

1044 **spurn** [spə́ːrn]
動 〈申し出など〉を拒絶する；〈恋人〉を振る（≒reject）

Track 087

| | |
|---|---|
| The president may choose to exercise his **veto** to stop the bill. | 大統領は、法案を止めるために拒否権を行使することを選ぶかもしれない。 |
| Real estate prices are rising rapidly in this **buoyant** economy. | この好景気の中、不動産価格は急速に上昇している。 |
| Our brain **inverts** the upside-down image that hits our retinas. | 私たちの脳は、網膜に届く上下逆さまの画像をひっくり返している。 |
| Taking a cold shower is a quick way to **invigorate** yourself. | 冷たいシャワーを浴びれば、すぐにすっきりするよ。 |
| They fought to liberate their country from **tyranny**. | 彼らは国を専制政治から解放するために戦った。 |
| She had to **stitch up** the wound using the first aid kit in her backpack. | 彼女はリュックの救急キットを使って傷を縫わなければならなかった。 |
| The **nimble** dancer floated gracefully across the stage. | その軽やかなダンサーは舞台上を優雅に移動した。 |
| It was discovered that the agency had been **infiltrated** by spies. | その機関にスパイが潜入していたことが発覚した。 |
| Religious minorities have been **persecuted** many times throughout history. | 宗教的少数派は、歴史を通じて何度も迫害されてきた。 |
| There are major differences between **colloquial** Japanese and formal written language. | 日本語の口語と正式な文章語の間には大きな違いがある。 |
| The missile's **trajectory** was changed to avoid hitting a populated area. | ミサイルの軌道は、人口密集地域に当たらないように変更された。 |
| She **spurned** his advances and made it clear she was not looking for a romantic relationship. | 彼女は彼の誘いを拒み、恋愛関係を求めていないことをはっきりさせた。 |

10
44

1045 **upend**
[ʌpénd]

動 ～を逆さまにする、ひっくり返す

1046 **conscientious**
[kɑ̀ːnʃiénʃəs | kɔ̀n-]

形 慎重な、念入りの（≒thorough, meticulous）

1047 **onerous**
[ɑ́ːnərəs | ɔ́n-]

① oner（重荷）+ -ous 形

形 〈仕事・任務が〉骨の折れる、うんざりする
► onus（責任、義務）と同語源語。

1048 **tycoon**
[taɪkúːn]

名 （実業界などの）巨頭、大立て者（≒magnate）
► 日本語の「大君」から。

1049 **precept**
[príːsept]

① pre-（前もって）+ cept（受け取った）

名 ①（行動・判断などの）原理、原則、指針
②（宗教的・道徳的）教え、教義（≒tenet）

1050 **modulate**
[mɑ́ːʤəlèɪt | mɔ́djə-]

① modul（測定する）+ -ate 動

動 ① ～を調節する、加減する
② 〈声・音など〉の調子を変える
名 modulation 調整

1051 **unwitting**
[ʌnwítɪŋ]

形 無意識の、知らず知らずの
副 unwittingly 知らず知らず

1052 **espouse**
[ɪspáʊz]

動 〈主義・説など〉を支持する、採用する
名 espousal 支持、採用

1053 **inept**
[ɪnépt]

① in-（否定）+ ept（適した）

形 能力に欠ける、不器用な（⇔skillful, adept）
名 ineptitude 能力不足

1054 **ostensible**
[ɑːsténsəbl | ɔs-]

① ostens（見せる）+ -ible（できる）

形 表向きの、建前の

1055 **haphazardly**
[hæphǽzərdli]

① hap（偶然）+ hazard（偶然）+ -ly 副

副 無計画に、でたらめに
形 haphazard 無計画の、でたらめな

1056 **opaque**
[oʊpéɪk]

形 〈ガラス・液体などが〉不透明な、光を通さない
（≒cloudy, impenetrable）
（⇔clear, transparent）

Track 088

| | |
|---|---|
| She **upended** her purse and dumped everything out when looking for her keys. | かぎを探していた彼女は、ハンドバッグをひっくり返して中身を全部外に出した。 |
| He is **conscientious** about his health and exercises daily. | 彼は健康に気を使って、毎日運動をしている。 |
| We still have the **onerous** task of cleaning up. | 私たちにはまだあと片づけというううんざりする仕事が残っている。 |
| The media **tycoon** owns several famous TV stations, magazines, and newspapers. | そのメディア界のボスは、有名なテレビ局、雑誌、新聞をいくつも所有している。 |
| Showing respect to parents and elders is one of the main **precepts** of Confucianism. | 親と年長者に敬意を払うことは、儒教の主な教義の一つだ。 |
| She is great at **modulating** her voice to change the feeling of a song. | 彼女は声を調節して歌の印象を変えることが得意だ。 |
| He was an **unwitting** contributor to the spread of false rumors. | 彼は知らず知らずのうちに、間違ったうわさを広める片棒をかついでいた。 |
| The new theory is already being **espoused** by many respected scientists. | その新説はすでに多くの高名な科学者によって支持されている。 |
| He is **inept** at communicating with others. | 彼は人と意思疎通をするのが苦手だ。 |
| His **ostensible** reason for buying the computer was for work, not video games. | 彼がコンピュータを購入した表向きの理由は仕事のためであり、テレビゲームのためではなかった |
| Books and papers were scattered **haphazardly** on the professor's desk. | 教授の机の上には、本や書類が無造作に散らばっていた。 |
| They used an **opaque** type of glass for the bathroom windows. | 彼らは、浴室の窓には不透明なタイプのガラスを使った。 |

10/56

**1057 latent**
[léɪtənt]

形 潜んだ；潜在的な
名 latency 潜在、潜伏

**1058 extradite**
[ékstrədàɪt] ▲発音注意。

動 〈犯人・亡命者など〉を（本国などに）引き渡す、送還する
名 extradition 本国送還

**1059 revile**
[rɪváɪl]
① re-（離れて）+ vile（下劣な）

動 〈人・もの〉を非難する、あしざまに言う（≒vilify, malign）

**1060 configuration**
[kənfìgjəréɪʃən]
① con-（共に）+ figur（作る）+ -ation 名

名 （部分・要素の）配置、配列（≒layout, arrangement）

**1061 veracity**
[vərǽsəti]
① verac（真実を語る）+ -ity 名

名 正直さ；正確さ、真実性
形 veracious 〈話などが〉正確な、真実の

**1062 odious**
[óʊdiəs]
① odi（憎しみ）+ -ous（満ちた）

形 忌まわしい、嫌悪感を催す（≒horrible）

**1063 languid**
[lǽŋgwɪd]
① langu（活気がない）+ -id 形

形 〈人・動きなどが〉元気がない、気だるい（⇔lively, energetic）

**1064 mangle**
[mǽŋgl]

動 ① ～をひどく傷つける、ずたずたにする（≒maim, injure）
② ～を台無しにする（≒spoil）

**1065 extrapolate**
[ɪkstrǽpəlèɪt]

動 （既知の事実・観察から）～を推定する
名 extrapolation 推定

**1066 terse**
[tə́ːrs]

形 〈人・言葉が〉ぶっきらぼうな、素っ気ない

**1067 distend**
[dɪsténd]
① dis-（分離）+ tend（伸ばす）

動 〈肺・腹部などが〉膨らむ、膨張する；～を膨張させる
名 distension 膨張、腫れ

**1068 scoff**
[skɑ́ːf | skɔ́f]

動 （人の考えなどを）あざ笑う
► scoff at ～ で「～をあざ笑う」という意味。

Track 089

| | |
|---|---|
| When she started blogging, she uncovered a **latent** talent for writing. | ブログを始めて、彼女は文章を書く隠れた才能があることがわかった。 |
| He fled to a country that does not **extradite** criminals to the US. | 彼は犯罪者を米国に引き渡さない国へ逃亡した。 |
| The country's law is **reviled** by many as a violation of human rights. | その国の法律は、人権侵害であるとして多くの人から非難を浴びている。 |
| Seating **configurations** vary by aircraft and airline. | 座席の配列は航空機や航空会社によって異なる。 |
| The police are working to confirm the **veracity** of the witness's testimony. | 警察は目撃者の証言の信ぴょう性を確認するべく取り組んでいる。 |
| The man was sentenced to life in prison for the **odious** crime. | その男は、忌まわしい犯罪で終身刑に処せられた。 |
| The medication makes her **languid**, so she has been sleeping a lot. | 彼女は薬のせいでだるく、ずっと寝ている。 |
| Although his legs were **mangled** in the accident, he was able to walk again. | 彼は事故で両脚に重傷を負ったが、また歩けるようになった。 |
| We can **extrapolate** the lifetime value of a customer from this data. | このデータから顧客生涯価値を推定することができる。 |
| Based on his **terse** response, it was clear that he did not want to be disturbed. | 彼の素っ気ない反応から考えると、彼が邪魔されたくないのは明らかだった。 |
| A starving person's stomach may **distend** due to a lack of protein. | 飢えている人の胃は、タンパク質の欠乏のために膨張することがある。 |
| People **scoffed at** his idea for the invention, but he built it anyway. | 人々は彼の発明のアイデアをあざ笑ったが、それでも彼はそれを作った。 |

10
68

1069
## felony
[féləni]

名 （殺人・強盗などの）凶悪犯罪、重罪
► murder（殺人）、arson（放火）、rape（強姦）などを指す。
名 felon 凶悪犯
形 felonious 重罪の、凶悪な

1070
## bucolic
[bjukáːlɪk | -kɔ́l-]

形 田園的な、田舎の（≒rural, pastoral）

1071
## truncate
[trʌ́ŋkeɪt | trʌŋkéɪt]

動 ①〈文章など〉を切り詰める
（≒shorten, reduce）（⇔elongate, lengthen）
②〈幹・円すいなど〉の先端を切って短くする

1072
## cordially
[kɔ́ːrʤəli | -diəli]
! cord（心）+ -ial 形 + -ly 副

副 心から、真心を込めて
形 cordial 友好的な、心からの

1073
## amity
[ǽməti]
! ami（友人）+ -ty 名

名 （特に国家・集団間の）友好、親善（⇔enmity）

1074
## truculent
[trʌ́kjələnt]
! truc（どう猛な）+ -ulent（富む）

形 ① 攻撃的な、好戦的な
（≒aggressive）（⇔cooperative）
② 残忍な
名 truculence どう猛、残忍

1075
## luminous
[lúːmənəs]
! lumin（光）+ -ous（満ちた）

形 （暗いところで）光を発する、輝く（≒brilliant）
名 luminosity 光輝

1076
## ruffle
[rʌ́fl]

動 ①〈心など〉をかき乱す、〈人〉をいら立たせる
②〈髪など〉をくしゃくしゃにする、
〈羽など〉を逆立てる

1077
## incongruous
[ɪnkáːŋgruəs | -kɔ́ŋ-]
! in-（否定）+ congru（一致する）+ -ous 形

形 場にそぐわない、調和しない
名 incongruity 不調和
副 incongruously 不釣り合いに

1078
## bellow
[bélou]

動 怒鳴る、叫ぶ（≒shout, yell）

1079
## decree
[dɪkríː]
! de-（分離）+ cree（決める）

動 ～を（法令で）命じる、布告する
（≒declare, proclaim）
名 ①（政府などの）法令、布告
② 判決

1080
## remuneration
[rɪmjùːnəréɪʃən]
! re-（強意）+ muner（贈り物）+ -ation 名

名 報酬、謝礼（≒payment）
動 remunerate〈人〉に報酬を与える
形 remunerative 報酬の多い

| | |
|---|---|
| **Felonies**, such as kidnapping or fraud, have more serious prison sentences. | 誘拐や詐欺のような重罪には、より重い懲役刑が科される。 |
| The **bucolic** cottage was featured in a magazine about life in the countryside. | その田舎風のコテージは、田舎暮らしの雑誌で特集された。 |
| Those interviews were published in **truncated** form. | それらのインタビューは省略された形で出版された。 |
| You are **cordially** invited to our annual cancer fundraiser on June 5. | 6月5日開催の毎年恒例のがん募金イベントにぜひお越しください。 |
| The two countries signed the treaty of **amity** and commerce. | 両国は修好通商条約に調印した。 |
| He is always **truculent** and often gets into a quarrel with someone. | 彼はいつもけんか腰でしょっちゅう誰かともめている。 |
| The wolf's **luminous** red eyes are visible in the dark background of the drawing. | その絵の暗い背景の中にはオオカミの輝く赤い目が見える。 |
| The woman was obviously **ruffled** by the reporter's difficult questions. | 女性は記者の難しい質問に明らかにいらついていた。 |
| The new building appeared **incongruous** with the surrounding environment. | その新しい建物は周囲の環境と調和していないように見えた。 |
| He **bellowed** across the room so she could hear him. | 彼女に聞こえるように、彼は部屋の向こう側に怒鳴った。 |
| The local government **decreed** that smoking be banned in public places. | その自治体は公共の場での喫煙を禁じる法令を出した。 |
| He has not received **remuneration** for his work yet. | 彼はまだ仕事に対する報酬を受け取っていない。 |

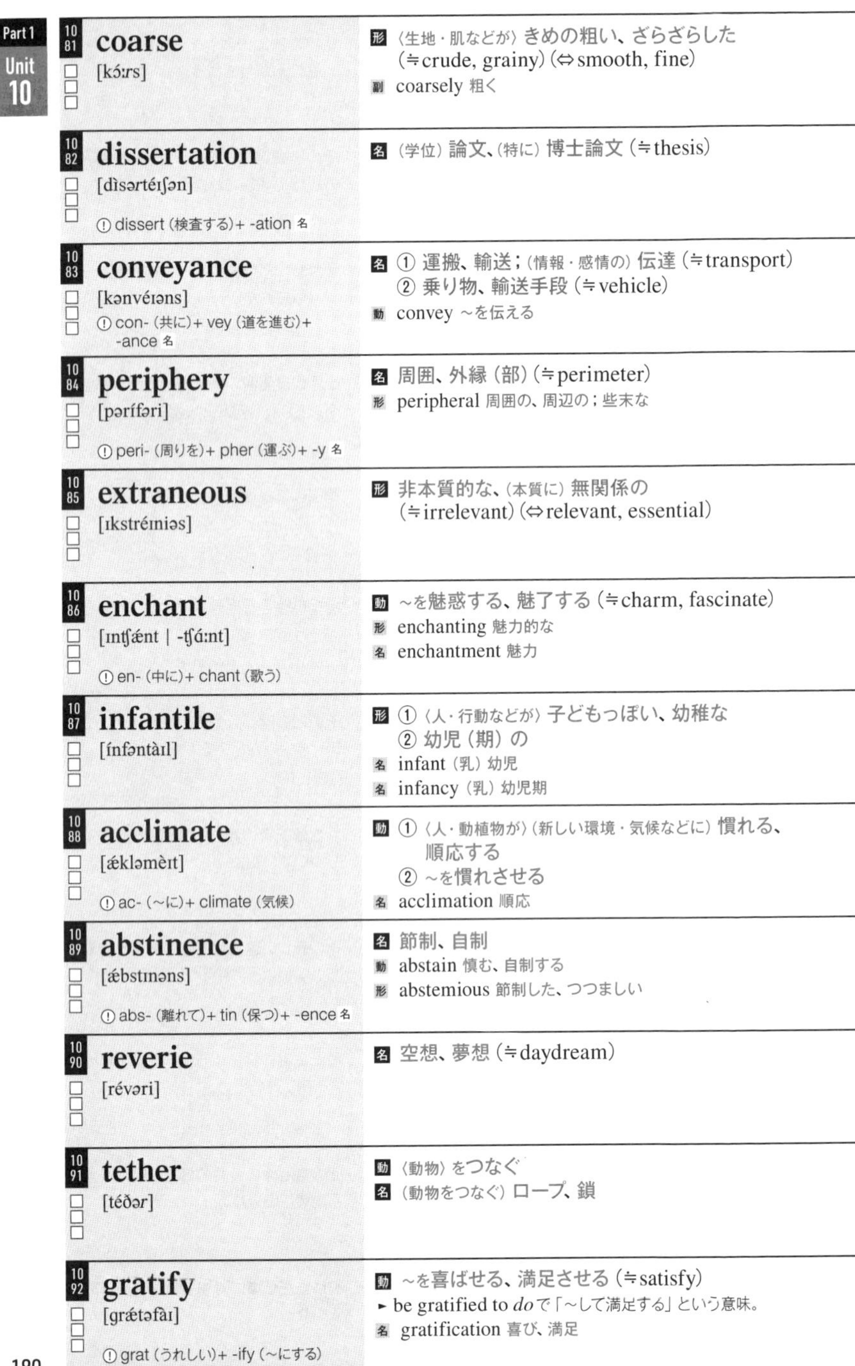

**1081 coarse** [kɔ́ːrs]

形 〈生地・肌などが〉きめの粗い、ざらざらした (≒crude, grainy) (⇔smooth, fine)
副 coarsely 粗く

**1082 dissertation** [dìsərtéɪʃən]
ⓘ dissert (検査する) + -ation 名

名 (学位) 論文、(特に) 博士論文 (≒thesis)

**1083 conveyance** [kənvéɪəns]
ⓘ con- (共に) + vey (道を進む) + -ance 名

名 ① 運搬、輸送；(情報・感情の) 伝達 (≒transport)
② 乗り物、輸送手段 (≒vehicle)
動 convey ～を伝える

**1084 periphery** [pərífəri]
ⓘ peri- (周りを) + pher (運ぶ) + -y 名

名 周囲、外縁 (部) (≒perimeter)
形 peripheral 周囲の、周辺の；些末な

**1085 extraneous** [ɪkstréɪniəs]

形 非本質的な、(本質に) 無関係の (≒irrelevant) (⇔relevant, essential)

**1086 enchant** [ɪntʃǽnt | -tʃɑ́ːnt]
ⓘ en- (中に) + chant (歌う)

動 ～を魅惑する、魅了する (≒charm, fascinate)
形 enchanting 魅力的な
名 enchantment 魅力

**1087 infantile** [ínfəntàɪl]

形 ① 〈人・行動などが〉子どもっぽい、幼稚な
② 幼児 (期) の
名 infant (乳) 幼児
名 infancy (乳) 幼児期

**1088 acclimate** [ǽkləmèɪt]
ⓘ ac- (～に) + climate (気候)

動 ① 〈人・動植物が〉(新しい環境・気候などに) 慣れる、順応する
② ～を慣れさせる
名 acclimation 順応

**1089 abstinence** [ǽbstɪnəns]
ⓘ abs- (離れて) + tin (保つ) + -ence 名

名 節制、自制
動 abstain 慎む、自制する
形 abstemious 節制した、つつましい

**1090 reverie** [révəri]

名 空想、夢想 (≒daydream)

**1091 tether** [téðər]

動 〈動物〉をつなぐ
名 (動物をつなぐ) ロープ、鎖

**1092 gratify** [grǽtəfàɪ]
ⓘ grat (うれしい) + -ify (～にする)

動 ～を喜ばせる、満足させる (≒satisfy)
► be gratified to *do* で「～して満足する」という意味。
名 gratification 喜び、満足

Track 091

| | |
|---|---|
| This cloth is very hard and **coarse**. | この布はとても硬くてきめが粗い。 |
| She completed her doctoral **dissertation** on environmental issues. | 彼女は環境問題に関する博士論文を書き上げた。 |
| The transportation company specializes in the **conveyance** of hazardous materials. | その運送会社は、危険物の輸送を専門としている。 |
| A temporary fence was erected around the **periphery** of the property. | 敷地の周囲に仮設のフェンスが設置された。 |
| If we eliminate these **extraneous** steps, we can complete the process much faster. | これらの余計な手順を省けば、私たちは工程をずっと早く終わらせることができる。 |
| Her charisma **enchanted** a lot of people. | 彼女のカリスマ性は多くの人を魅了した。 |
| She told him that his **infantile** behavior was not appropriate for a grown man. | 彼女は彼に、その幼稚な振る舞いは大人の男性にはふさわしくないと言った。 |
| It took her a couple of days to **acclimate** to the high altitude of Cusco. | 彼女は、クスコの高い標高に慣れるのに数日かかった。 |
| The campaign aims to promote **abstinence** from alcohol during pregnancy. | そのキャンペーンは、妊娠中の禁酒を促進することを目的としている。 |
| The sound startled her out of her **reverie**. | 彼女はその音に驚いて空想から引き戻された。 |
| She **tethered** her horse to a pole. | 彼女は自分の馬をポールにつないだ。 |
| I **was gratified to** hear that he agreed with me. | 私は、彼が私の意見に同意したと聞いてうれしく思った。 |

1092

|  |  |  |
|---|---|---|
| 1093 | **pompous** [pá:mpəs | pɔ́mp-] ① pomp (尊大さ) + -ous (満ちた) | 形 〈人が〉もったいぶった、尊大な；〈言葉・身ぶりなどが〉仰々しい<br>名 pomposity 尊大さ、仰々しさ |
| 1094 | **scruffy** [skrʌ́fi] | 形 薄汚い、みすぼらしい |
| 1095 | **censure** [sénʃər] ① cens (評価する) + -ure 名 | 名 非難、酷評<br>動 〈人〉を非難する、酷評する |
| 1096 | **flinch** [flíntʃ] | 動 (驚き・恐怖・苦痛などで) ひるむ、たじろぐ |
| 1097 | **duplicity** [d(j)uplísəti] ① du (2) + plic (折る) + -ity 名 | 名 二枚舌、不誠実な行為 |
| 1098 | **apparition** [æ̀pəríʃən] | 名 亡霊、幽霊 (≒ghost, specter) |
| 1099 | **spillage** [spílɪdʒ] | 名 こぼす [こぼれる] こと、こぼれたもの<br>動 spill 〈液体など〉をこぼす |
| 1100 | **stampede** [stæmpí:d] | 動 〈動物・人の集団が〉(驚き・興奮で) 一斉に逃げる<br>名 一斉に逃げる [暴走する] こと<br>► stamp (足を踏み鳴らす) と同語源語。 |
| 1101 | **clemency** [klémənsi] | 名 (敵・罪人に対する) 寛大な措置、温情 (≒mercy)<br>形 clement 寛大な、慈悲深い |
| 1102 | **chide** [tʃáɪd] | 動 ～を叱る、たしなめる (≒scold, rebuke) |
| 1103 | **trudge** [trʌ́dʒ] | 動 とぼとぼ歩く、重い足取りで歩く |
| 1104 | **edify** [édəfàɪ] | 動 ～を啓発する、教化する (≒enlighten) |

Track 092

| | |
|---|---|
| His **pompous** remarks make it clear that he thinks he is smarter than everyone else. | 彼の尊大な発言から、彼がほかの誰よりも自分は賢いと思っているのは明らかだ。 |
| The **scruffy** dog looked completely different after it got cleaned up. | その薄汚い犬は、きれいにしてやるとまったく違う犬のように見えた。 |
| The country faces international **censure** for its human rights violations. | その国は人権侵害で国際的な非難の的になっている。 |
| She **flinched** at the sound of the door slamming. | 彼女は戸がバタンと閉まる音にびくっとした。 |
| He was a good liar and I was not able to recognize his **duplicity**. | 彼はうそがうまく、私は彼に裏表があることを見抜けなかった。 |
| The child claimed that a ghostly **apparition** appeared outside of his window. | その子どもは、窓の外に幽霊のような姿が現れたと主張した。 |
| She put the container in a plastic bag in case of **spillage**. | こぼれた場合に備えて、彼女はその容器をビニール袋に入れた。 |
| Herds of buffalo are **stampeding** across the plains. | バッファローの群れが大挙して草原を横切っていく。 |
| They started a campaign for **clemency** in that case. | 彼らはその裁判で寛大な措置を求める運動を始めた。 |
| The teacher **chided** students for their lack of effort. | 先生は、生徒たちの努力が足りないと言って叱った。 |
| She **trudged** through the snow, wishing that she were wearing waterproof boots. | 彼女は防水ブーツを履いていればと思いながら、雪の中をとぼとぼと歩いた。 |
| The book **edifies** readers with its unique presentation of Buddhist concepts. | その本は仏教の諸概念について独自の表現によって読者を啓発する。 |

11
04

1105 **sordid** [sɔ́ːrdəd]

形 ① 〈内容・行為などが〉下劣な、浅ましい（≒filthy, sleazy）（⇔decent, reputable）
② 〈場所・環境などが〉不潔な、むさくるしい（≒filthy, squalid）

1106 **alacrity** [əlǽkrəti]

名 機敏さ；乗り気
► with alacrity で「即座に、迅速に」という意味。

1107 **ludicrous** [lúːdəkrəs]

① ludicr（遊び）+ -ous（満ちた）

形 〈行為・考えなどが〉こっけいな、ばかげた（≒ridiculous）

1108 **vehement** [víːəmənt]

形 〈感情・主張などが〉激しい、強烈な

1109 **annulment** [ənʌ́lmənt]

① an-（～に）+ nul（ゼロ）+ -ment 名

名 無効（宣告）、取り消し
動 annul ～を無効にする

1110 **docile** [dɑ́ːsl | dóʊsaɪl]

① doc（教える）+ -ile（できる）

形 〈子ども・動物などが〉従順な、扱いやすい（≒compliant）
名 docility おとなしさ、従順さ

1111 **bombastic** [bɑːmbǽstik | bɔm-]

① bombast（詰めものの綿）+ -ic 形

形 〈人・言葉などが〉大げさな、大言壮語する
名 bombast 大言壮語

1112 **erudite** [érjədàɪt | éru-]

① e-（外に）+ rud（粗野な）+ -ite 形

形 博識な、博学な（≒learned）
名 erudition 博識、博学

1113 **pernicious** [pərníʃəs]

① per-（破壊）+ nic（死）+ -ious 形

形 悪影響を及ぼす、非常に有害な（≒damaging, detrimental）
► 気づかれにくいものについて使う。

1114 **felicity** [fəlísəti]

① felic（幸福な）+ -ity 名

名 至福、幸運（≒bliss）
形 felicitous 幸運な

1115 **scrounge** [skráʊndʒ]

動 （〈金品〉を）せびる、ねだる

1116 **laborious** [ləbɔ́ːriəs]

① labor（労働）+ -ious（満ちた）

形 〈作業工程などが〉手間のかかる、努力を要する
副 laboriously 手間をかけて

Track 093

| | |
|---|---|
| The **sordid** affair was kept secret for a long time. | その浅ましい出来事は長い間秘密にされてきた。 |
| He accepted our offer **with alacrity**. | 彼は私たちの申し出に二つ返事で応じてくれた。 |
| He made a **ludicrous** suggestion during the meeting, and everyone laughed. | 彼は会議中にばかげた提案をして、皆に笑われた。 |
| She spoke with **vehement** passion about the need for cheaper healthcare services. | 彼女は、より安価な医療サービスの必要性についてとても熱く語った。 |
| The team announced the **annulment** of its contract with the foreign player. | チームはその外国人選手との契約解除を発表した。 |
| The horse looks very **docile**. | その馬はとてもおとなしそうに見える。 |
| The candidate delivered a **bombastic** speech about how he would fix the economy. | その候補者は、経済をどう立て直すつもりかについて大げさな演説をした。 |
| Isaac Newton is considered one of the most **erudite** scholars in the history of science. | アイザック・ニュートンは、科学史上最も博識な学者の一人とされている。 |
| They are blaming the TV program, saying it has a **pernicious** influence on children. | 彼らは、子どもに有害な影響を与えているとして、そのテレビ番組を非難している。 |
| She appeared to be in a state of complete **felicity**. | 彼女はこの上なく幸せな状態に見えた。 |
| He often **scrounges** money from his parents and friends. | 彼はよく親や友人に金をせびっている。 |
| Translating an entire book is a **laborious** task that requires attention to detail and patience. | 本を全訳するのは、細部への注意力と忍耐力を必要とする手間のかかる作業だ。 |

11
16

1117 **incinerate** [ɪnsínərèɪt]
① in- (～に) + ciner (灰) + -ate (～にする)
動 〈ごみなど〉を焼却する；〈死体〉を火葬する
名 incineration 焼却；火葬

1118 **twitch** [twítʃ]
動 〈体・筋肉などが〉ぴくぴく動く
名 けいれん

1119 **strident** [stráɪdnt]
形 〈声・音が〉キーキーいう、耳ざわりな
名 stridency 耳ざわりなこと

1120 **inclination** [ìnklənéɪʃən]
① in- (～のほうに) + clin (傾斜する) + -ation 名
名 気持ち、意向；傾向
形 inclined 傾向がある

1121 **clobber** [klɑ́:bər | klɔ́bə]
動 〈人・チーム〉を決定的に打ち負かす

1122 **perturb** [pərtə́:rb]
① per- (完全に) + turb (混乱させる)
動 〈人〉を不安にする、動揺させる
名 perturbation 心の動揺、狼狽

1123 **billow** [bílou]
動 〈カーテン・帆などが〉(風で) 膨らむ
名 大波
形 billowy 大波の立つ

1124 **reticent** [rétəsənt]
① re- (強意) + ticent (黙っている)
形 無口な、口が重い
名 reticence 無口

1125 **extrinsic** [ekstrínzɪk]
形 ① 外部 (から) の、外的な (≒external) (⇔intrinsic)
② 本質的でない

1126 **encumber** [ɪnkʌ́mbər]
① en- (中に) + cumber (邪魔)
動 〈人 (の行動)〉を妨げる、～の足手まといになる

1127 **restitution** [rèstət(j)ú:ʃən]
① re- (再び) + stitut (建てる) + -ion 名
名 (所有者への) 返却、返還；(損害などの) 補償

1128 **impel** [ɪmpél]
① im- (～に) + pel (追いやる)
動 〈人〉を駆り立てる、強いる (≒compel, force)
名 impulse 衝動

Track 094

| | |
|---|---|
| The island nation **incinerates** about 80 percent of its solid waste. | その島国では、固形廃棄物の約80パーセントが焼却されている。 |
| His lips were **twitching** as he suppressed a laugh. | 笑いをこらえている間、彼の唇はぴくぴく動いていた。 |
| The suddenly **strident** tone of her voice startled him. | 彼女の突然のきつい口調が彼を驚かせた。 |
| Her initial **inclination** was to say no, but in the end she agreed to it. | 彼女は最初は拒むつもりだったが、結局はそれに同意した。 |
| The superhero **clobbered** the villain in the final battle of the movie. | スーパーヒーローはその映画の最後の戦いで悪役を倒した。 |
| He was **perturbed** by his unfamiliar surroundings. | 彼は慣れない環境に不安になった。 |
| The curtains **billowed** in the breeze. | カーテンがそよ風をはらんで膨らんだ。 |
| He is **reticent** about discussing his past, but no one knows why. | 彼は自分の過去について話したがらないが、その理由は誰も知らない。 |
| Money and praise are examples of **extrinsic** motivation. | 金銭や称賛は外発的動機づけの例である。 |
| The climbers were **encumbered** by all of their gear. | 登山者たちはその装備のせいで動きにくかった。 |
| He was ordered to pay **restitution** for the damages caused by the fire. | 彼は、火災によって生じた損害の賠償をするよう命じられた。 |
| He felt **impelled** to express his own opinion. | 彼は自らの意見を表明しなければならないと感じた。 |

11
28

|  |  |  |
|---|---|---|
| 1129 | **rankle** [rǽŋkl] | 動 〈人〉の心を苦しめる |
| 1130 | **absurdity** [əbsə́ːrdəti] | 名 ① ばかげたこと［もの］ ② 不合理、不条理<br>形 absurd ばかげた；不合理な |
| 1131 | **onrush** [ánrʌ̀ʃ \| ɔ́n-] | 名 ① 突然の発展 ② 突進、突撃 |
| 1132 | **cogitate** [kɑ́ːʤətèɪt \| kɔ́ʤ-] | 動 熟考する、熟慮する（≒contemplate）<br>名 cogitation 熟考 |
| 1133 | **gnaw** [nɔ́ː] ▲ 発音注意。 | 動 ① 〈人・動物が〉（〈もの〉を）かじる、かじり取る<br>② ［gnaw at ~］〈人・心など〉を苦しめる、さいなむ |
| 1134 | **ingenious** [ɪnʤíːnjəs \| -iəs]<br>① in-（中に）+ geni（才能）+ -ous（満ちた） | 形 ① 〈方法・計画・装置などが〉見事な、うまくできた<br>② 〈人が〉創意に満ちた（≒innovative）（⇔foolish）<br>名 ingenuity 巧妙さ、創意 |
| 1135 | **deity** [díːəti \| déɪɪ-]<br>① dei（神）+ -ty 名 | 名 神、女神（≒god, goddess）<br>動 deify ~を神格化する<br>名 deification 神格化 |
| 1136 | **accede** [əksíːd]<br>① ac-（~に）+ cede（譲る） | 動 （要求・提案などに）（譲歩して）同意する、応じる<br>► accede to ~ で「~を受け入れる」という意味。<br>名 accession 同意 |
| 1137 | **entwine** [ɪntwáɪn] | 動 ~を巻きつける、絡ませる |
| 1138 | **lubricate** [lúːbrəkèɪt]<br>① lubric（よく滑る）+ -ate（~にする） | 動 〈機械など〉に油を差す（≒grease）<br>名 lubricant 潤滑油 |
| 1139 | **paucity** [pɔ́ːsəti] | 名 ① 不足、欠乏（≒lack） ② 少数、少量 |
| 1140 | **virulent** [vírələnt \| víru-]<br>① viru（毒）+ -(u)lent（富む） | 形 ① 〈病気などが〉悪性の、伝染力の強い、致命的な<br>② 〈言葉・人などが〉悪意に満ちた<br>名 virulence 悪性；悪意 |

Track 095

| | |
|---|---|
| It still **rankles** me that they made fun of me. | 彼らが私をばかにしたことは今でも苦々しく思っている。 |
| We could not help laughing at the **absurdity** of the situation. | 状況のばからしさに私たちは笑わずにはいられなかった。 |
| The **onrush** of technology has brought about many changes in society. | 科学技術の急速な発達は社会に大きな変化をもたらした。 |
| We may need to **cogitate** further on this matter. | この件についてはさらなる熟慮を要するだろう。 |
| The power outage was caused by a rat that had **gnawed** on some wires. | その停電は、ネズミが電線をかじったことが原因で起きた。 |
| The inventor's **ingenious** idea earned him a fortune. | その発明家は見事なアイデアで大金を手に入れた。 |
| The planet was named after an ancient Greek **deity**. | その惑星は古代ギリシャの神にちなんで名づけられた。 |
| The board refused to **accede to** the union's demand. | 取締役会は組合の要求の受け入れを拒んだ。 |
| A young couple were walking on the street with their arms **entwined**. | 若いカップルが腕を組んで通りを歩いていた。 |
| She **lubricates** the motorcycle chain every three months. | 彼女は３か月に１回、オートバイのチェーンに油を差す。 |
| The country has suffered from a **paucity** of natural resources. | その国は天然資源の不足に悩まされてきた。 |
| The **virulent** disease spread rapidly across the country. | その悪性の病気は急速に国中に広がった。 |

1141 **debonair** [dèbənéər]
形 〈男性が〉感じのよい、おしゃれな、粋な
► 古仏語 de bon aire（気立てのよい）から。

1142 **deprecate** [déprəkèɪt]
① de-（反して）+ prec（祈る）+ -ate 動
動 ～を批判する；～に反対する、不賛成を唱える
名 deprecation 不賛成

1143 **incriminate** [ɪnkrímənèɪt]
① in-（上に）+ crim(in)（罪）+ -ate（～にする）
動 〈人〉に罪を負わせる、〈人〉を有罪にする

1144 **pare** [péər]
動 ①（ナイフなどで）〈果物など〉の皮をむく（≒peel）
②～を切り詰める、削減する

1145 **sullen** [sʌ́lən]
形 ① 不機嫌な、押し黙った
②〈空・天気が〉うっとうしい、陰うつな

1146 **delirious** [dɪlíəriəs]
形 ① 精神が錯乱した
②（喜びで）非常に興奮した、有頂天の
名 delirium（一時的）精神錯乱、せん妄状態

1147 **schism** [skízm]
名（組織などの）分裂、分離
（≒split, division, separation）
形 schismatic 分裂の

1148 **rendezvous** [rá:ndəvù: | rɔ́ndɪ-] ⚠ 発音注意。
名 ① 待ち合わせ、（会う）約束 ② 待ち合わせ場所
動（待ち合わせして）会う

1149 **hibernate** [háɪbərnèɪt]
① hibern（冬）+ -ate 動
動 冬眠する
名 hibernation 冬眠

1150 **egregious** [ɪgrí:ʤəs]
① e-（外に）+ greg（群れ）+ -ious 形
形 実にひどい、目に余る

1151 **equilibrium** [ì:kwəlíbriəm]
① equi（等しい）+ libr（天秤）+ -ium 名
名 ①（相反する利害などの）均衡、釣り合い
②（心の）平静、落ち着き

1152 **prodigious** [prədíʤəs]
形 驚嘆すべき、並外れた
（≒incredible, marvelous, enormous）
名 prodigy 驚嘆すべきもの；神童

Track 096

| | |
|---|---|
| She was approached by a **debonair** gentleman in a fancy suit. | 彼女はしゃれたスーツを着た感じのよい紳士に声をかけられた。 |
| She **deprecated** the government's attitude toward unemployment. | 彼女は政府の失業に対する姿勢に不賛成を唱えた。 |
| You are never required to answer any question that could **incriminate** yourself. | 自分の不利になるかもしれない質問には一切答える必要はありません。 |
| He **pared** an apple for me. | 彼は私のためにリンゴの皮をむいてくれた。 |
| She looked **sullen** during the party. | 彼女はパーティーの間中ずっと不機嫌そうに見えた。 |
| She was **delirious** and nothing she said made sense. | 彼女は錯乱していて、訳のわからないことを言っていた。 |
| This event caused a **schism** in the local community. | この出来事が地域社会に分裂をもたらした。 |
| She and the journalist planned a secret **rendezvous** to discuss the issue. | 彼女とジャーナリストは、その問題について話し合うためこっそりと会う約束をした。 |
| Bears will soon start to get ready to **hibernate**. | そろそろクマが冬眠の準備を始めるころだ。 |
| It is surprising that a book with so many **egregious** errors was published. | 目に余るような誤りをこれほど多く含む本が出版されたのは驚きだ。 |
| The government policy has caused supply and demand to be out of **equilibrium**. | 政府の政策により、需要と供給の均衡が崩れた。 |
| The beautiful landscape painting was a **prodigious** achievement for a twelve-year-old child. | その美しい風景画は、12 歳の子どもとしては驚異的な作品だった。 |

11
52 ▸

1153 **tinge** [tíndʒ]
名 ① 色合い（≒hint）
② [a tinge of ~] ～じみたところ
形 tinged ～気味の

1154 **drool** [drúːl]
動 ①〈人・動物が〉よだれを垂らす
② たわごとを言う
名 よだれ

1155 **dainty** [déɪnti]
! dain（価値のある）+ -ty 名
形〈もの・容姿などが〉小さくて上品な；〈動作が〉優美な（≒tiny, delicate, cute）（⇔huge, lumbering）
副 daintily 優美に

1156 **heist** [háɪst]
名 強盗、銀行破り（≒robbery）

1157 **facet** [fǽsɪt]
名（ものごとの）一面、側面（≒side, aspect）

1158 **anoint** [ənɔ́ɪnt]
動〈人・都市など〉を選定する、指定する
► 原義は「〈人〉を聖油で聖別する」という意味。
名 anointment 聖別

1159 **malevolent** [məlévələnt]
! male（悪い）+ vol（意志）+ -ent 形
形 悪意のある（≒evil）（⇔benevolent）
名 malevolence 悪意、敵意

1160 **prowl** [práʊl]
動 ①〈動物が〉（獲物を求めて）うろつく、徘徊（はいかい）する
②（犯罪目的で）うろつく

1161 **beguile** [bɪgáɪl]
! be-（完全に）+ guile（だます）
動 ① ～を巧みにだます（≒deceive）
②〈人〉を魅了する ► beguile A into *do*ing で「A をだまして～させる」という意味。
形 beguiling 魅力的な

1162 **dissonance** [dísənəns]
! dis-（否定）+ son（音）+ -ance 名
名 ①（意見などの）不一致、不調和（≒conflict, discord, disagreement）（⇔harmony, agreement） ② 不協和音
形 dissonant 不一致の；不協和音の

1163 **incumbent** [ɪnkʌ́mbənt]
! in-（～に）+ cumb（よりかかる）+ -ent 形
形 現職の
名 現職者、在任者
名 incumbency 在職、職務

1164 **maim** [méɪm]
動〈人〉に重傷を負わせる

Track 097

| | |
|---|---|
| The sky had an orange **tinge** to it. | 空はオレンジ色を帯びていた。 |
| The baby's shirt was wet because he had **drooled** so much. | あんまりよだれを垂らすので、赤ちゃんのシャツは濡れていた。 |
| The café serves assortments of **dainty** sandwiches on beautiful trays. | そのカフェでは、小さくて上品なサンドイッチの盛り合わせを美しいトレイに載せて提供している。 |
| He was charged with a **heist** of three million dollars in cash. | 彼は現金300万ドルの強盗の罪で起訴された。 |
| Our website explains every **facet** of Japanese life. | 私たちのウェブサイトでは日本の生活のあらゆる面を解説しています。 |
| It was **anointed** as the best Indian restaurant in town. | そこは、町で一番おいしいインド料理レストランに選ばれた。 |
| In the story of *Sleeping Beauty*, the **malevolent** witch casts a spell on the princess. | 『眠れる森の美女』の物語では、邪悪な魔女が王女に魔法をかける。 |
| The cat was **prowling** around in search of mice. | その猫はネズミを探してうろついていた。 |
| They were **beguiled into** investing their savings into the risky business. | 彼らはだまされて、貯蓄を危険なビジネスに投資した。 |
| There is often **dissonance** between how a person perceives herself and how others perceive her. | 人が自分をどう認識しているかと、他人がその人をどう認識しているかとは、しばしば一致しない。 |
| The **incumbent** champion will defend his title in tomorrow's boxing match. | 現チャンピオンは明日のボクシングの試合でタイトルを防衛するだろう。 |
| The soldier was **maimed** in the explosion, but at least he survived. | その兵士は爆発で重傷を負ったが、ともかく命は助かった。 |

1165 **remnant** [rémnənt]
① re-（後ろに）+ mn（留まる）+ -ant 名

名 ① 名残、面影 ②（布の）端切れ

1166 **topple** [tá:pl | tɔ́pl]

動 ① ～を倒す、ぐらつかせる；倒れる、ぐらつく（≒tumble）
② 〈政府など〉を転覆させる（≒overthrow）

1167 **impertinent** [ɪmpə́:rtənənt]
① im-（否定）+ pertinent（適切な）

形 〈人・態度などが〉生意気な、無礼な
名 impertinence 生意気、無礼

1168 **aberration** [æbəréɪʃən]
① ab-（～から）+ errat（それる）+ -ion 名

名 （常軌の）逸脱、異常
形 aberrant 常軌を逸した

1169 **chuckle** [tʃʌ́kl]

動 くすくす笑う、ほくそ笑む
名 含み笑い（すること）

1170 **presumptuous** [prɪzʌ́mptʃuəs]

形 〈人・行為などが〉厚かましい、出しゃばった

1171 **chasten** [tʃéɪsn]
① chaste（道徳的に純粋な）+ -en（～にする）

動 〈人〉に恥ずかしい思いをさせる
形 chastened 反省した、罰せられた

1172 **percolate** [pə́:rkəlèɪt]
① per-（通して）+ colate（しみ出る）

動 ① 〈考え・情報などが〉浸透する、広まる
② 〈液体・光などが〉しみ通る、漏れる；ろ過される
名 percolation 透過；ろ過

1173 **jiggle** [dʒígl]

動 小刻みに揺れ動く

1174 **trepidation** [trèpədéɪʃən]
① trepid（震える）+ -ation 名

名 （これから起こる出来事についての）不安、恐れ（≒apprehension, dread, fright）

1175 **capricious** [kəpríʃəs]

形 ① 〈人・態度などが〉気まぐれな、移り気な（≒unpredictable）
② 〈天候などが〉変わりやすい、不安定な（≒changeable）

1176 **crumple** [krʌ́mpl]

動 〈紙・布など〉をしわくちゃにする；〈紙・布などが〉しわくちゃになる
► up を伴うことが多い。

Track 098

| | |
|---|---|
| Millions of tourists come to see the **remnants** of ancient Rome. | 何百万人もの観光客が古代ローマの面影を見にやってくる。 |
| Experts say that the tower **toppled** because its base was not built properly. | 専門家によると、その塔が倒れたのは土台がきちんと作られていなかったからだ。 |
| He asked her age, her weight, and other **impertinent** questions. | 彼は彼女に対して、年齢や体重、その他の無礼な質問をした。 |
| Using such words is an **aberration** for him. | 彼がそんな言葉を使うのは普通はないことだ。 |
| The audience **chuckled** at the lecturer's joke. | 聴衆は講演者の冗談にくすくす笑った。 |
| It would be **presumptuous** of me to tell her how she should raise her kids. | 私が彼女に子どもたちをどう育てるべきか言ったりしたら、おこがましい。 |
| He was **chastened** by the criticism from his boss regarding his performance. | 業績に関する上司からの批判に、彼は恥ずかしい思いをした。 |
| The ideas began to **percolate** in his mind as he continued to consider the problem. | その問題を検討し続けるうちに、彼の頭にその考えが広がってきた。 |
| I heard the doorknob **jiggle** as someone tried to open the door. | 誰かが戸を開けようとして、ドアノブががちゃがちゃ音を立てるのが聞こえた。 |
| Investors are watching the market with great **trepidation**. | 投資家たちは大きな不安を胸に市場の動向を見ている。 |
| Due to his mother's **capricious** moods, he never knows how she will react. | 彼の母親は気分がころころ変わるので、彼は彼女がどう反応するかまったくわからない。 |
| She **crumpled up** the paper and threw it in the trash. | 彼女はその紙をくしゃくしゃに丸めて、ゴミ箱に捨てた。 |

11/76

1177
**epiphany**
[ɪpífəni]
名 突然のひらめき、悟り

1178
**elated**
[ɪléɪtɪd]
① e- (外に) + lat (運ぶ) + -ed 形
形 大喜びで、有頂天で
(≒excited, glad, overjoyed)
(⇔disappointed, sad, depressed)
名 elation 大喜び、有頂天

1179
**nominally**
[ná:mənəli | nɔ́m-]
① nomin (名前) + -al 形 + -ly 副
副 名目上は、名ばかりは (≒technically)
形 nominal 名目上の、名ばかりの

1180
**abrasive**
[əbréɪsɪv]
形 〈性格・態度などが〉いらいらさせる；
〈音が〉耳障りな
動 abrade ～をすり減らす；〈神経〉を逆なでする
名 abrasion すり傷

1181
**platitude**
[plǽtət(j)ù:d]
① plat (平たい) + -itude 名
名 陳腐な言葉、決まり文句

1182
**aspiration**
[æ̀spəréɪʃən]
① a- (～に) + spir (息をする) + -ation 名
名 野心、大望、大志 (≒desire, ambition)
動 aspire 熱望する
形 aspiring 意欲あふれる

1183
**abhorrent**
[æbhɔ́:rənt | əbhɔ́r-]
① ab- (離れる) + horr (身震いする) + -ent 形
形 嫌悪感を抱かせて
動 abhor 〈こと・人〉を憎悪 [嫌悪] する
名 abhorrence 憎悪、嫌悪 (感)

1184
**auxiliary**
[ɔ:gzíljəri | -zíliəri]
形 補助の；予備の

1185
**nibble**
[níbl]
動 (〈食べ物など〉を) 少しずつかじる

1186
**penitent**
[pénɪtənt]
形 (犯した罪を) 後悔して、ざんげして
名 penitence 後悔、ざんげ

1187
**embitter**
[ɪmbítər]
① em- (～にする) + bitter (苦い)
動 〈人〉につらい思いをさせる
► embittered (つらい思いを抱いた) の形でも使われる。

1188
**bungle**
[bʌ́ŋgl]
動 (〈仕事など〉を) しくじる (≒botch)

Track 099

| | |
|---|---|
| He was in the shower when he had an **epiphany** about how to end his novel. | 彼は、シャワーを浴びている最中に、自分の小説の終わらせ方がひらめいた。 |
| They were **elated** at the birth of their first child. | 彼らは初めての子どもの誕生に大喜びしていた。 |
| The CEO is **nominally** in charge, but the COO is the real leader of the company. | CEOは名目上は責任者だが、COOが会社の真の意味でのリーダーだ。 |
| My uncle often offends people with his **abrasive** manner. | 私のおじは、不愉快な態度で人をよく怒らせる。 |
| His speech was full of **platitudes** and there was nothing to listen to. | 彼の話は陳腐な言葉ばかりで聞くべきところははなかった。 |
| The counselor spoke with the student about his hopes and **aspirations** for the future. | カウンセラーは、将来の希望や抱負について生徒と話をした。 |
| Any forms of discrimination are **abhorrent** to us all. | どんな形の差別も我々全員にとって忌むべきものだ。 |
| The hospital is now recruiting **auxiliary** staff. | その病院では現在、補助スタッフを募集している。 |
| She **nibbled** on a piece of bread as she worked. | 彼女は働きながらパンをかじった。 |
| He claimed to be **penitent** for his mistakes and promised to do better. | 彼は自分の過ちを後悔していると言い、改善すると約束した。 |
| The death of their little child greatly **embittered** them. | 幼い子どもの死は彼らを非常に悲しませた。 |
| The police **bungled** the investigation of the crime. | 警察はその犯罪の捜査に失敗した。 |

1189 **hobble** [há:bl | hɔ́bl]

動 足を引きずって歩く（≒limp）

1190 **satirize** [sǽtəràɪz]

動 ～を風刺する、皮肉る
名 satire 風刺、皮肉
形 satirical 風刺的な

1191 **spree** [sprí:]

名 度を過ごすこと、ばか騒ぎ

1192 **improvise** [ímprəvàɪz]

① im-（否定）+ pro-（前に）+ vise（見る）

動 （～を）即興で作る
名 improvisation 即興で作ること

1193 **irk** [ə́:rk]

動 〈人〉をうんざりさせる、いらいらさせる
形 irked いらいらして
形 irksome いらだたしい

1194 **jeer** [dʒíər]

動 （人を）あざける、やじる
名 あざけり、やじ

1195 **flippant** [flípənt]

形 〈人・発言などが〉不真面目な、ふざけた（≒frivolous）

1196 **predilection** [prèdəlékʃən | prì:dɪ-]

名 強い好み、偏愛

1197 **enigmatic** [ènɪgmǽtɪk]

形 〈人・ものが〉不思議な、謎めいた（≒mysterious）
名 enigma 謎

1198 **allegory** [ǽləgɔ̀:ri | -gəri]

名 寓話（ぐうわ）；寓意的作品
形 allegoric 寓話的な

1199 **trickle** [tríkl]

動 〈液体が〉少しずつ流れる、したたり落ちる
名 滴、したたり
► trickle down (~) で「（～を）したたり落ちる」という意味。

1200 **inanimate** [ɪnǽnəmət]

① in-（否定）+ anim（生命）+ -ate 形

形 生命のない、無生物の（≒lifeless）（⇔animate, living）

Track 100

| | |
|---|---|
| The injured player **hobbled** off the field with the help of his teammates. | 負傷した選手は、チームメイトの助けを借りて足を引きずりながらフィールドから出た。 |
| The play **satirized** three of the most corrupt politicians of the time. | その芝居は当時の最も腐敗した３人の政治家を風刺したものだ。 |
| Her grandmother took her on a shopping **spree** for her birthday. | 祖母は彼女を連れて誕生日の買い物三昧に繰り出した。 |
| His presentation materials would not load, so he had to **improvise**. | プレゼンの資料がどうしても読み込めなかったので、彼はプレゼンを即興で行わなければならなった。 |
| The city council's decision **irked** many people. | 市議会の決定に多くの住民がいら立った。 |
| The crowd **jeered** at the player who injured the star quarterback. | 観客は、花形のクォーターバックを負傷させた選手にやじを飛ばした。 |
| The audience was offended by his **flippant** remark. | 聴衆は彼のふざけた発言に気分を害した。 |
| She admitted to having a **predilection** for romance novels. | 彼女は恋愛小説好きであることを認めた。 |
| She approached me with an **enigmatic** smile. | 彼女は謎めいたほほ笑みを浮かべて私に近づいてきた。 |
| This story can be read as a religious **allegory**. | この物語は宗教的寓話として読むことができる。 |
| Blood **trickled down** his face as a result of the injury to his head. | 彼は頭にけがをして、血が顔をしたたり落ちた。 |
| The octopus can disguise itself as **inanimate** objects. | タコは無生物に擬態することができる。 |

1200

1201 **adjudicate**
☐☐☐
[ədʒúːdɪkèɪt]
① ad-（〜に）+ judic（裁く）+ -ate 動

動〈法廷などが〉〈事件など〉を裁く（≒judge）

1202 **connive**
☐☐☐
[kənáɪv]

動 ① 共謀する（≒conspire）
② （悪事などを）見逃す、黙認する

1203 **condescending**
☐☐☐
[kɑ̀ːndəséndɪŋ | kɔ̀n-]
① con-（強意）+ descend（下る）+ -ing 形

形〈人・態度が〉相手を見下すような、尊大な
動 condescend 偉そうな態度を取る
名 condescension 相手を見下す態度

1204 **dank**
☐☐☐
[dǽŋk]

形〈洞穴などが〉じめじめした、湿っぽくて寒い（≒damp）

1205 **cursory**
☐☐☐
[kə́ːrsəri]
① curs（走る）+ -ory 形

形 大まかな、急ぎの

1206 **faze**
☐☐☐
[féɪz]

動〈人〉を狼狽（ろうばい）させる、ひるませる

1207 **suave**
☐☐☐
[swɑ́ːv]

形〈特に男性が〉温厚な、人当たりのよい（≒smooth）
名 suavity 人当たりのよさ

1208 **conducive**
☐☐☐
[kənd(j)úːsɪv]

形（よい結果に）資する、貢献する
動 conduce 貢献する

1209 **obfuscate**
☐☐☐
[ɑ́ːbfəskèɪt | ɔ́bfʌs-]
① ob-（完全に）+ fusc（暗い）+ -ate（〜にする）

動 〜をわかりにくくする

1210 **sanctity**
☐☐☐
[sǽŋktəti]
① sanct（神聖な）+ -ity（状態）

名 神聖さ、尊厳（≒sacredness）
動 sanctify 〜を神聖化する

1211 **elocution**
☐☐☐
[èləkjúːʃən]
① e-（外に）+ locu（話す）+ -tion 名

名 演説法；発声法、明晰（めいせき）な話し方
形 eloquent 雄弁な
名 eloquence 雄弁

1212 **amenable**
☐☐☐
[əmíːnəbl]
① amen（導く）+ -able（できる）

形（忠告・提案・求めなどに）進んで従う、従順な（≒obedient）

Track 101

| | |
|---|---|
| An independent body **adjudicated** the dispute between the supermarket and the suppliers. | 独立の機関がスーパーと納入業者の間の争いを決着させた。 |
| They **connived** with some officials to steal public money. | 彼らは役人と共謀して公金を横領した。 |
| Some doctors had a **condescending** attitude toward their patients. | 患者に対して見下すような態度を取る医者もいた。 |
| The inside of the cave was dark and **dank**. | 洞窟の内部は暗くてじめじめしていた。 |
| A **cursory** exam of his arm did not reveal any serious injuries. | 彼の腕をざっと調べたところ、ひどい傷はなかった。 |
| She did not seem to be **fazed** at all. | 彼女は少しもひるんだ様子を見せなかった。 |
| The actor is famed for his **suave** manner. | その俳優は柔らかい物腰で有名だ。 |
| Her noisy apartment is not **conducive** to concentration. | 彼女の騒々しいアパートは集中するのに向かない。 |
| His explanation only **obfuscated** the issue further. | 彼の説明は問題をいっそうわかりにくくしただけだった。 |
| This chapter thoroughly discusses the **sanctity** of life. | この章では生命の尊厳について徹底的に論じている。 |
| She decided to take **elocution** lessons to lose her Scottish accent. | 彼女はスコットランドなまりをなくすために、発声法のレッスンを受けることにした。 |
| The company was **amenable** to negotiating a higher salary for her. | 会社は彼女の給料を上げる交渉に応じた。 |

12
12

**1213 creed** [kríːd]
名 ① 信条、主義（≒doctrine, dogma）
② （宗教の）教義

**1214 cranky** [krǽŋki]
形 ① 気難しい、怒りっぽい（≒irritable）
② 〈考え方・態度などが〉風変わりな、奇妙な（≒eccentric）
► ②はイギリス英語。

**1215 disposition** [dìspəzíʃən]
① dis-（分離）+ posit（置く）+ -ion 名
名 （人の）気質、傾向（≒nature, temperament, personality, tendency）

**1216 enliven** [ɪnláɪvn]
① en-（〜にする）+ liv（生きている）+ -en（〜にする）
動 〜を活気づける、にぎやかにする

**1217 insolent** [ínsələnt]
① in-（否定）+ sol（慣れて）+ -ent 形
形 〈人・態度などが〉生意気な、無礼な（≒impertinent, rude）
名 insolence 生意気、無礼

**1218 ambient** [ǽmbiənt]
形 ① 周囲の、環境の
② 〈音楽が〉リラックスできる
名 ambience （場所・場面の）雰囲気

**1219 lunge** [lʌ́ndʒ]
動 突進する

**1220 rig** [ríg]
動 〈投票・価格など〉を不正に操作する（≒fix, manipulate）

**1221 partisan** [pɑ́ːrtəzn | pɑ̀ːtɪzǽn]
名 （盲目的・熱狂的な）支持者（≒champion）

**1222 rupture** [rʌ́ptʃər]
① rupt（破る）+ -ure 名
名 ① 破裂
② （友好関係の）決裂、断絶（≒break, split）

**1223 shimmer** [ʃímər]
動 かすかに光る、揺らめいて光る

**1224 loiter** [lɔ́ɪtər]
動 （目的もなく）うろうろする、ぶらつく

Track 102

| | |
|---|---|
| We cannot support this policy because it goes against our **creed**. | この政策は我々の信条に反するものであり、支持することはできない。 |
| She was a little tired and **cranky**. | 彼女は少し疲れていらいらしていた。 |
| She has an optimistic **disposition**, even in the most difficult of situations. | 彼女は、最も困難な状況でも楽観的な傾向にある。 |
| The residents discussed how to **enliven** the area. | 住民たちは地域を活性化する方法を話し合った。 |
| She suddenly turned into an **insolent** teenager who refused to listen to her parents. | 彼女は突然、両親の言うことを聞かない生意気なティーンエイジャーになった。 |
| The **ambient** temperature should not exceed 20 degrees. | 室温は 20 度を超えないようにする必要があります。 |
| The two football players both **lunged** for the dropped ball. | アメフト選手は 2 人とも落ちたボールに突進した。 |
| She lost her scholarship when it was discovered that the contest had been **rigged**. | コンテストが不正に操作されていたことが発覚し、彼女は奨学金を失った。 |
| Susan B. Anthony was an early **partisan** of women's voting rights. | スーザン・B・アンソニーは、女性の参政権を早くから支持していた。 |
| The **rupture** in the pipe caused a great deal of oil to leak into the ocean. | パイプの破裂により、大量の油が海に流出した。 |
| The surface of the water **shimmered** in the late afternoon sunlight. | 夕方の日差しに水面が揺らめきながら輝いていた。 |
| A security guard told the teenagers to stop **loitering** in the parking lot. | 警備員が、駐車場をうろつくのをやめるようティーンエイジャーたちに言った。 |

12
24

1225 **magnanimous**
[mægnǽnəməs]
① magn（大きい）+ anim（心）+ -ous（満ちた）

形 度量の大きい、心の広い
名 magnanimity 度量の大きさ

1226 **scrumptious**
[skrʌ́mpʃəs]

形〈食べ物が〉とてもおいしい（≒delicious）

1227 **scant**
[skǽnt]

形 不十分な、乏しい

1228 **putrid**
[pjúːtrɪd]

形 腐敗した；悪臭のする

1229 **muddle**
[mʌ́dl]
① mud(d)（泥）+ -le（反復）

動 ①〈思考など〉を混乱させる
②～をごちゃまぜにする、混同する（≒mix up）
名 ごたごた、混乱

1230 **eclectic**
[ɪkléktɪk]
① ec-（外に）+ lect（選ぶ）+ -ic 形

形〈考え方・人などが〉偏らずに幅広い、折衷的な
名 eclecticism 折衷主義

1231 **jovial**
[ʤóʊviəl]

形 陽気な、楽しげな
►「Jupiter（木星）の」が原義。木星は快楽を与える星と考えられた。

1232 **proffer**
[prɑ́ːfər | prɔ́fə]
① pr(o)-（前に）+ offer（与える）

動〈助言・情報など〉を与える、提供する

1233 **cogent**
[kóʊʤənt]

形 説得力のある、納得のいく
名 cogency 説得力（のあること）

1234 **reel**
[ríːl]

動 ①〈人・心などが〉混乱する、動揺する
②〈人が〉よろめく

1235 **scorn**
[skɔ́ːrn]

動〈人・考えなど〉を軽蔑する、ばかにする
名 軽蔑、さげすみ（≒contempt）
形 scornful 軽蔑して

1236 **bereft**
[bɪréft]

形 ①（家族・友人との死別で）打ちひしがれた
②奪われた
► bereave（～を奪う）の過去分詞。

Track 103

| | |
|---|---|
| The team's captain was **magnanimous** in defeat and complimented the winning team. | そのチームのキャプテンは敗北の中にあっても度量が大きく、勝ったチームを褒めたたえた。 |
| He gained weight from all the **scrumptious** cakes his mother kept making for him. | 母親が作り続けてくれるおいしいケーキのせいで、彼は体重が増えた。 |
| The **scant** amount of evidence makes it unlikely that the crime will be solved. | 証拠が乏しいため、その犯罪が解決される可能性は低い。 |
| She called a plumber to inspect the **putrid** smell coming from the kitchen sink. | 彼女は台所のシンクから来る悪臭を調べてもらおうと、配管工に電話した。 |
| Her thoughts were **muddled** by all the loud noises. | 彼女の考えは、すべての大きな音のために混乱した。 |
| The festival features an **eclectic** mix of music genres, from hip hop to jazz. | このフェスティバルでは、ヒップホップからジャズまで、幅広いジャンルの音楽がいろいろ楽しめる。 |
| His **jovial** personality makes him very popular at parties. | 彼は陽気な性格なのでパーティーで大人気だ。 |
| His lawyer **proffered** several pieces of evidence to support his innocence. | 彼の弁護士は、彼の無実を裏付ける証拠をいくつか提出した。 |
| The student's **cogent** argument earned her a high grade on her essay. | その学生は説得力のある主張により、作文で高い点を取った。 |
| She is still **reeling** from the news that he has been lying to her all these years. | 彼がこの数年間ずっと自分にうそをついてきたという知らせに、彼女はまだ動揺している。 |
| The new policy has been widely **scorned** by environmental scientists. | この新しい政策は、環境科学者から広く軽蔑されてきた。 |
| The young man's **bereft** mother did not leave her house for days after the accident. | 若い息子の死に打ちひしがれた母親は、その事故のあと何日も家を出なかった。 |

12
36

1237 **blurb**
[blə́ːrb]
名 （新刊本・新製品の）宣伝文、推薦文

1238 **jocular**
[ʤɑ́ːkjələr | ʤɔ́k-]
ⓘ jocul（ジョーク）+ -ar 形
形 ひょうきんな、おどけた

1239 **saunter**
[sɔ́ːntər]
動 のんびり［ぶらぶら］歩く（≒amble, stroll）

1240 **binge**
[bínʤ]
名 過度の熱中
動 どんちゃん騒ぎをする

1241 **lampoon**
[læmpúːn]
動 ～を風刺する、茶化す（≒satirize）

1242 **twinge**
[twínʤ]
名 ① 心の痛み ② うずくような痛み

1243 **vexing**
[véksɪŋ]
形 いら立たしい、厄介な（≒annoying）
動 vex ～をいら立たせる

1244 **tabulate**
[tǽbjəlèɪt]
ⓘ tabul（表）+ -ate（～にする）
動 〈数字・情報など〉を表にする、まとめる

1245 **parched**
[pɑ́ːrʧt]
形 〈土地などが〉干からびた、からからに乾いた

1246 **delectable**
[dɪléktəbl]
ⓘ delect（大喜びさせる）+ -able（できる）
形 非常においしい、おいしそうなにおいの（≒delicious）

1247 **scrawny**
[skrɔ́ːni]
形 やせこけた

1248 **myriad**
[míriəd]
名 ［a myriad of ～］無数の～

Track
104

| | |
|---|---|
| The **blurb** on the back of the book makes it sound like an exciting read. | 裏にある宣伝文句によると、その本は刺激的な読み物のようだ。 |
| His **jocular** tone was inappropriate for the serious situation. | 彼のおどけた口調は、その深刻な状況にはふさわしくなかった。 |
| She **sauntered** through the gardens, enjoying the beautiful landscaping. | 彼女はその庭園を散策し、美しい造園を楽しんだ。 |
| He went on a **binge** of fantasy novels, and he was reading them nonstop for months. | 彼はファンタジー小説に熱中し、何か月も休まず読み続けた。 |
| The weekly comic in the newspaper frequently **lampoons** political figures. | その新聞に毎週掲載されている漫画は、よく政治家を風刺する。 |
| She felt a **twinge** of guilt when she told her sister she was getting married. | 結婚すると姉に告げたとき、彼女は罪悪感がうずくのを感じた。 |
| The **vexing** challenge of fighting this disease continues to be a problem. | この病気と闘うという厄介な課題は、問題であり続けている。 |
| The data analyst **tabulated** the survey results and put them into a chart. | そのデータアナリストは、調査結果をまとめてグラフにした。 |
| This plant grows even in the **parched** ground. | この植物はからからに乾いた地面でも育つ。 |
| The famous French bakery serves **delectable** cookies and pastries. | その有名なフレンチベーカリーでは、おいしいクッキーやペストリーを提供している。 |
| Despite its **scrawny** appearance, the small racehorse is undefeated. | やせこけた外見にもかかわらず、その小さな競走馬は負け知らずだ。 |
| Our city has **a myriad of** dining options to suit all kinds of tastes. | 私たちの街には、あらゆる種類の好みに合う無数のディナーの選択肢がある。 |

12
48

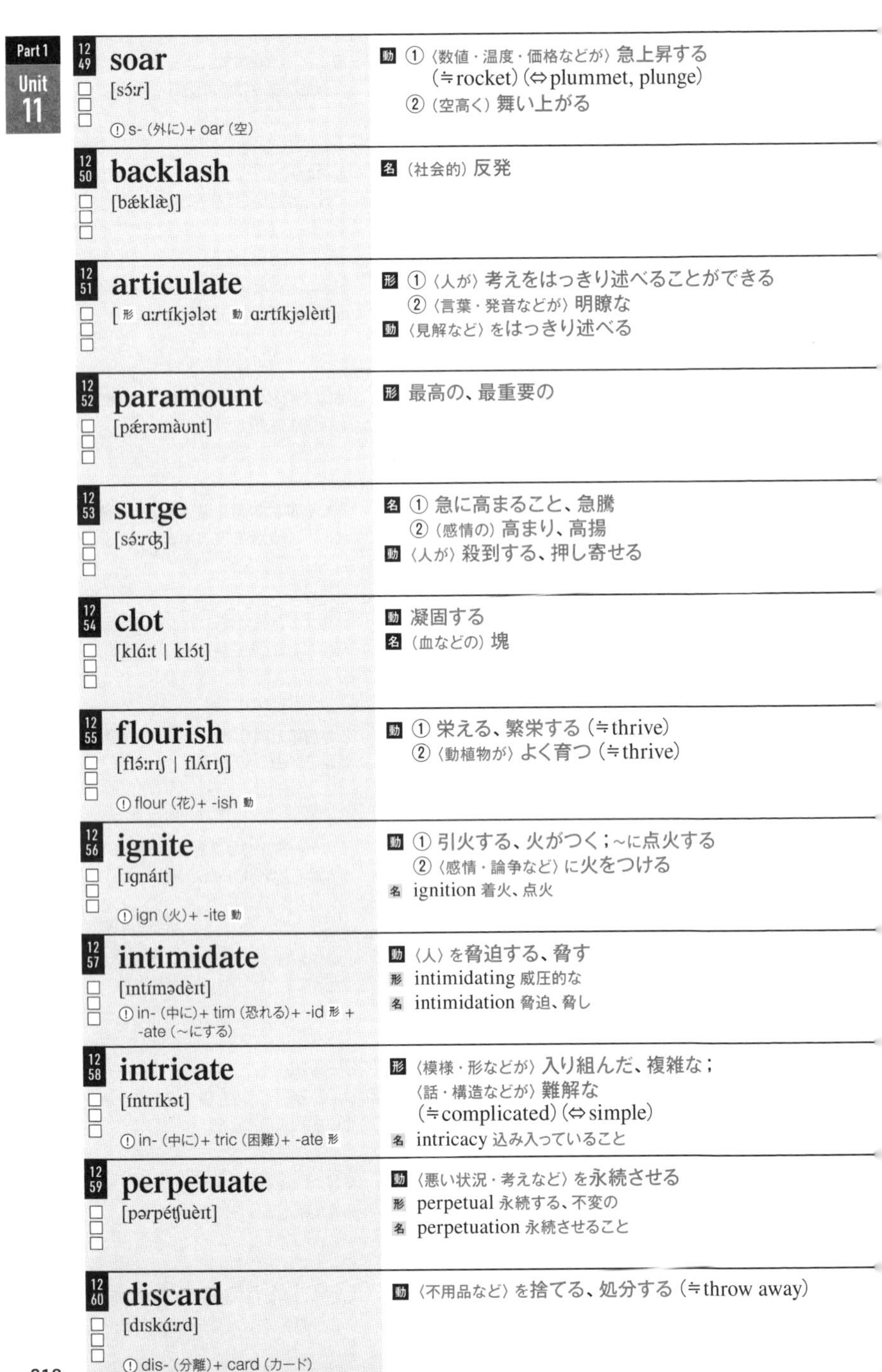

**1249** **soar**
[sɔ́ːr]
□□□
① s-（外に）+ oar（空）

動 ①〈数値・温度・価格などが〉急上昇する
(≒rocket)(⇔plummet, plunge)
②（空高く）舞い上がる

**1250** **backlash**
[bǽklæʃ]
□□□

名（社会的）反発

**1251** **articulate**
[ 形 ɑːrtíkjələt 動 ɑːrtíkjəlèɪt]
□□□

形 ①〈人が〉考えをはっきり述べることができる
②〈言葉・発音などが〉明瞭な
動〈見解など〉をはっきり述べる

**1252** **paramount**
[pǽrəmàʊnt]
□□□

形 最高の、最重要の

**1253** **surge**
[sə́ːrdʒ]
□□□

名 ① 急に高まること、急騰
②（感情の）高まり、高揚
動〈人が〉殺到する、押し寄せる

**1254** **clot**
[klɑ́ːt | klɔ́t]
□□□

動 凝固する
名（血などの）塊

**1255** **flourish**
[flə́ːrɪʃ | flʌ́rɪʃ]
□□□
① flour（花）+ -ish 動

動 ① 栄える、繁栄する（≒thrive）
②〈動植物が〉よく育つ（≒thrive）

**1256** **ignite**
[ɪgnáɪt]
□□□
① ign（火）+ -ite 動

動 ① 引火する、火がつく；～に点火する
②〈感情・論争など〉に火をつける
名 ignition 着火、点火

**1257** **intimidate**
[ɪntímədèɪt]
□□□
① in-（中に）+ tim（恐れる）+ -id 形 + -ate（～にする）

動〈人〉を脅迫する、脅す
形 intimidating 威圧的な
名 intimidation 脅迫、脅し

**1258** **intricate**
[íntrɪkət]
□□□
① in-（中に）+ tric（困難）+ -ate 形

形〈模様・形などが〉入り組んだ、複雑な；
〈話・構造などが〉難解な
(≒complicated)(⇔simple)
名 intricacy 込み入っていること

**1259** **perpetuate**
[pərpétʃuèɪt]
□□□

動〈悪い状況・考えなど〉を永続させる
形 perpetual 永続する、不変の
名 perpetuation 永続させること

**1260** **discard**
[dɪskɑ́ːrd]
□□□
① dis-（分離）+ card（カード）

動〈不用品など〉を捨てる、処分する（≒throw away）

Track 105

|  |  |
|---|---|
| Profits **soared** when the company's video went viral on social media. | その会社の動画がソーシャルメディアでバズると、利益は急増した。 |
| The government faced **backlash** against the proposed tax hike. | 政府は、提案した増税に対する反発に直面した。 |
| Her public speaking coach helped her become a more **articulate** speaker. | 彼女のスピーチコーチは、より明解な話し方ができるように彼女の手助けをした。 |
| The safety of all our passengers is of **paramount** importance. | すべての乗客の安全が最も重要だ。 |
| The news segment caused a **surge** of new orders for the product. | そのニュースコーナーのおかげで、その製品への新規注文が急増した。 |
| The substance helps blood **clot**. | その物質は血液の凝固を促す。 |
| The business **flourished** once they started marketing more aggressively. | より積極的にマーケテイングを始めた途端、その商売は繁盛した。 |
| The dry branches quickly **ignited** when she held the match under them. | 彼女が乾いた枝の下にマッチを置くと、すぐに火がついた。 |
| The government has said that it will not be **intimidated** by terrorists. | 政府は、テロリストの脅迫には屈しないと述べている。 |
| The Alhambra in Granada, Spain, is known for its **intricate** carvings and unique design. | スペインのグラナダにあるアルハンブラ宮殿は、その複雑な彫刻とユニークなデザインで知られている。 |
| The war **perpetuates** the poverty in the country. | 戦争がその国の貧困を長引かせている。 |
| If you do not use the provided extra screws, you can **discard** them. | 付属の予備のネジを使わない場合は、廃棄してください。 |

12/60

1261 **slaughter**
[slɔ́:tər]

動 ① 〈動物〉を屠殺する ② 〈多くの人〉を虐殺する
名 ① 屠殺 ② (大量) 虐殺、殺りく

1262 **provoke**
[prəvóʊk]
① pro- (前方に) + voke (呼ぶ)

動 ① ～を引き起こす、誘発する (≒instigate)
② (故意に)〈人など〉を怒らせる
名 provocation 挑発、誘発
形 provocative 挑発的な

1263 **repress**
[rɪprés]
① re- (後ろに) + press (押す)

動 〈感情・欲求など〉を抑える、抑制する (≒suppress, subdue)
形 repressive 抑圧的な
名 repression 抑圧

1264 **encompass**
[ɪnkʌ́mpəs]
① en- (中に) + compass (範囲)

動 ① 〈さまざまな考え・ものなど〉を含む (≒include) (⇔exclude)
② 〈場所など〉を取り囲む

1265 **ensue**
[ɪns(j)ú:]
① en- (後ろに) + sue (ついていく)

動 続いて起こる (≒follow)
形 ensuing 次の、続いて起こる

1266 **array**
[əréɪ]

名 [an array of ~] 多様な～、数々の～

1267 **galvanize**
[gǽlvənàɪz]

動 ① 〈人〉に衝撃を与える、～を活気づける (≒energize, motivate, invigorate)
② ～を電流で刺激する
形 galvanic 衝撃的な

1268 **revere**
[rɪvíər]
① re- (強意) + vere (恐れる)

動 ～を崇敬する、あがめる (≒venerate, admire, prize)
名 reverence 敬意、尊敬
形 reverent 敬虔な

1269 **deteriorate**
[dɪtíəriərèɪt]
① de- (悪化) + terior (より悪く) + -ate (～にする)

動 〈もの・状況・品質などが〉悪化する (≒degenerate)
名 deterioration 悪化、劣化

1270 **intact**
[ɪntǽkt]
① in- (否定) + tact (触る)

形 損なわれていない、無傷で (≒whole) (⇔damaged)

1271 **entrust**
[ɪntrʌ́st]
① en- (中に) + trust (信頼)

動 ～を委ねる、任せる

1272 **downplay**
[dáʊnplèɪ]

動 ～を (実際より) 軽く扱う、過小評価する (≒play down) (⇔play up)

Track 106

| | |
|---|---|
| The Maasai tribe holds a celebration called "Eunoto" in which they **slaughter** a goat. | マサイ族には「エウノト」と呼ばれる儀式があり、そこではヤギがほふられる。 |
| His remarks **provoked** a strong reaction from other members. | 彼の発言はほかのメンバーからの強い反発を引き起こした。 |
| **Repressing** the painful memories of her childhood led to psychological problems later in life. | 幼少期の辛い記憶を抑圧したことで、彼女はのちに、精神的な問題を抱えることになった。 |
| This school district **encompasses** all of the city's neighborhoods east of Park Avenue. | この学区は、パークアベニューの東側の市の地区をすべて網羅している。 |
| When the news was released to the public, chaos **ensued**. | そのニュースが世に出ると、大混乱が起きた。 |
| **A** vast **array of** products can be bought on this one website. | このサイト一つで膨大な数の製品を購入することができる。 |
| Martin Luther King Jr.'s speech **galvanized** the public to support the civil rights movement. | マーティン・ルーサー・キング・ジュニアの演説は大衆を奮い立たせ、公民権運動への支持が広がった。 |
| Gandhi is **revered** as a hero for leading India to independence. | ガンジーは、インドを独立に導いた英雄として崇められている。 |
| His condition **deteriorated** after he stopped the cancer treatment. | がん治療をやめたあと、彼の状態は悪化した。 |
| The ruins of Pompeii are remarkably **intact**, considering their age. | ポンペイ遺跡は、その年代を考えると驚くほど無傷だ。 |
| While he was away, the president **entrusted** the management of the company to his assistant. | 自らが不在の間、社長は社長補佐に会社の経営を任せた。 |
| In its advertising, the drug company tries to **downplay** the medicine's side effects. | その広告で、製薬会社は薬の副作用を軽く扱おうとしている。 |

12
72

1273 □□□
## subsidize
[sʌ́bsədàɪz]
① sub-（下に）+ sid（座る）+ -ize 動

動 ～に補助金［助成金］を与える
名 subsidy 助成金

1274 □□□
## prone
[próʊn]

形 （好ましくない）傾向がある、～しがちな（≒apt, inclined）
► be prone to *do* で「～する傾向がある」という意味。

1275 □□□
## surveillance
[sərvéɪləns]
① sur-（上を）+ veill（見張る）+ -ance 名

名 （容疑者・囚人などの）監視、見張り（≒observation）
動 surveil ～を監視する

1276 □□□
## ascribe
[əskráɪb]
① a-（～に）+ scribe（書く）

動 ① ～の原因を（…に）帰する（≒attribute）
② ～を（…の）作とする（≒attribute）
名 ascription 帰すること

1277 □□□
## pinpoint
[pínpɔ̀ɪnt]

動 ①〈原因など〉を特定する（≒identify）
②〈位置など〉を正確に示す
形 正確な、極小の

1278 □□□
## decimate
[désəmèɪt]

動 ①（大量に）〈人・動物〉を殺す（≒wipe out, annihilate, exterminate）
②〈組織・団体など〉を衰退させる
名 decimation 殺すこと、破壊

1279 □□□
## surcharge
[sə́ːrtʃɑ̀ːrdʒ]
① sur-（越えて）+ charge（請求する）

名 追加料金、割増料金
動 ～に追加料金を請求する

1280 □□□
## cripple
[krípl]

動 ～を機能不全にする、まひさせる（≒disable）

1281 □□□
## discrepancy
[dɪskrépənsi]
① dis-（分離）+ crep（きしむ）+ -ancy 名

名 （計算・報告などにおける）矛盾、不一致（≒disagreement, inconsistency）
形 discrepant 矛盾した、不一致の

1282 □□□
## pretext
[príːtèkst]
① pre-（前に）+ text（織る）

名 口実、言い訳（≒excuse, pretense）

1283 □□□
## outlay
[áʊtlèɪ]

名 支出、費用
► lay out（～を支出する）から。

1284 □□□
## menace
[ménəs]

名 脅威；危険（なもの［人］）（≒threat）
形 menacing 脅迫的な
副 menacingly 脅迫的に

Track 107

| | |
|---|---|
| The government **subsidizes** farmers to make sure that they keep growing food. | 政府は農家に補助金を出して、食料を作り続けられるようにしている。 |
| Those cars **are prone to** get stuck in the snow. | それらの車は雪の中で動けなくなりがちだ。 |
| The entrance to the bank is under constant video camera **surveillance**. | 銀行の入り口は常にビデオカメラで監視されている。 |
| Many **ascribe** the success of the product to its unusual name. | この製品の成功は、変わった名前に起因すると多くの人が考えている。 |
| Doctors have struggled to **pinpoint** the cause of the patient's symptoms. | 医師たちはその患者の症状の原因を必死で突き止めようとしてきた。 |
| In this area, wild animals were **decimated** by housing development. | この地域では、宅地開発によって野生動物が激減した。 |
| The airline charges a **surcharge** for checked bags. | その航空会社は預け入れ荷物に対して追加料金を課している。 |
| The plan was **crippled** by a lack of funds. | その計画は資金不足で駄目になった。 |
| There is a **discrepancy** between the costs reported and the actual expenses. | 報告された費用と実際の出費に不一致がある。 |
| He used a business meeting as a **pretext** for visiting his friends in New York. | 彼は商談を口実に、ニューヨークの友人たちを訪ねた。 |
| They are projecting an initial **outlay** of one million dollars for the product's development. | 彼らは、製品の開発に100万ドルの初期支出を見込んでいる。 |
| The pack of stray dogs is a **menace** to the neighborhood. | 野良犬の群れは、その一帯の人々とって脅威だ。 |

12
84

1285
**crunch**
[krʌ́ntʃ]
□□□
動 ①（コンピュータなどで）〈大量の数値〉を処理する
②〈食べ物〉をボリボリかむ、かみ砕く

1286
**compliance**
[kəmpláɪəns]
□□□
! com-（強意）+ pli（満たす）+ -ance 名
名（規則・命令などに）従うこと、順守
（≒consent, obedience）
（⇔disagreement, refusal）
動 comply（規則・命令などに）従う

1287
**diversify**
[dəvə́ːrsəfàɪ | daɪ-]
□□□
動 ①〈事業など〉を多様化する、多角化する
②〈出資・資本など〉を分散させる
名 diversification 多様化　形 diverse 多様な
名 diversity 多様性

1288
**expulsion**
[ɪkspʌ́lʃən]
□□□
! ex-（外に）+ puls（追いやる）+ -ion 名
名 排除、追放
動 expel ～を追放する

1289
**intrigue**
[動 ɪntríːg　名 íntriːg]
□□□
動 ～の興味をそそる
名 陰謀（を企てること）
形 intriguing 興味をそそる、面白い

1290
**shortcoming**
[ʃɔ́ːtkʌ̀mɪŋ]
□□□
名 短所、欠点（≒defect, fault）

1291
**endow**
[ɪndáʊ] ▲ 発音注意。
□□□
! en-（上に）+ dow（与える）
動 ①〈人〉に（才能などを）授ける
②～に（基金などを）寄付する（≒donate）
名 endowment 寄付；才能

1292
**amenity**
[əménəti | əmíːn-]
□□□
! amen（心地よい）+ -ity 名
名 ①（生活・滞在などを快適にする）施設、設備
②（場所などの）快適さ（≒convenience）

1293
**bleak**
[blíːk]
□□□
形 ①〈見通しが〉よくない、暗い
②〈場所・風景が〉荒涼とした（≒desolate）

1294
**futile**
[fjúːtl | -taɪl]
□□□
! fut（流れ出る）+ -ile（できる）
形 無益な、無駄な
（≒pointless, vain）（⇔worthwhile）
名 futility 無益であること

1295
**guise**
[gáɪz]
□□□
名（ごまかすために装った）外観、見せかけ
▸ under the guise of ～ で「～を装って」という意味。

1296
**condemnation**
[kɑ̀ːndemnéɪʃən | kɔ̀n-]
□□□
! con-（強意）+ demn（非難する）+ -ation 名
名（激しい）非難、糾弾（≒denunciation）
動 condemn ～を非難する、責める

Track
108

| | |
|---|---|
| He is very good at **crunching** numbers, so he was put on the budget team. | 彼は数を処理するのが得意なので、予算チームに入れられた。 |
| The paper certifies that the factory is in **compliance** with all safety regulations. | その書類は、その工場がすべての安全規則に適合していることを証明するものだ。 |
| Some countries are starting to take steps to **diversify** energy sources. | エネルギー源を多様化するための手段を講じ始めた国もある。 |
| **Expulsion** of minorities is taking place in that country. | その国では少数民族の排除が起こっている。 |
| Her idea for a fast-food Indian restaurant **intrigued** the investor. | ファストフードのインド料理店についての彼女のアイデアに、投資家は興味を持った。 |
| Her biggest **shortcoming** is her inability to work under pressure. | 彼女の最大の欠点は、プレッシャーに耐えながら働くことができないことだ。 |
| The boy is **endowed** with impressively high intelligence. | その少年は驚くほど高い知能を備えている。 |
| The hotel's **amenities** include a swimming pool, a spa, and a fitness center. | そのホテルは、プール、スパ、フィットネスセンターなどの設備を備えている。 |
| Unemployment is high, and the job market looks **bleak** for new graduates. | 失業率が高く、求人市場は新卒者にとって厳しそうだ。 |
| His attempts to fix the car proved **futile**, so he took it to an auto repair shop. | 車を修理しようとしたが無駄だったので、彼はそれを自動車修理工場に持ち込んだ。 |
| The government introduced the new restrictions **under the guise of** national security. | 政府は国家安全保障を口実に、新たな規制を導入した。 |
| The company's excessive pollution has drawn **condemnation** from environmental organizations. | その会社の過度の汚染は、環境保護団体から激しい非難を浴びている。 |

12
96

1297 **layman**
□□□
[léɪmæn]

名（専門家に対して）素人、門外漢（⇔expert）
► in layman's terms で「平たく言えば」という意味。

1298 **ambiguity**
□□□
[æ̀mbɪgjúːəti]
① ambi（両側に）+ gu（追いやる）+ -ity 名

名（意味などの）あいまいさ、多義性
形 ambiguous あいまいな

1299 **prolonged**
□□□
[prəlɔ́ːŋd]
① pro-（前に）+ long（長くする）+ -ed 形

形 長引く、長期間の（≒lengthy, protracted）（⇔shortened）
名 prolongation 延長、延期

1300 **insidious**
□□□
[ɪnsídiəs]
① in-（中に）+ sidi（座る）+ -ous 形

形〈悪事・病気などが〉知らない間に進行する

1301 **exterminate**
□□□
[ɪkstə́ːrmənèɪt]
① ex-（外に）+ termin（境界）+ -ate（～にする）

動〈種族・動物など〉を皆殺しにする、根絶する（≒wipe out, decimate, annihilate）
名 extermination 根絶、駆除

1302 **upstart**
□□□
[ʌ́pstɑ̀ːrt]

名 ① 新興企業　② 成り上がり者、成金
► ①②共に形容詞的に名詞の前で使われることもある。

1303 **mentor**
□□□
[méntɔːr]

名 よき指導者、助言者（≒guide, advisor）

1304 **drenched**
□□□
[dréntʃt]

形 びしょぬれの、浸された（≒soaked）
動 drench ～をびしょぬれにする

1305 **decor**
□□□
[deɪkɔ́ːr | déɪkɔː]

名 装飾、内装
► décor ともつづる。

1306 **swap**
□□□
[swɑ́ːp | swɔ́p]

動 ～を交換する（≒exchange）
名 交換

1307 **flunk**
□□□
[flʌ́ŋk]

動〈試験など〉に不合格になる、落第する

1308 **sinister**
□□□
[sínəstər]

形 ① 邪悪な、悪意のある（≒malevolent, ominous）（⇔benevolent）
② 不吉な

Track 109

| | |
|---|---|
| **In layman's terms**, the treatment helps your body fight off the virus. | わかりやすく言えば、その治療は体がウィルスを撃退する手伝いをする。 |
| The **ambiguity** of the new law has caused confusion among legal experts. | その新しい法律のあいまいさのせいで、法律の専門家の間に混乱が起きている。 |
| The **prolonged** war left the region in ruins. | 長期間の戦争によってその地域は荒廃した。 |
| They called attention to the **insidious** problems. | 彼らはひそかに進行する問題に対する注意を呼びかけた。 |
| I will **exterminate** the cockroaches in my house. | 私は家の中のゴキブリを完全に駆除するつもりだ。 |
| The **upstart** Internet company was founded by three college roommates. | その新興インターネット企業は、大学のルームメイト３人によって設立された。 |
| Her **mentor** was very proud when she won the award. | 彼女が賞を受賞したとき、指導者はとても誇りに思った。 |
| She had to walk home without an umbrella, and she got **drenched**. | 彼女は傘もささずに歩いて帰らねばならず、ずぶぬれになった。 |
| The **decor** of the restaurant makes you feel like you are in Thailand. | そのレストランの内装は、タイにいるような気分にさせてくれる。 |
| We **swapped** phone numbers and email addresses. | 私たちは電話番号とメールアドレスを交換した。 |
| Half of the students **flunked** their math test. | 生徒の半数が数学のテストで落第した。 |
| The story is about a villain's **sinister** plot to overthrow the government. | その物語は、政府を転覆させようとする悪党の邪悪な陰謀を描いたものだ。 |

13
08

1309 **backdrop**
[bǽkdrɑ̀ːp | -drɔ̀p]

名 （出来事などの）背景
► 舞台の背後につるす垂れ幕が原義。

1310 **implicate**
[ímpləkèɪt]
① im-（中に）+ plic（折る）+ -ate 動

動 （悪事などへの）～の関与を示す［示唆する］
► be implicated in ～ で「～に関与する」という意味。
名 implication 関わり、関与

1311 **pragmatic**
[prægmǽtɪk]

形 現実的な、実践的な
名 pragmatism 実践的な考え方

1312 **empathize**
[émpəθàɪz]
① em-（中に）+ path（感情）+ -ize（～にする）

動 （人・こと・状況に）共感する、感情移入する
名 empathy 共感、感情移入

1313 **slump**
[slʌ́mp]

動 ①〈価格・価値などが〉急落する
②どさっと落ちる［座り込む］
名 ①低迷、不振 ②（急激な）下落、落ち込み

1314 **posture**
[pɑ́ːstʃər | pɔ́s-]
① post（置く）+ -ure 名

名 ①（体の）姿勢
②（精神的な）姿勢、態度（≒attitude, demeanor）
動 格好をつける、ポーズを取る

1315 **lag**
[lǽg]

動 遅れを取る
名 遅れること
► lag behind ～ で「～に立ち遅れる」という意味。

1316 **lenient**
[líːniənt]
① leni（柔らかい）+ -ent 形

形 〈人・判決などが〉寛大な、甘い（≒merciful）
（⇔strict, harsh, severe）
名 leniency 寛容、寛大さ

1317 **deflect**
[dɪflékt]
① de-（分離）+ flect（曲げる）

動 ①〈注意・批判など〉をかわす
②（進路から）〈もの〉をそらす（≒divert）
名 deflection 進路をそらすこと

1318 **protagonist**
[proʊtǽgənɪst]
① prot（第一の）+ agonist（俳優）

名 （小説・映画などの）主役、主人公

1319 **elastic**
[ɪlǽstɪk]

形 〈材質が〉弾力性のある、伸縮性の
名 elasticity 弾力性、伸縮性

1320 **amplify**
[ǽmpləfàɪ]
① ampl（豊富な）+ -ify（～にする）

動 ①～を拡大する、増大する
（≒augment, intensify）（⇔weaken, lessen）
②〈信号・音など〉を増幅する
名 amplification 拡大；増幅

Track 110

| | |
|---|---|
| The city of Paris is the perfect **backdrop** for this love story. | パリの街はこのラブストーリーの舞台としてうってつけだ。 |
| Research revealed this gene **is implicated in** the development of the disease. | 研究により、この遺伝子がその病気の発症に関与していることが明らかになった。 |
| We have adopted a **pragmatic** approach to solving problems. | 私たちは問題解決に対して現実的なアプローチを採用している。 |
| It is important to **empathize** with and understand others. | 他人の気持ちに共感し、理解することが大切だ。 |
| Sales **slumped** by over 30 percent last year. | 昨年の売り上げは 30 パーセント以上落ち込んだ。 |
| Bad **posture** can lead to back problems when you get older. | 姿勢が悪いと、年を取って腰痛になることがある。 |
| Supply has **lagged behind** demand. | 需要に対して供給が追いついていない。 |
| She is a **lenient** teacher, so she often lets students turn in assignments late. | 彼女は寛大な教師で、生徒が遅れて課題を提出するのを許すことが多い。 |
| He **deflected** the question twice, then plainly refused to answer it. | 彼はその質問を 2 度はぐらかし、それから答えるのをはっきりと拒否した。 |
| The **protagonist** of the story is a young boy. | 物語の主人公は幼い少年である。 |
| The waist is **elastic**, so you can wear these pants without a belt. | ウエストが伸縮性のある素材なので、このパンツはベルトなしでもはける。 |
| This latest partnership will **amplify** the company's influence abroad. | この最新の提携によって、その会社は海外での影響力を拡大するだろう。 |

13
20

1321 **circumstantial**
[sə̀ːrkəmstǽnʃəl]
① circum（周りに）+ stant（立つ）+ -ial 形

形 状況の、状況に基づく
名 circumstance 状況

1322 **breach**
[bríːtʃ]

動 〈法律・協定など〉を破る（≒break, violate）

1323 **linger**
[líŋgər]
① ling（長い）+ -er（反復）

動 ①〈人が〉立ち去りかねている、ぐずぐずする（≒remain）
②〈戦争・病気などが〉長引く（≒persist）

1324 **speculation**
[spèkjəléɪʃən]
① specul（観察する）+ -ation 名

名 ① 推測、憶測 ② 投機、思惑買い
動 speculate（…だと）推測する
形 speculative 推測による

1325 **ordeal**
[ɔːrdíːl]
① orde（命令）+ -al 名

名 辛い体験、試練

1326 **embody**
[ɪmbáːdi | -bɔ́di]
① em-（～にする）+ body（体）

動 〈思想・理念など〉を具体的な形に表す、具現［体現］する
名 embodiment 具現

1327 **whim**
[wím]

名 気まぐれ、思いつき（≒impulse）
► on a whimで「思いつきで、気まぐれで」という意味。

1328 **muffle**
[mʌ́fl]

動 ①〈音・声〉を消す ②（防寒具などで）〈体など〉を包む、くるむ ►「muffleするもの」を意味するmufflerは、①②両方の意味で日本語になっている。
形 muffled くぐもった

1329 **adulation**
[æ̀dʒəléɪʃən | æ̀djʊ-]

名 （過度の）絶賛、称賛
動 adulate ～にへつらう
形 adulatory お世辞の

1330 **disavow**
[dìsəváʊ]

動 〈関係・責任など〉を否定する
名 disavowal 否定

1331 **poised**
[pɔ́ɪzd]

形 準備ができて（≒ready, prepared）

1332 **expediency**
[ɪkspíːdiənsi]
① ex-（離れて）+ pedi（足）+ -ency 名

名 方便、打算、ご都合主義
形 expedient（目的達成に）都合のよい

Track 111

| | |
|---|---|
| The evidence against him is only **circumstantial**, so he is unlikely to be found guilty. | 彼に対する証拠は状況証拠に過ぎないので、有罪になることはないだろう。 |
| He **breached** his contract, which resulted in him being fired. | 契約に違反したので、彼は首になった。 |
| She **lingered** in her seat for a few minutes after the movie was over. | 映画が終わったあとも、彼女は数分の間席を離れられずにいた。 |
| There has been much **speculation** about the possible existence of alien life. | 地球外生命体が存在する可能性については、多くの憶測がなされてきた。 |
| The illness was a difficult **ordeal** for her to go through. | その病気は彼女にとって経験するのが辛い試練だった。 |
| The product **embodies** the principles of simplicity and functionality in its design. | その製品は、シンプルさと機能性の原則をデザインで体現している。 |
| She got the tattoo **on a whim**, and she has regretted it ever since. | 彼女は出来心でタトゥーを入れたが、そのことをそれ以来ずっと後悔している。 |
| They **muffled** the noise of the toy by putting tape over the speaker. | 彼らは、音の出るおもちゃのスピーカーの上にテープを張って音を消した。 |
| The Olympic swimmer enjoyed the **adulation** of millions of fans. | そのオリンピックの水泳選手は、何百万人ものファンから絶賛された。 |
| He **disavowed** his responsibility for the accident. | 彼は事故に関する自分の責任を認めなかった。 |
| Based on her impressive résumé, she seems **poised** to take on a leadership role. | 立派な経歴からすると、彼女はリーダーシップをとる準備ができているようだ。 |
| The company opted for **expediency** and simply released the flawed product. | その会社は打算に走り、欠陥製品をそのまま発売した。 |

13
32

1333 **homogeneous**
[hòumədʒíːniəs | hɔ̀-]
① homo（同種の）+ gene（種族、類）+ -ous 形

形 同質の、均質の（⇔heterogeneous）
名 homogeneity 均質性、同質性
動 homogenize ～を均質化する、同質化する

1334 **hubris**
[hjúːbrɪs]

名 傲慢（ごうまん）、思い上がり

1335 **gloss**
[glάːs | glɔ́s]

名 光沢、つや（≒luster, sheen）
形 glossy 光沢［つや］のある

1336 **grovel**
[grάːvl | grɔ́vl]

動（強い者に）ひれ伏す、卑屈な振る舞いをする

1337 **layover**
[léɪòuvər]

名（旅行先での）途中下車、一時的滞在（≒stopover）

1338 **fling**
[flíŋ]

動〈もの〉を投げつける、さっと投げる

1339 **wean**
[wíːn]

動 ①〈赤ん坊〉を離乳させる
②〈人〉に（～を）徐々にやめさせる

1340 **shove**
[ʃʌ́v]

動 ～を（力任せに）押す、押しのける

1341 **limp**
[límp]

形 柔弱な、弱々しい
► 同じつづりの動詞 limp（足を引きずる）も出題されている。

1342 **sloth**
[slɔ́ːθ | slə́uθ]

名 怠惰、無精（≒laziness）
► 動物の「ナマケモノ」という意味もある。
形 slothful 怠惰な

1343 **interminable**
[ɪntə́ːrmənəbl]
① in-（否定）+ termin（終わらせる）+ -able（できる）

形 果てしなく続く、際限のない
（≒endless, infinite）（⇔finite）
副 interminably 果てしなく、延々と

1344 **loophole**
[lúːphòul]

名（法律・契約などの）抜け穴

Track 112

| | |
|---|---|
| Compared to the United States, Japan is a more **homogeneous** society. | アメリカと比べると、日本はより均質的な社会だ。 |
| The consequences of Odysseus's **hubris** serve as a warning of the dangers of excessive pride. | オデュッセウスの傲慢さの結末は、過剰なプライドの危険性を教えている。 |
| At Bob's Carwash, we will polish your vehicle to a high **gloss**. | ボブズカーウォッシュでは、皆さまのお車をピカピカに磨き上げます。 |
| The servant **groveled** for forgiveness before the king. | 召使は王の前にひれ伏して許しを請うた。 |
| They had a **layover** in Seattle on their way to Tokyo. | 彼らは東京へ向かう途中、シアトルで乗り継ぎをした。 |
| He **flung** the heavy net off the side of the boat. | 彼は、ボートの側面からその重い網を投げた。 |
| She started to **wean** her baby off of milk after he turned seven months old. | 彼女は、赤ちゃんが生後7か月になって離乳を始めた。 |
| He **shoved** the ticket into his pants pocket. | 彼は切符をズボンのポケットに押し込んだ。 |
| His legs suddenly went **limp** and he could not stand on his own. | 突然彼は両脚に力が入らなくなり、立っていられなくなった。 |
| **Sloth** has been criticized since ancient times, as societies need everyone to contribute. | 社会にはすべての人の寄与が求められるため、怠惰は古来より非難されてきた。 |
| She needed to use the restroom, so the wait to get off the plane seemed **interminable**. | 彼女はトイレに行きたかったので、飛行機を降りるまでの待ち時間が果てしなく長く感じられた。 |
| The law will close a **loophole** that was allowing companies to avoid paying taxes. | その法律によって、企業の税金逃れを許してきた抜け穴はふさがれることになる。 |

13
44

1345 **induct** [ɪndʌ́kt]
① in-（中に）+ duct（導く）

動 〈人〉を就任させる、任命する
名 induction（役職などへの）就任、加入

1346 **synthesize** [sínθəsàɪz]
① syn-（共に）+ thes（置く）+ -ize 動

動 ① ～を総合する（⇔analyze） ② ～を合成する
形 synthetic 総合的な、合成の
名 synthesis 総合；合成

1347 **din** [dín]

名（絶え間ない）騒音

1348 **bureaucrat** [bjʊ́ərəkræ̀t]
① bureau（局）+ crat（支持者、一員）

名 官僚；官僚主義的な人
形 bureaucratic 官僚的な
名 bureaucracy 官僚制度

1349 **pacify** [pǽsəfàɪ]
① pac（平和）+ -ify（～にする）

動 〈怒りなど〉を和らげる、静める
形 pacific 穏やかな；平和的な

1350 **pounce** [páʊns]

動 ①（獲物などに）飛びかかる
②（機会などに）飛びつく

1351 **malice** [mǽlɪs]
① mal（悪い）+ -ice（状態、性質）

名 悪意、敵意（≒hostility, animosity, spite）
形 malicious 悪意のある

1352 **bluntly** [blʌ́ntli]

副 無遠慮に、単刀直入に
► put it bluntly で「遠慮なく言う」という意味。
形 blunt 無遠慮な

1353 **squash** [skwɑ́ːʃ | skwɔ́ʃ]

動 〈人・もの〉を押しつぶす

1354 **mishap** [míshæp]
① mis（悪い）+ hap（運命）

名（ちょっとした）災難、不運（≒accident）

1355 **sparse** [spɑ́ːrs]

形 まばらな、希薄な（⇔dense）

1356 **fabricate** [fǽbrɪkèɪt]

動 ①〈話・情報など〉をでっち上げる、捏造（ねつぞう）する
（≒invent, make up）
② ～を製作する、組み立てる（≒manufacture）
名 fabrication 捏造

Track
113

| | |
|---|---|
| She was **inducted** as an honorary member of the association in 2013. | 2013年、彼女はその協会の名誉会員に任命された。 |
| The doctor's unique method of acupuncture **synthesizes** modern and traditional medical treatments. | その医師の独自の鍼灸療法は、現代の治療法と伝統的な治療法を統合したものだ。 |
| It was hard to hear each other's voices over the loud **din** of the restaurant. | レストランのひどい騒音のせいでお互いの声が聞きづらかった。 |
| She was tired of dealing with **bureaucrats** and their endless paperwork. | 彼女は、官僚やそのとめどない事務仕事に対応することにうんざりしていた。 |
| They tried in vain to **pacify** the angry crowd. | 彼らは怒った群衆をなだめようとしたが、無駄だった。 |
| The cat slowly approached and then **pounced** on the toy mouse. | その猫はゆっくりと近づいてきて、おもちゃのネズミに飛びかかった。 |
| That is a horrible crime committed out of pure **malice**. | それはまったくの悪意から起こされた恐ろしい犯罪だ。 |
| To **put it bluntly**, that is an illegal activity. | 遠慮なく言うと、それは違法な行為だ。 |
| Her husband **squashed** the bug with his shoe. | 彼女の夫は、靴でその虫を踏みつぶした。 |
| The many **mishaps** of the trip were stressful, but they became great stories. | 旅行中のたくさんの災難はストレスだったが、いい土産話になった。 |
| He painted a **sparse** landscape with only bushes dotting the ground. | 彼は、地面に低木が点在するだけの殺風景な景色を描いた。 |
| It was later revealed that the journalist had **fabricated** the entire story. | あとになって、そのジャーナリストが話全体をでっち上げていたことが判明した。 |

13
56

1357 **patronage** [pǽtrənɪʤ]
① patron（父）+ -age（行為）

名 ①（芸術・事業などへの）後援、支援
②（レストランなどへの）愛顧
名 patron 後援者
動 patronize ～を支援する；～をひいきにする

1358 **recalcitrant** [rɪkǽlsɪtrənt]

形〈人・態度などが〉反抗的な、強情な（≒unruly）
名 recalcitrance 反抗的なこと

1359 **sabotage** [sǽbətɑ̀:ʒ]

動 ①〈敵の兵器・設備など〉を破壊する
②（故意に）〈他人の計画〉を妨害する
名 破壊工作

1360 **contemplate** [kɑ́:ntəmplèɪt | kɔ́n-]
① con-（強意）+ template（神殿）

動 ～を熟考する（≒consider, ponder）
形 contemplative 熟考する、瞑想的な
名 contemplation 熟考

1361 **obstruct** [əbstrʌ́kt]
① ob-（反対して）+ struct（建てられた）

動〈進行・視界など〉を妨げる（≒block）
形 obstructive 妨害的な
名 obstruction 妨害、遮断

1362 **shoddy** [ʃɑ́:di | ʃɔ́di]

形 粗悪な、手抜きの（≒shabby）

1363 **leeway** [lí:wèɪ]

名 自由、裁量（≒latitude）

1364 **leverage** [lévərɪʤ]
① lever（てこ）+ -age（動作）

名 ① 影響力、効力 ② てこの力

1365 **whine** [wáɪn]

動 泣き言を言う、不平を言う（≒moan）

1366 **repository** [rɪpɑ́:zətɔ̀:ri | -pɔ́zɪtəri]

名 収納庫、保管場所（≒archive, storehouse）

1367 **impoverish** [ɪmpɑ́:vərɪʃ | -pɔ́v-]
① im-（中に）+ pover（貧しい）+ -ish（～にする）

動 ① ～を貧乏にする
②〈資源・土地など〉を貧弱にする

1368 **outcast** [áʊtkæ̀st]

名（社会から）追放された人、のけ者（≒pariah）
► cast out（～を追放する）からできた語。

Track 114

| | |
|---|---|
| We would like to thank our donors for their **patronage** of our small museum. | 私どもの小さな美術館をお引き立ていただき、寄贈者の皆さまに感謝いたします。 |
| The teachers found it difficult to handle the **recalcitrant** students. | 教師たちは、その言うことを聞かない生徒たちの扱いに苦労した。 |
| The laid-off engineer is accused of **sabotaging** various computer systems within the company. | その解雇されたエンジニアは、社内のさまざまなコンピュータシステムを破壊したとして告発されている。 |
| The philosopher spent his life **contemplating** the meaning of free will. | その哲学者は自由意志の意味を考えることに一生を費やした。 |
| A fallen tree was **obstructing** the road, which caused a traffic jam. | 倒木が道路をふさいで、交通渋滞を引き起こした。 |
| Consumers have a right to be compensated for **shoddy** goods. | 消費者は粗悪品に対して補償を受ける権利がある。 |
| The new policy gives managers more **leeway** in deciding which employees to promote. | 新方針により、部長は昇進させる社員をより自由に決められるようになる。 |
| The player's great performance gave him a lot of **leverage** when negotiating a new contract. | 素晴らしい成績は、その選手が新契約の交渉に臨む際、大きな力を発揮した。 |
| The mother told her son to stop **whining** about how bored he was. | 母親は息子に、退屈だと不平を言うのはやめるよう言った。 |
| The remote underground location is used as a **repository** for nuclear waste. | 人里離れた地下のその場所は、核廃棄物の保管場所として使われている。 |
| The recession has **impoverished** many families who are now relying on government support. | 不況のため多くの家庭が貧しくなり、今や政府の援助に頼るようになっている。 |
| Instead of finding acceptance in the new community, she was treated as an **outcast**. | 彼女は新しいコミュニティに受け入れられず、のけ者として扱われた。 |

13
68

1369 **transcend**
[trænsénd]
① tran- (越えて) + scend (登る)

動 ① 〈理解・経験など〉の限界を超える (≒surpass, exceed) ② ～に勝る、～をしのぐ
名 transcendence 超越
形 transcendent 卓越した、抜群の

1370 **efface**
[ɪféɪs]
① ef- (外に) + face (顔、外観)

動 〈記憶・痕跡・文字など〉を取り除く、消し去る (≒remove)

1371 **vicarious**
[vaɪkéəriəs | vɪ-]

形 ① (他人の経験を) 自分のことのように感じる ② 代理の

1372 **paragon**
[pérəgɑ̀ːn | pǽrəgən]

名 模範、手本

1373 **paternity**
[pətə́ːrnəti]
① patern (父) + -ity 名

名 父であること、父性
形 paternal 父の

1374 **purported**
[pərpɔ́ːrtɪd]
① pur- (前方に) + port (運ぶ) + -ed 形

形 (～と) 称されている

1375 **impetus**
[ímpətəs]
① im- (～に) + petus (攻撃する)

名 刺激、推進力 (≒stimulus, spur)

1376 **pledge**
[plédʒ]

動 ～ (すること) を誓う (≒swear, vow)
名 誓約、公約 (≒commitment)

1377 **lineage**
[líniɪdʒ]
① line (家系) + -age 名

名 家系、系統 (≒ancestry, line, descent)

1378 **denomination**
[dɪnɑ̀ːmənéɪʃən | -nɔ̀m-]
① de- (分離) + nomin (名づける) + -ation 名

名 ① (貨幣の) 単位 ② 宗派、教派
形 denominated (通貨が) ～建ての

1379 **crest**
[krést]

名 頂上、尾根；波頭

1380 **constrain**
[kənstréɪn]
① con- (強意) + strain (締めつける)

動 ① 〈人〉に制約する (≒bound, restrict) ② 〈人・もの〉に強いる
名 constraint 束縛 [制限] するもの

Track 115

| | |
|---|---|
| The concept of eternity **transcends** the limits of our understanding. | 永遠という概念は、私たちの理解の限界を超えている。 |
| Dozens of years of use has **effaced** the letters on the coin. | 数十年間使われて、コインの文字が消えてしまった。 |
| She gets a **vicarious** thrill from reading the exciting books. | 彼女は刺激的な本を読んで、実体験さながらのスリルを味わっている。 |
| The country has been considered to be the **paragon** of the welfare state. | その国は福祉国家の模範と考えられてきた。 |
| He refused to admit **paternity** or pay child support. | 彼は父親であると認めず、養育費の支払いも拒否した。 |
| The **purported** value of the company turned out to be wrong when they tried to sell it. | 会社を売ろうとしたときになって、その会社にあるとされていた価値が間違っていることがわかった。 |
| The increase in homelessness was the **impetus** for the new policy. | ホームレスの増加がその新しい政策のきっかけとなった。 |
| The company has **pledged** to match all donations made to the organization this week. | その会社は、今週その団体に寄せられた全寄付金と同額を寄付すると約束した。 |
| The family's **lineage** can be traced all the way back to the 6th century. | その家の家系ははるか 6 世紀までさかのぼることができる。 |
| He asked to receive the money in small **denominations**. | 彼は、その金を小額紙幣で受け取りたいと頼んだ。 |
| The church stands on the **crest** of the hill. | その教会は丘のてっぺんに建っている。 |
| We were **constrained** by the very small budget for advertising. | 私たちには広告の予算が非常に少ないという制約があった。 |

13
80

|  |  |  |
|---|---|---|
| 1381 | **figuratively** [fígjərətɪvli \| fígərə-] | 副 比喩的に、象徴的に<br>形 figurative 比喩的な |
| 1382 | **semblance** [sémbləns]<br>ⓘ sembl (似た) + -ance (性質) | 名 ① うわべ、外見<br>② 類似 (≒resemblance) |
| 1383 | **indelible** [ɪndéləbl]<br>ⓘ in- (否定) + del (消す) + -ible (できる) | 形 消すことのできない |
| 1384 | **mystique** [mɪstíːk] | 名 神秘的な雰囲気 |
| 1385 | **clumsy** [klʌ́mzi] | 形 ① 不器用な、ぎこちない (≒awkward)<br>② 無様な、不格好な |
| 1386 | **bountiful** [báʊntɪfl] | 形 ① 豊富な (≒abundant)<br>② 〈人が〉物惜しみしない、気前のよい (≒generous)<br>名 bounty 気前のよさ |
| 1387 | **sanctuary** [sǽŋktʃuèri \| -əri]<br>ⓘ sanct(u) (聖なる) + -ary (場所) | 名 鳥獣保護区域 |
| 1388 | **germinate** [dʒə́ːrmənèɪt]<br>ⓘ germin (芽) + -ate (~させる) | 動 〈種が〉発芽する (≒sprout)<br>名 germination 発芽 |
| 1389 | **precipitous** [prɪsípətəs] | 形 非常に険しい、急峻(きゅうしゅん)な |
| 1390 | **blurt** [bləːrt] | 動 ~を出し抜けに言う、うっかり口にする<br>► blurt out の形でよく使われる。 |
| 1391 | **tumble** [tʌ́mbl] | 動 転ぶ、倒れる (≒fall)<br>名 転倒 (≒fall) |
| 1392 | **outage** [áʊtɪdʒ] | 名 (電力・水道などの) 供給停止 |

Track 116

| | |
|---|---|
| She was speaking **figuratively** when she said that her workplace was a "zoo." | 彼女は自分の職場を「動物園」だと言ったが、それは比喩的な話だ。 |
| The city is returning to a **semblance** of normal life. | 街は普段の様子を取り戻しつつある。 |
| His works left an **indelible** mark on the history of music. | 彼の作品は音楽史に消すことのできない痕跡を残した。 |
| The café has a certain **mystique**, attracting people from all over the world. | そのカフェにはある神秘的な雰囲気があり、それが世界中の人々を引きつけている。 |
| My **clumsy** sister spilled milk all over my homework. | 不器用な妹が私の宿題一面に牛乳をこぼした。 |
| We enjoyed a **bountiful** harvest of rice last year. | 去年は米が豊作だった。 |
| This wildlife **sanctuary** is inhabited by a wide range of birds and animals. | この野生動物保護区にはさまざまな鳥類や動物が生息している。 |
| After you plant the seed, it will usually take a week or two to **germinate**. | その種をまいてから、発芽するまでに通常1、2週間かかる。 |
| The **precipitous** slope on one side of the trail makes climbing it terrifying. | 道の片側は急勾配になっているので、そこを登るのは恐ろしい。 |
| He almost **blurted out** that he loved her. | 彼はもう少しのところで彼女が好きだと言ってしまいそうになった。 |
| I lost my balance and **tumbled** forward. | 私はバランスを失い、前のめりに転倒した。 |
| The heavy rain caused power **outages**, which affected thousands of people. | 大雨が原因の停電により、数千人の人々が影響を受けた。 |

1393 **strut**
[strʌ́t]

動 誇らしげに歩く、気取って歩く

1394 **belatedly**
[bɪléɪtɪdli]

副 遅れて、遅ればせながら
形 belated 遅れた、遅すぎた

1395 **erode**
[ɪróʊd]
! e- (外に) + rode (かじる)

動 ①〈関係・自信など〉を損なう;〈価値など〉を下げる
②(風雨などで)浸食される;~を浸食する
名 erosion 浸食、腐食
形 erosive 浸食[腐食]性の

1396 **incarnation**
[ìnkɑːrnéɪʃən]
! in- (中に) + carn (肉) + -ation 名

名 人の姿を取ること、肉体化;(理念などの)具体化
形 incarnate 人の姿をした

1397 **vulgar**
[vʌ́lgər]

形〈言動などが〉下品な、卑猥な;
〈人・振る舞いなどが〉粗野な(≒coarse)(⇔refined)
名 vulgarity 下品、俗悪

1398 **arrogance**
[ǽrəgəns]
! ar- (~に) + rog (要求する) + -ance 名

名 傲慢、思い上がり
形 arrogant 傲慢な
動 arrogate ~を不当に要求する

1399 **hitch**
[hítʃ]

名 (一時的な)支障、障害
► without a hitch は「滞りなく」という意味。get hitched (結婚する)という表現も出題されている。

1400 **tantalizing**
[tǽntəlàɪzɪŋ]

形 じらすような、欲望をかき立てるような
(≒tempting, enticing, attractive)
動 tantalize ~をじらす、じらして苦しめる

1401 **eavesdrop**
[íːvzdrɑ̀ːp | -drɔ̀p]

動 (会話などを)盗み聞きする、立ち聞きする
► overhear は「(~を)偶然耳にする」。

1402 **gimmick**
[gímɪk]

名 (人目を引くための)からくり、仕掛け

1403 **demean**
[dɪmíːn]
! de- (下に) + mean (卑劣な)

動 ~の品位を落とす(≒degrade)

1404 **shrewd**
[ʃrúːd]

形 頭の切れる、やり手の、鋭い(≒astute, keen)

Track
117

| | |
|---|---|
| The models **strutted** down the runway in the latest fashion. | モデルたちは最新のファッションに身を包んでランウェイを歩いた。 |
| Decades after releasing the novel, he was **belatedly** recognized for its brilliance. | その小説を発表してから数十年たって、遅ればせながら彼はその小説の素晴らしさを認められた。 |
| His monthly medical bills quickly **eroded** his savings. | 毎月の医療費で、彼の貯金はすぐになくなってしまった。 |
| The statue was meant to be the **incarnation** of the motherly love. | その像は、母性愛を具現化したものとして作られた。 |
| His joke was so **vulgar** that no one laughed. | 彼のジョークはあまりに下品だったので、誰も笑わなかった。 |
| He used to be known for his **arrogance**, but he is more humble now that he is older. | 彼は傲慢で知られていたが、年を取った今は前より謙虚になった。 |
| Despite their concerns, the conference went off **without a hitch**. | 彼らの心配をよそに、その会議は滞りなく進んだ。 |
| The **tantalizing** aroma of freshly baked bread attracts a lot of customers to the bakery. | 焼きたてパンの食欲をそそる香りに誘われて、そのパン屋には多くの客がやってくる。 |
| He could not help but **eavesdrop** on the couple arguing at the table next to his. | 彼は、隣のテーブルで口論しているカップルの話を盗み聞きせずにはいられなかった。 |
| The claim that the product is "hormone free" is just a marketing **gimmick**. | その製品が「ホルモンフリー」だといううたい文句は、単なるマーケティング上の仕掛けに過ぎない。 |
| His comments like that **demean** the accomplishments of scientific researchers. | 彼のそのような発言は、科学研究者の功績をおとしめるものだ。 |
| Sherlock Holmes is an amazingly **shrewd** observer of fine details. | シャーロック・ホームズは、細部まで行き届く驚くほど鋭い観察眼を持っている。 |

14
04

1405 **agonize** [ǽgənàɪz]
動 苦悩する、苦悶する
名 agony 苦痛、苦悩

1406 **anonymity** [æ̀nəníməti]
① an-（否定）+ onym（名前）+ -ity 名
名 匿名（性）
形 anonymous 匿名の
副 anonymously 匿名で

1407 **fetter** [fétər]
動 ～を拘束する、束縛する（≒restrict）
名 [fetters] 足かせ
► foot（足）が原義。

1408 **lackluster** [lǽklʌ̀stər]
形 さえない、活気のない（≒boring, uninteresting, tedious）

1409 **implicit** [ɪmplísɪt]
① im-（中に）+ plicit（折られた）
形 〈同意・脅迫などが〉暗黙の、それとなしの（≒implied, tacit）（⇔explicit）
副 implicitly 暗黙のうちに

1410 **buffer** [bʌ́fər]
名 （衝撃などを）和らげるもの［人］（≒cushion, shield）

1411 **demeanor** [dɪmíːnər]
名 振る舞い、態度（≒manner）
► misdemeanor（不品行）という語も覚えておこう。

1412 **cajole** [kəʤóʊl]
動 〈人〉をおだてる、丸め込む（≒coax）
► cajole A into *doing* で「Aをおだてて～させる」という意味。

1413 **disgruntled** [dɪsgrʌ́ntld]
形 不満な、不機嫌な（≒discontented）

1414 **urbane** [əːrbéɪn]
① urb（都会）+ -ane 形
形 洗練された、落ち着いた物腰の

1415 **emblazon** [ɪmbléɪzn]
動 （デザインなどで）～を飾る（≒adorn）

1416 **equivocate** [ɪkwívəkèɪt]
① equi（等しい）+ voc（呼ぶ）+ -ate 動
動 あいまいなことを言う、言葉を濁す
形 equivocal あいまいな

Track 118

| | |
|---|---|
| He **agonized** about the poor choice he had made for the rest of his life. | 自分がした間違った選択で彼は一生苦しんだ。 |
| He writes under a fake name to preserve his **anonymity**. | 彼は、匿名性を保つため偽名で執筆している。 |
| Her critical article of the school system says that it **fetters** creativity. | 学校制度に関する彼女の批判的な記事では、学校制度は創造性に足かせをはめるものだと述べられている。 |
| Despite high expectations, he delivered a **lackluster** performance in the championship match. | 大きな期待とは裏腹に、彼は優勝決定戦で精彩を欠くパフォーマンスをした。 |
| The writer and his editor do not have a formal contract but rather an **implicit** agreement. | その作家と編集者は正式な契約ではなく、むしろ暗黙の合意で結ばれている。 |
| Her large cash savings serves as a **buffer** against times of potential hardship. | 彼女の多額の貯蓄は、将来起こりうる困窮時の備えとして役立つ。 |
| Despite his cold and distant **demeanor**, he is a very kind person at heart. | 彼は冷淡でよそよそしい態度を取るが、心はとても優しい人だ。 |
| She **cajoled** her brother **into going** on a date with her coworker. | 彼女は兄を言いくるめて、自分の同僚とデートさせた。 |
| The manager was able to professionally deal with the **disgruntled** customer. | 店長は、不機嫌な客にプロとして対応することができた。 |
| His **urbane** wit and charm make him popular among company clients. | 洗練された機知と魅力で、彼は会社の顧客に人気がある。 |
| The team's logo is **emblazoned** on the front of the players' jerseys. | 選手たちのジャージの前面にチームのロゴがあしらわれている。 |
| The prime minister **equivocated** when questioned on that subject. | その件について質問されると、首相は言葉を濁した。 |

14►16

**1417** **engulf**
[ɪngʌ́lf]
① en-（中に）+ gulf（湾）

動 ①〈波・炎などが〉～をのみ込む
②〈感情などが〉〈人〉を襲う

**1418** **exponential**
[èkspounénʃəl]

形 急激な、加速度的な
副 exponentially 急激に

**1419** **snare**
[snéər]

名 ①（動物を捕らえるための）わな（≒trap）
②（人を陥れる）誘惑、わな

**1420** **guzzle**
[gʌ́zl]

動 ～をがぶがぶ飲む、がつがつ食う

**1421** **translucent**
[trænzlúːsnt]
① trans-（越えて）+ lucent（光る）

形 半透明の、透き通るような
► opaque（不透明な）と transparent（透明な）の間。
名 translucence 半透明

**1422** **jaded**
[ʤéɪdɪd]

形 うんざりした、飽き飽きした（≒tired, bored）
（⇔excited, enthusiastic）

**1423** **obsequious**
[əbsíːkwiəs]
① ob-（～に）+ sequi（従う）+ -ous 形

形 へつらう、卑屈な（≒servile）

**1424** **tedium**
[tíːdiəm]

名 退屈なこと
形 tedious 退屈な

**1425** **impound**
[ɪmpáund]

動〈裁判所などが〉〈商品・文書など〉を押収する、没収する（≒confiscate, seize）

**1426** **genial**
[ʤíːnjəl | -iəl]

形 ①〈人・態度などが〉愛想のよい、陽気な（≒affable）
②〈気候などが〉温暖な
副 genially 愛想よく　名 geniality 愛想のよさ

**1427** **embolden**
[ɪmbóuldn]
① en-（～にする）+ bold（大胆な）+ -en（～にする）

動〈人〉を勇気づける、大胆にする

**1428** **efficacious**
[èfəkéɪʃəs]
① ef-（外に）+ ficac（作る）+ -ious（満ちた）

形〈治療・方法などが〉効き目のある、有効な（≒effective）
名 efficacy 効能、効き目

Track 119

| | |
|---|---|
| Within only a few minutes, the flames had **engulfed** the entire building. | わずか数分のうちに、炎は建物全体をのみ込んでいた。 |
| On average, one new user invited two more, making the growth of the social network **exponential**. | 平均して１人の新規ユーザーがさらに２人を招待し、そのソーシャルネットワークは急成長を遂げた。 |
| He set out several **snares** but did not catch any rabbits. | 彼はわなをいくつか仕掛けたが、ウサギは捕まらなかった。 |
| He used to **guzzle** coffee every morning, but now he does not drink caffeine at all. | 彼は、以前は毎朝コーヒーをがぶ飲みしたものだったが、今ではまったくカフェインを取らない。 |
| The **translucent** body of the jellyfish makes it difficult to spot. | クラゲは半透明の体のせいで見つけにくい。 |
| After decades in the same job, he had become **jaded** with his daily routine. | 何十年も同じ仕事をしてきて、彼は毎日の日課に飽き飽きしていた。 |
| The salesperson was overly **obsequious** and I felt uncomfortable. | 店員があまりにぺこぺこするので、私はかえって落ち着かなかった。 |
| The **tedium** of data entry makes it an unpopular job in general. | データ入力は退屈なため、一般的に人気のない仕事だ。 |
| The police arrested him for driving without a license and **impounded** his car. | 警察は彼を無免許運転で逮捕し、車を押収した。 |
| She is a **genial** host, and everyone enjoys attending her dinner parties. | ホスト役の彼女は愛想がよいので、誰もが彼女のディナーパーティーに喜んで参加する。 |
| He was **emboldened** by the positive feedback he received from his teacher. | 彼は、先生から受け取った好意的な反応に勇気づけられた。 |
| The medication was **efficacious**, with all of the patient's symptoms disappearing. | その薬は効果があり、患者の症状はすべて消えた。 |

1429 **gaunt** [gɔ́:nt]

形 (病気・心配などで) ひどくやせた

1430 **conceit** [kənsí:t]

名 うぬぼれ、虚栄心 (≒vanity)

1431 **effigy** [éfɪʤi]

ⓘ ef- (外に) + figy (形作る)

名 (嫌われる人物の) 像、人形(ひとがた)

1432 **throb** [θrá:b | θrɔ́b]

動 ① 〈体の一部が〉ずきずき痛む
② 〈心臓が〉どきどきする

1433 **progeny** [prá:ʤəni | prɔ́ʤ-]

名 [集合的に] (人・動物の) 子孫
(≒descendants, offspring)

1434 **grind** [gráɪnd]

名 退屈な仕事
動 〈穀物・コーヒー豆など〉をひく

1435 **deface** [dɪféɪs]

ⓘ de- (悪化) + face (顔)

動 (落書きなどで) ~の外観を損なう

1436 **dissemble** [dɪsémbl]

ⓘ dis- (否定) + semble (似る)

動 (本心などを) 隠す、偽る

1437 **append** [əpénd]

ⓘ ap- (~に) + pend (ぶら下げる)

動 (書物などに) 〈注釈・補遺など〉を追加する
名 appendix 補遺

1438 **consummate** [形 ká:nsəmət | kənsʌ́mət 動 ká:nsəmèɪt | kɔ́n-]

形 非常に有能な、熟練した
動 ~を完全なものにする
名 consummation 完成、達成

1439 **fervor** [fə́:rvər]

ⓘ ferv (沸騰する) + -or 名

名 熱情、熱烈
(≒excitement, ardor, enthusiasm, passion)
形 fervent 熱烈な

1440 **enamored** [ɪnǽmərd]

ⓘ en- (中に) + amor (愛) + -ed 形

形 興味を持って、魅惑されて
(≒infatuated, fascinated, smitten)

Track 120

| | |
|---|---|
| She looked **gaunt** after losing so much weight. | 彼女は大幅に体重が減って、やせ細ったように見えた。 |
| His **conceit** makes him a difficult player to coach. | 彼はうぬぼれが強いため、指導しにくい選手だ。 |
| The **effigy** of the dictator was burned in protest. | その独裁者の人形は抗議のために燃やされた。 |
| His finger **throbbed** with pain after he smashed it in the door. | 彼は指をドアにぶつけてしまい、その指が痛みでずきずきした。 |
| Over 10 percent of the American population is the **progeny** of German immigrants. | アメリカの人口の 10 パーセント以上は、ドイツからの移民の子孫だ。 |
| The two-week trip would be a great escape from the daily **grind**. | その 2 週間の旅行に行ったら、日々の退屈な仕事からのいい気晴らしになるだろう。 |
| The graffiti artist was arrested for **defacing** public property. | そのグラフィティアーティストは、公共物の外観を損なったとして逮捕された。 |
| She **dissembled** about her true reasons for leaving her previous company. | 彼女は前の会社を辞めた本当の理由について口を閉ざした。 |
| She **appended** the latest data to the report on sales growth. | 彼女は、売上の伸びに関する報告書に最新のデータを追加した。 |
| The founders brought in a **consummate** professional to act as the CEO. | 創業者たちは有能な専門家を CEO として迎え入れた。 |
| The author spoke with **fervor** about the importance of reading books. | その著者は、本を読むことの大切さを情熱をもって語った。 |
| She was immediately **enamored** with Berlin and vowed to live there permanently. | 彼女はたちまちベルリンに魅了され、そこに永住することを誓った。 |

14
40

**1441 retribution**
[rètrəbjúːʃən]
① re-（元に）+ tribu（支払う）+ -tion 名

名（当然の）報い、天罰（≒reward）
形 retributive 応報の、天罰の

**1442 emancipate**
[ɪmǽnsəpèɪt]
① e-（外に）+ man（手）+ cip（取る）+ -ate 動

動（社会・法律的な束縛から）〈人〉を解放する
名 emancipation 解放

**1443 sidestep**
[sáɪdstèp]

動〈問題など〉を回避する、はぐらかす（≒evade）

**1444 deform**
[dɪfɔ́ːrm]
① de-（分離）+ form（形）

動 ～を変形させる、ゆがめる
名 deformation 変形、ゆがみ

**1445 rustic**
[rʌ́stɪk]

形 田舎（風）の、素朴な（≒rural）
► rural（田舎の）と同語源語。
名 rusticity 田舎らしさ
動 rusticate 田舎住まいをする

**1446 woe**
[wóʊ]

名 ①［woes］問題、トラブル
② 苦痛、悲痛

**1447 usher**
[ʌ́ʃər]
① ush（ドア）+ -er（人）

動〈人〉を案内する、誘導する（≒guide, escort）
名（座席）案内人

**1448 nuisance**
[n(j)úːsəns]
① nuis（害のある）+ -ance 名

名 迷惑な人［もの］、厄介なこと
（≒trouble, bother）

**1449 avarice**
[ǽvərɪs]

名（金銭・利益に対する）貪欲、強欲（≒greed）
形 avaricious 貪欲な

**1450 pushover**
[púʃòʊvər]

名 ① だまされやすい人、かも（≒sucker）
② 簡単なこと、朝飯前（≒breeze）

**1451 dart**
[dɑ́ːrt]

動（矢のように）動く、進む
名 ①（ダーツの）矢 ② 突進

**1452 droop**
[drúːp]

動（だらりと）垂れる、下向きになる
► drop（落ちる）と同語源語。

Track 121

| | |
|---|---|
| The victims of the financial fraud are seeking **retribution** against the people responsible. | 金融詐欺の被害者たちは、責任者に厳罰が下ることを求めている。 |
| Abraham Lincoln **emancipated** the slaves in the United States in 1863. | 1863 年、エイブラハム・リンカーンは合衆国内の奴隷を解放した。 |
| The candidate **sidestepped** the reporter's question by changing the topic. | その候補者は話題を変えて記者の質問をはぐらかした。 |
| Scoliosis is a condition that **deforms** the shape of the spine. | 脊柱管狭窄症とは、背骨の形が変形してしまう病気だ。 |
| The cabin's **rustic** atmosphere provides a relaxing escape from the city. | 山小屋の素朴な雰囲気のおかげで、都会から逃れてのんびりすることができる。 |
| Unless he gets a job, his financial **woes** will likely continue. | 就職しない限り、彼の経済的な苦しさは続きそうだ。 |
| She **ushered** me into her office. | 彼女は私をオフィスの中へ案内した。 |
| Spam emails are a **nuisance**. | スパムメールは迷惑だ。 |
| All her actions were motivated by **avarice**. | 彼女の行動はすべて、金銭欲に駆られてのものだった。 |
| I think he is no **pushover**. | 私は、彼は簡単にだまされる人ではないと思う。 |
| He **darted** into the classroom just before the class started. | 彼は授業が始まる直前に教室に駆け込んできた。 |
| The plants were **drooping** from lack of water. | 水不足で植物はぐったりしていた。 |

1453 **jumble**
[ʤʌ́mbl]

動 〈もの〉をごちゃ混ぜにする、〈考え〉を混乱させる
名 混在
► 自動詞の使い方もある。

1454 **blanch**
[blǽntʃ | blɑ́:ntʃ]

動 ①〈人・顔などが〉青ざめる（≒pale）
②～を熱湯に通す、湯がく
►「白くする」が原義で bleach（～を漂白する）などが同語源語。

1455 **sectarian**
[sektéəriən]

形 宗派（間）の、分派（間）の
名 sect 宗派、分派

1456 **levitate**
[lévətèɪt]

ⓘ levit（軽い）+ -ate（～にする）

動（魔術などの力で）空中に浮く
名 levitation 空中浮揚

1457 **rapture**
[rǽptʃər]

名 歓喜、有頂天（≒delight）
► enraptured（有頂天になった）という語も出題されている。
形 rapturous 有頂天の、熱狂的な

1458 **impermeable**
[ɪmpə́:rmiəbl]

形 不浸透性の（⇔permeable）

1459 **ascension**
[əsénʃən]

ⓘ a-（～に）+ scens（登る）+ -ion 名

名 上昇、上がること、昇進
動 ascend 上がる
形 ascendant 上昇する

1460 **fumigate**
[fjú:məgèɪt]

動〈部屋など〉を薫蒸（くんじょう）消毒する
► fum は「煙」を意味する語根で、perfume（芳香）なども同語源語。

1461 **lassitude**
[lǽsɪt(j)ù:d]

名 無気力、倦怠（けんたい）（≒weariness, lethargy）（⇔vigor）

1462 **instantaneous**
[ìnstəntéɪniəs]

ⓘ instant（瞬間）+ -aneous 形

形〈反応・行動などが〉即座の、瞬間的な
副 instantaneously 即座に

1463 **escapade**
[éskəpèɪd | èskəpéɪd]

名 とっぴな［羽目を外した］行動、悪ふざけ
► escape（逃げる）と同語源語。

1464 **entourage**
[ɑ̀:nturɑ́:ʒ | ɔ́nturɑ̀:ʒ]

ⓘ en-（中に）+ tour（巡回）+ -age 名

名［集合的に］側近、取り巻き

Track 122

| | |
|---|---|
| All of her necklaces in the jewelry box were **jumbled** together. | 宝石箱の中の彼女のネックレスはすべてごちゃ混ぜになっていた。 |
| She **blanched** at the sight of the gigantic spider in her bathroom. | バスルームに巨大なクモがいるのを見て彼女は青ざめた。 |
| More than 100 people were killed in a **sectarian** conflict. | 宗派間の争いで100人以上の人が死んだ。 |
| To exhibit her magical powers, she **levitated** a few feet off the floor. | 魔力を見せるため、彼女は床から数フィート浮いた。 |
| She listened to him in **rapture**. | 彼女は彼の言うことをうっとりとして聞いた。 |
| Most modern building materials are **impermeable** to water. | 現在の建築資材のほとんどは不透水性を有する。 |
| She devoted her life to the **ascension** of blacks in society. | 彼女は黒人の社会的地位向上に一生をささげた。 |
| I had my house **fumigated** to get rid of rats. | ネズミを駆除するために家を薫蒸消毒してもらった。 |
| Such a monotonous task brings a feeling of **lassitude** to workers. | そのような単調な仕事は作業者に倦怠感をもたらす。 |
| The Internet makes it possible to get a nearly **instantaneous** answer to almost any question. | インターネットを使えば、ほとんどどんな質問に対してもほぼ即答が返ってくる。 |
| As a teenager, he was involved in all sorts of crazy **escapades**. | 10代のころ、彼はありとあらゆるばかげた悪ふざけに関わった。 |
| The pop star is always accompanied by her **entourage** of bodyguards. | そのアイドルは常にボディガードを付き人として伴っている。 |

14/64

1465 **voraciously** [vɔːréɪʃəsli | və-]
副 貪欲に、飽くことなく
形 voracious 貪欲な、飽くことのない
名 voracity 大食；貪欲

1466 **profane** [prəféɪn]
形 ① 不敬な、冒涜(ぼうとく)的な
② 世俗的な（≒secular）（⇔sacred, holy）
名 profanation 冒涜
! pro-（外側に）+ fane（寺院）

1467 **malign** [məláɪn]
動 〈人〉を中傷する、けなす（≒vilify, revile）
形 有害な、悪意のある
! mali（悪い）+ gn（生まれた）

1468 **personable** [pə́ːrsənəbl]
形 〈人が〉感じのよい、魅力的な（≒friendly）

1469 **makeshift** [méɪkʃɪft]
形 間に合わせの、一時しのぎの

1470 **nauseate** [nɔ́ːzièɪt | -sièɪt]
動 ① 〈人〉に吐き気を催させる ② 〈人〉に嫌悪感を抱かせる ►「船酔いを起こさせる」が原義。
形 nauseating 吐き気を催させる
形 nauseous 吐き気がして 名 nausea 吐き気

1471 **seditious** [sɪdíʃəs]
形 反政府的な、扇動的な
名 sedition 扇動、治安妨害

1472 **desultory** [désəltɔ̀ːri | -təri]
形 とりとめのない、漫然とした

1473 **swab** [swɑ́ːb | swɔ́b]
動 （薬などを）〈傷口など〉に綿棒で塗る、~を消毒する
名 綿棒、綿球

1474 **decadence** [dékədəns]
名 （人・道徳などの）堕落、退廃
形 decadent 退廃的な
! de-（下に）+ cad（落ちる）+ -ence 名

1475 **luster** [lʌ́stər]
名 ① 輝かしい名声、栄光
② 光沢、つや（≒gloss, sheen）
形 lustrous 輝かしい；光沢のある

1476 **strenuous** [strénjuəs]
形 〈運動などが〉激しい；大変な努力を要する（≒arduous）
! strenu（強さ）+ -ous（満ちた）

Track 123

| | |
|---|---|
| He reads **voraciously**, often devouring entire books in a single night. | 彼は貪るように本を読む人で、一晩で一冊読み切ることもよくある。 |
| Do not use **profane** language. | 冒涜的な言葉を使ってはいけません。 |
| The politician does nothing but **malign** his opponents. | その政治家は政敵の中傷に終始している。 |
| She is very **personable** and easy to talk to, making her a great salesperson. | 彼女はとても気さくで話しやすいので、優秀な販売員だ。 |
| The owner has set up a **makeshift** office in the corner of the café. | そのオーナーは、カフェの隅に一時しのぎのオフィスを設置した。 |
| The smell of the rotten meat **nauseated** her. | 腐った肉の臭いに、彼女は吐き気を催した。 |
| The activist was arrested for making **seditious** statements against the state. | その活動家は、国家に対して扇動的な発言をしたとして逮捕された。 |
| For a few moments we talked in a **desultory** manner. | しばらくの間、私たちはとりとめのない話をした。 |
| He **swabbed** the cut with alcohol to disinfect it. | 彼は切り傷をアルコールで拭いて消毒した。 |
| He pointed out some factors that are responsible for the moral **decadence** today. | 彼は今日の道徳的退廃を招いている要因をいくつか指摘した。 |
| Shakespeare's works never lose their **luster**. | シェークスピアの作品は決して輝きを失うことはない。 |
| Developing a new market is a **strenuous** task. | 新しい市場の開拓は骨の折れる仕事だ。 |

14/76

1477 **succulent** [sʌ́kjələnt]
① succ（汁）+ -ulent（富む）

形〈果物などが〉みずみずしい；〈肉が〉肉汁の多い（≒juicy）
名 succulence 水分［汁］の多いこと

1478 **indiscriminate** [ìndɪskrímənət]
① in-（否定）+ discrimin（区別する）+ -ate 形

形〈行動などが〉無差別の、見境なしの

1479 **clairvoyant** [kleərvɔ́ɪənt]
① clair（はっきりと）+ voyant（見ている）

形 透視力のある、千里眼の
名 clairvoyance 透視力、千里眼

1480 **reap** [ríːp]

動 ①〈利益・報酬など〉を享受する
②〈作物〉を刈り取る

1481 **fortitude** [fɔ́ːrtət(j)ùːd]
① fort（強い）+ -itude 名

名（精神的な）強さ、不屈の精神（≒bravery）（⇔cowardice）

1482 **dubious** [d(j)úːbiəs]

形 ① 不審な、怪しげな（≒suspicious）
② 疑わしく思う（≒doubtful）

1483 **romp** [rɑ́ːmp | rɔ́mp]

名 ①（試合での）楽勝 ② 跳ね回ること
動 跳ね回る

1484 **grouch** [gráʊtʃ]

名 不平屋、不機嫌な人
動 不平を言う（≒grumble）
形 grouchy 気難しい

1485 **abyss** [əbís]
① a-（ない）+ byss（底）

名 ① どん底、危機的状況 ②（底なしの）深淵、深み
形 abysmal 底知れない

1486 **jilt** [dʒílt]

動〈恋人〉を（突然）捨てる

1487 **transpose** [trænspóʊz]
① trans-（越えて）+ pose（置く）

動 ～を入れ換える、置き換える

1488 **conundrum** [kənʌ́ndrəm]

名 難題、難問（≒dilemma）

Track 124

| | |
|---|---|
| They served **succulent** fruits as dessert. | デザートには果汁たっぷりのフルーツが出てきた。 |
| Ten people were killed in the **indiscriminate** murder. | その無差別殺人で10人が殺された。 |
| The movie is about a **clairvoyant** young boy who can predict the future. | その映画は、未来を予知できる千里眼の少年を描いたものだ。 |
| They are at last **reaping** the benefits of their years of efforts. | ようやく彼らの長年の努力が報いられつつある。 |
| She overcame a lot of troubles with **fortitude**. | 彼女は不屈の精神で多くの困難を乗り越えた。 |
| His scientific hypothesis was rejected as a highly **dubious** claim with no supporting evidence. | 彼の科学的仮説は、裏づけとなる証拠のない非常に疑わしい主張として却下された。 |
| The game turned into a **romp** after the opposing team suffered several injuries. | 相手チームに負傷者が数名出て、その試合は楽勝となった。 |
| My uncle turned into a real **grouch** recently. | おじは近ごろ不平ばかり言う人間になった。 |
| He fell into an **abyss** of despair following the loss of his family. | 彼は、家族を失い、絶望のどん底に落ちた。 |
| He was **jilted** by his girlfriend last week. | 彼は先週、恋人に捨てられた。 |
| The data was **transposed** to a different format to make it compatible with the software. | そのソフトウェアとの互換性を持たせるため、データは別の形式に変換された。 |
| She received two job offers simultaneously, which put her in quite a **conundrum**. | 彼女は同時に2社から内定をもらい、かなり困難な状況に陥った。 |

14
88 ▸

1489 **stowage** [stóuɪʤ]
名 （船・飛行機などの）収納場所
動 stow 〈荷物など〉をしまい込む

1490 **snitch** [snítʃ]
名 密告者
動 密告する

1491 **emphatic** [ɪmfǽtɪk]
! em-（中に）+ pha（見せる）+ -tic 形
形 ①〈反応・意見などが〉強調された
②〈人が〉強く主張して
動 emphasize ～を強調する
名 emphasis 強調

1492 **snide** [snáɪd]
形 〈発言が〉嫌みな、とげのある

1493 **widget** [wíʤət]
名 小さな装置、機器（≒gadget）
► 名前を知らないもの、想像上のものについて言及するときにも使う。

1494 **credulity** [krəd(j)ú:ləti]
! credul（信用する）+ -ity 名
名 信じやすい性質（⇔incredulity）
形 credulous 〈人が〉信じやすい

1495 **ephemeral** [ɪfémərəl]
形 ① 一時的な、つかの間の
②〈動植物が〉1日しか生きられない
► ephemera は「カゲロウ」。

1496 **insubstantial** [ìnsəbstǽnʃəl]
! in-（否定）+ substantial（実体の）
形 ① 非現実的な、架空の
②〈数量・金額などが〉わずかな、不十分な（⇔substantial）

1497 **beckon** [békən]
動 （〈人〉に）手招きする、合図する（≒invite）

1498 **sneer** [sníər]
名 冷笑、あざけり（≒snicker）
動 あざ笑う、冷笑する（≒snicker）

1499 **tenuous** [ténjuəs]
! tenu（薄い）+ -ous 形
形 〈根拠などが〉弱い；〈関係などが〉希薄な（≒flimsy）（⇔certain, strong）

1500 **scuff** [skʌ́f]
動 〈ものの表面〉にこすった跡をつける
名 こすれた跡、傷

Track
125

| | |
|---|---|
| This boat has ample **stowage**. | このボートには荷物を積み込むスペースがたっぷりある。 |
| He confessed to being a **snitch**. | 彼は密告者であると告白した。 |
| They are **emphatic** that global warming has been caused by humans. | 彼らは、地球温暖化は人類によって引き起こされていることを強調している。 |
| She made a **snide** comment about their boss's lack of technical knowledge. | 彼女は、上司の技術的な知識のなさについてとげのある発言をした。 |
| They invented a new **widget** to help keep drivers awake. | 彼らは運転手の居眠り防止用の新しい装置を開発した。 |
| The company was accused of taking advantage of the **credulity** of consumers. | その会社は消費者の信じやすい性格につけ込んだと非難された。 |
| The fame was **ephemeral**, and she soon went back to being just a regular person. | 名声もつかの間のものでしかなく、彼女はすぐにただの普通の人に戻った。 |
| There is no point in repeating **insubstantial** arguments. | 中身のない議論を繰り返しても無駄だ。 |
| The host of the event **beckoned** her to come onto the stage. | イベントの主催者は、ステージに上がってくるよう彼女を手招きした。 |
| A faint **sneer** came over her face. | かすかな冷笑が彼女の顔に浮かんだ。 |
| With their history of conflict, the peace agreement between the two countries was **tenuous**. | 紛争の歴史があるため、両国間の和平協定は脆弱(ぜいじゃく)だった。 |
| She **scuffed** her new shoes the very first time she wore them. | 彼女はおろしたての新しい靴に擦り傷をつけてしまった。 |

15
00

1501 **ingrained** [ɪngréɪnd]
形 〈習慣・思想などが〉深く染み込んだ

1502 **dredge** [drédʒ]
動 〈川・湾など〉を浚渫（しゅんせつ）する、さらう

1503 **niggle** [nígl]
動 ①（ささいなことに）くよくよする
②〈人〉をいらいらさせる

1504 **bulge** [bʌ́ldʒ]
動 膨れる、膨らむ
名 膨らみ、出っ張り

1505 **perverse** [pərvə́ːrs]
! per-（悪く）+ verse（向ける）
形 〈人・行い・喜びなどが〉ひねくれた、屈折した

1506 **heretic** [hérətɪk]
名 異端者、異教徒
名 heresy 異端（的主張）
形 heretical 異端の

1507 **imperious** [ɪmpíəriəs]
! imper（命令する）+ -ous 形
形 傲慢な、横柄な（≒arrogant, haughty）

1508 **levy** [lévi]
名 税、税金
動 〈税など〉を課する、徴収する

1509 **conflate** [kənfléɪt]
! con-（共に）+ flate（吹く）
動 〈複数の情報・考えなど〉をまとめる、合成する

1510 **prerogative** [prɪrɑ́ːgətɪv | -rɔ́g-]
! pre-（前に）+ rog（尋ねる）+ -ative 形
名 （役職上の）特権（≒privilege）

1511 **collation** [kəléɪʃən]
名 照合、対照

1512 **truancy** [trúːənsi]
名 ずる休み、無断欠席
名 truant ずる休みする生徒

Track 126

| | |
|---|---|
| Traditional beliefs about education are **ingrained**, so people are resistant to change. | 教育についての従来の考え方が染みついているので、人々は変化に抵抗する。 |
| They **dredged** the harbor and built a man-made island. | 彼らは港を浚渫し、人工島を建造した。 |
| He tends to **niggle** over little details. | 彼はささいなことにくよくよしがちだ。 |
| His bag was **bulging** with books. | 彼のかばんは本で膨れていた。 |
| She seems to take a **perverse** pleasure in making her parents sad. | 彼女は両親を悲しませることに屈折した喜びを見いだしているようだ。 |
| They were severely persecuted as **heretics**. | 彼らは異教徒として厳しい迫害を受けた。 |
| She demanded in an **imperious** tone. | 彼女は横柄な口調で尋ねた。 |
| The city plans to impose a **levy** on cars entering there. | 市は進入車両に課税することを計画している。 |
| They are two different issues and should not be **conflated**. | その２つは異なる問題で、一緒くたにされるべきではない。 |
| It is an author's **prerogative** to tell the story he wants to tell. | 語りたい話を語るのは作者の特権だ。 |
| The team is responsible for the **collation** of data. | そのチームはデータの照合作業を担当している。 |
| His parents were furious when they learned of his truancy. | 彼の無断欠席を知って両親は激怒した。 |

15►
12

1513 **unabashedly**
[ʌ̀nəbǽʃɪdli]
① un- (否定) + a- (～に) + bashed (驚いた) + -ly 副

副 恥ずかしがらずに
形 unabashed 厚かましい、恥じない

1514 **haggard**
[hǽgərd]

形 (病気・心労・寝不足などで) やつれた

1515 **malady**
[mǽlədi]

名 ① 病気 (≒disease)
② (組織・社会などの) 病弊

1516 **indictment**
[ɪndáɪtmənt] ⚠ 発音注意。
① in- (～に) + dict (言う) + -ment 名

名 ① 起訴、告訴
② (制度・社会などの) 欠陥を示すもの
動 indict ～を起訴する

1517 **vociferous**
[voʊsífərəs]
① voci (声) + fer (運ぶ) + -ous (満ちた)

形 〈人が〉やかましい、〈文句・要求などが〉声高な

1518 **infirmity**
[ɪnfə́ːrməti]
① in- (否定) + firm (堅固な) + -ity 名

名 虚弱、病弱
形 infirm 虚弱な

1519 **mutinous**
[mjúːtənəs]
① mutin (反乱) + -ous 形

形 ① 反抗的な ② 反乱 [暴動] に加わった
名 mutiny 反乱

1520 **celibate**
[séləbət]
① celib (独身の) + -ate 形

形 (特に宗教上の理由により) 独身主義の；禁欲主義の
名 独身 [禁欲] 主義者
名 celibacy 独身

1521 **taint**
[téɪnt]

動 ① 〈人・名声など〉を傷つける (≒disgrace)
② 〈水・空気など〉を汚す、汚染する
名 汚点、不名誉

1522 **insignia**
[ɪnsígniə]

名 (地位・所属などを示す) 記章 (≒emblem)

1523 **probationary**
[proʊbéɪʃənèri | -əri]
① prob (証明する) + -ation 名 + -ary 形

形 ① 試用の、見習い中の ② 保護観察中の
名 probation 見習期間；保護観察

1524 **denunciation**
[dɪnʌ̀nsiéɪʃən]
① de- (非難) + nunci (知らせる) + -ation 名

名 ① (公然の) 非難、弾劾 ② (罪の) 摘発、告発
動 denounce ～を (公然と) 非難する

Track
127

| | |
|---|---|
| He **unabashedly** admitted to his lack of knowledge about the topic. | 彼は、その話題についての知識のなさを臆面もなく認めた。 |
| She looked **haggard** after staying up all night programming. | 彼女は徹夜でプログラミングをしたので、やつれて見えた。 |
| He is suffering from multiple **maladies**, including arthritis and heart disease. | 彼は、関節炎や心臓病など複数の病気に苦しんでいる。 |
| No one expected Grace to get an **indictment** for any crime, let alone for theft. | 誰も、グレースが何か犯罪で、ましてや窃盗で起訴されるとは思っていなかった。 |
| The activist is a **vociferous** critic of the corporation's environmental record. | 活動家は、その企業の環境記録について声高に批判している。 |
| Her death was due to the **infirmities** of age. | 彼女の死は老衰によるものだった。 |
| He sometimes shows a **mutinous** attitude toward his boss. | 彼はときどき上司に反抗的な態度を見せる。 |
| He chose to live a **celibate** life because of his religious beliefs. | 彼は宗教的信条から独身生活を選んだ。 |
| The scandal **tainted** the politician's reputation. | スキャンダルは、その政治家の評判を傷つけた。 |
| The uniforms had the **insignia** signifying a soldier's rank. | 制服には兵士の階級を示す記章がつけられていた。 |
| All new employees will be subject to a **probationary** period of six months. | 全新規採用者に6か月の試用期間が設けられている。 |
| The invasion has drawn strong **denunciations** from leaders around the globe. | その侵攻は世界中の指導者から強い非難を浴びている。 |

15
24

1525 **debar**
[dɪbάːr]

動 ①〈人〉に禁じる（≒ban）
②〈人・団体など〉を締め出す、除外する
► debar A from B で「A の B を禁じる」という意味。

1526 **lax**
[lǽks]

形〈規律などが〉ゆるい、甘い
名 laxity 甘さ、だらしなさ

1527 **obnoxious**
[ɑːbnάːkʃəs | əbnɔ́kʃ-]
① ob-（～に）+ noxious（有害な）

形 非常に不快な、気に障る（≒offensive）

1528 **harbinger**
[hάːrbɪndʒər]

名（変化の）前兆、前触れ（≒omen, portent）

1529 **logistically**
[lədʒístɪkli]

副 業務遂行上
形 logistic 兵たんの；業務を行うための

1530 **exhilaration**
[ɪgzìləréɪʃən]
① ex-（強意）+ hilar（陽気にする）+ -ation 名

名 高揚感、興奮
動 exhilarate ～を高揚させる

1531 **rancid**
[rǽnsɪd]

形〈油・油脂を含む食品が〉悪臭のする

1532 **contemptuous**
[kəntémptʃuəs]

形 軽蔑した、ばかにした（≒scornful）
名 contempt 軽蔑、さげすみ

1533 **peddle**
[pédl]

動〈商品〉を売り歩く、行商する
名 peddler 行商人

1534 **rueful**
[rúːfl]

形 悔やむような、申し訳なさそうな
動 rue ～を後悔する
副 ruefully 後悔して

1535 **inoculate**
[ɪnάːkjəlèɪt | -ɔ́k-]
① in-（～に）+ ocul（芽、目）+ -ate 動

動 ～に（予防）接種する
名 inoculation 予防接種

1536 **gratuity**
[grət(j)úːəti]
① gratu（喜びを与える）+ -ity 名

名 心づけ、チップ（≒tip）

Track 128

| | |
|---|---|
| He was **debarred from** driving a car for three years. | 彼は３年間、車の運転を禁じられた。 |
| The teacher is **lax** about enforcing the rules against eating in the classroom. | 先生は教室で食事をしてはいけないというルールの徹底に甘い。 |
| The **obnoxious** teenagers sitting next to him at the restaurant were very loud. | レストランで彼の隣に座っていた不愉快なティーンエイジャーたちは、とてもうるさかった。 |
| According to legend, ravens are **harbingers** of doom. | 言い伝えによると、カラスは死を知らせるものである。 |
| Such tests are **logistically** difficult as they are time-consuming. | そのような試験は大変な時間を要するため、業務遂行上、困難だ。 |
| The crowd was in a state of **exhilaration**. | 観衆は興奮状態にあった。 |
| The butter went **rancid** in a few days. | 2、３日するとバターは悪臭を発し始めた。 |
| She is **contemptuous** of people who do not have polite manners. | 彼女は、礼儀作法が身についていない人を軽蔑している。 |
| There are some trucks on the street **peddling** ice cream to kids. | 通りにはアイスクリームを子どもたちに売り歩く数台のトラックがいる。 |
| He had a **rueful** smile on his face. | 彼は顔に悲しそうな笑みを浮かべていた。 |
| The school students have been **inoculated** against polio. | 学校の生徒たちはポリオの接種を受けている。 |
| The tour guide received a generous **gratuity** from one of the travelers. | そのツアーガイドは、旅行者の一人からチップを気前よくはずんでもらった。 |

15► 36

1537 **conviviality** [kənvìviǽləti]
! con-（共に）+ vivi（生命）+ -al 形 + -ity 名
名 陽気さ、にぎやかさ
形 convivial 陽気な

1538 **tantrum** [tǽntrəm]
名（特に幼児の）かんしゃく、立腹（≒fit）
► throw a tantrumで「かんしゃくを起こす」という意味。

1539 **hallucinate** [həlúːsənèɪt]
動〈人が〉幻覚を起こす
名 hallucination 幻覚（症状）

1540 **indemnity** [ɪndémnəti]
! in-（否定）+ demn（損失）+ -ity 名
名 賠償（金）、補償（金）（≒restitution）
動 indemnify〈人〉に賠償する

1541 **indolence** [índələns]
! in-（否定）+ dol（苦しむ）+ -ent 形
名 怠惰、無精（≒laziness）
形 indolent 怠惰な、不精な

1542 **underwrite** [ʌ̀ndərráɪt]
動〈活動・事業など〉の融資を引き受ける

1543 **virtuous** [və́ːrtʃuəs]
形 徳の高い、有徳の；高潔な（⇔vicious）
名 virtue 美徳

1544 **exult** [ɪgzʌ́lt]
! ex-（外に）+ ult（跳ぶ）
動 大喜びする、狂喜する
形 exultant 大喜びの
名 exultation 大喜び、歓喜

1545 **tumult** [t(j)úːmʌlt]
名（群衆などの）騒動、大騒ぎ
形 tumultuous 騒々しい；激動の

1546 **redeem** [rɪdíːm]
! red-（元に）+ eem（買う）
動 ①〈失敗・弱点など〉を補う
②〈引換券など〉を現金に換える

1547 **consort** [kənsɔ́ːrt]
! con-（共に）+ sort（分かち合う）
動 ①（悪い人間と）付き合う ② 一致する、調和する

1548 **defer** [dɪfə́ːr]
! de-（分離）+ fer（運ぶ）
動〈決定・支払いなど〉を延期する
（≒put off, postpone）
名 deferral 延期

Track 129

| | |
|---|---|
| The lively party had a great sense of **conviviality**. | そのにぎやかなパーティーはとても陽気な雰囲気だった。 |
| The young girl **threw a tantrum** when her father would not buy her the toy. | 父親がおもちゃを買ってくれないので、少女はかんしゃくを起こした。 |
| The patient seemed to be **hallucinating** at that time. | 患者はそのとき幻覚を見ているようだった。 |
| She demanded **indemnity** for the damage caused by the accident. | 彼女は事故の損害賠償を求めた。 |
| His mother criticized his **indolence** and general lack of motivation. | 母親は、彼の怠惰と全般的な意欲の欠如を批判した。 |
| Not a few investors agreed to **underwrite** the project. | 多くの投資家たちがそのプロジェクトに出資することに同意した。 |
| She led a **virtuous** life, and she wanted others to follow her example. | 彼女は高潔な生活を送っていて、ほかの人にも自分を見習ってほしいと思っていた。 |
| During summer break, he **exulted** in his newfound freedom, playing video games all day. | 夏休みの間、彼は新たに得た自由に有頂天になり、一日中テレビゲームをしていた。 |
| The concert hall was in a state of **tumult** after the power went out. | 停電のあと、そのコンサートホールは大騒ぎになった。 |
| The great performances of the actors **redeem** the flaws in the story. | 俳優たちの名演技がストーリーの弱点を補っている。 |
| There is a rumor that he **consorts** with the underworld. | 彼は裏社会と付き合いがあるとうわさされている。 |
| The committee agreed to **defer** their decision. | 委員会は決定を延期することで合意した。 |

15
48

1549 **delineate**
[dɪlínièɪt]
① de-（完全に）+ line（線）+ -ate（～にする）

動 ① ～を詳述する ② ～を（線で）描写する
名 delineation 記述、描写

1550 **condiment**
[kάːndəmənt | kɔ́ndɪ-]

名 調味料、香辛料

1551 **crux**
[krʌ́ks]

名（問題・議論などの）核心、最重要点
►「十字架（cross）」が原義。

1552 **foist**
[fɔ́ɪst]

動〈相手の望まないもの・不要なものなど〉を押し付ける
► foist A on(to) B で「A を B に押し付ける」という意味。

1553 **dispensation**
[dìspənséɪʃən]
① dis-（分離）+ pens（重さを量る）+ -ation 名

名 ①（権力者などからの）特別な許し ② 分配（品）

1554 **arrears**
[əríərz]

名 滞納、未払い金
► in arrears で「(支払いが) 遅れて」という意味。

1555 **egalitarian**
[ɪgæ̀lətéəriən]
① egalitar（等しい）+ -ian 形

形 平等主義の
名 egalitarianism 平等主義

1556 **belittle**
[bɪlítl]

動 ～を軽んじる、見くびる
(≒downplay) (⇔magnify)

1557 **snarl**
[snάːrl]

動〈犬などが〉（歯をむいて）うなる

1558 **annihilate**
[ənáɪəlèɪt]
① an-（～に）+ nihil（ゼロ）+ -ate（～にする）

動 ～を全滅させる、絶滅させる
(≒wipe out, decimate, exterminate)
名 annihilation 全滅、絶滅

1559 **crabby**
[krǽbi]

形 不機嫌な、気難しい

1560 **glib**
[glíb]

形〈人・発言・態度などが〉口先だけの、軽薄な

Track 130

| | |
|---|---|
| This paper **delineates** the current state of the Japanese economy. | この論文は日本経済の現状を詳述している。 |
| **Condiments** are used to enhance flavor. | 調味料は風味を高めるために使用される。 |
| They held a meeting to find the **crux** of the problem and how to best solve it. | 彼らはその問題の核心と最善の解決策を探るために、会議を開いた。 |
| She attempted to **foist** the blame for the broken vase **onto** her brother. | 彼女は、割れた花瓶の責任を弟に押し付けようとした。 |
| The company has received a special **dispensation** from the government to produce the weapons. | その会社は、兵器を製造する特別な許可を政府から受けている。 |
| His rent is 10 days **in arrears**. | 彼の家賃は10日支払いが遅れている。 |
| No state in human history has managed to create a completely **egalitarian** society. | 人類史上、完全に平等な社会をつくることができた国家はない。 |
| His sister was jealous, so she tried to **belittle** his accomplishments. | 彼の妹はねたみ深く、彼の業績を軽んじようとした。 |
| My neighbor's dog always **snarls** at me. | 隣の家の犬はいつも私に向かってうなる。 |
| The president has vowed to **annihilate** terrorists. | 大統領はテロリストの壊滅を明言している。 |
| She is in a **crabby** mood because she did not get much sleep last night. | 彼女は昨夜あまり眠れなかったので、機嫌が悪い。 |
| Many people dislike how the candidate gives **glib** answers to questions on complex issues. | 多くの人は、複雑な問題についての質問に、その候補者が口先だけの答えをするのが嫌いだ。 |

15/60

1561 **jinx** [ʤíŋks]

名 不運（をもたらすもの［人］）
► 日本語の「ジンクス」と違い、悪いことにしか使わない。

1562 **entreaty** [ɪntríːti]

名 懇願、嘆願（≒plea）
動 entreat ～に懇願する

1563 **luminary** [lúːmənèri | -nəri]

名 著名人、大御所、大家（≒celebrity）
► lumin は「光」を意味する語根。「輝ける存在」ということ。

1564 **ebullience** [ɪbʌ́liəns]
ⓘ e-（外に）+ bulli（沸騰する）+ -ence 名

名（あふれんばかりの）情熱、エネルギー
形 ebullient エネルギーにあふれた

1565 **senile** [síːnaɪl]

形 老齢による、もうろくした
► senior（高齢者）と同語源語。
名 senility 老年；老衰

1566 **incredulous** [ɪnkréʤələs | -krédjə-]
ⓘ in-（否定）+ credul（信用する）+ -ous 形

形〈人が〉信じようとしない；〈顔つきなどが〉疑うような（≒doubtful, skeptical）
名 incredulity 疑い深さ

1567 **waylay** [wèɪléɪ]

動〈どこかに行こうとする人〉を呼び止める

1568 **tubby** [tʌ́bi]

形 ずんぐりした、太った（≒plump）

1569 **acquiesce** [æ̀kwiés]
ⓘ ac-（～に）+ quiesce（静かな）

動 黙認する、（黙って・反論せずに）受け入れる
名 acquiescence 黙認

1570 **conscription** [kənskrípʃən]
ⓘ con-（共に）+ script（書く、登録する）+ -ion 名

名 徴兵（制度）（≒draft）
動 conscript ～を徴兵する

1571 **contravene** [kɑ̀ːntrəvíːn | kɔ̀n-]
ⓘ contra-（反対に）+ vene（来る）

動〈法律・規則など〉に違反する（≒violate, disobey, defy, infringe）（⇔obey）
名 contravention 違反

1572 **inter** [ɪntə́ːr]
ⓘ in-（中に）+ ter（土地）

動 ～を埋葬する（≒bury）
名 interment 埋葬

Track 131

| | |
|---|---|
| There seemed to be a **jinx** on the project from the beginning. | そのプロジェクトは初めからついていなかったようだ。 |
| They would not listen to our **entreaties**. | 彼らは私たちの懇願を聞き入れようとしなかった。 |
| He is known today as one of the **luminaries** of 19th century science. | 彼は今日、19 世紀の科学界における偉大な人物の一人として知られている。 |
| His daughter's delightful **ebullience** always brings a smile to his face. | 娘のあふれんばかりの喜びは、いつも彼の顔に笑みを運んでくれる。 |
| That patient suffers from **senile** dementia. | その患者は老人性認知症だ。 |
| He was **incredulous** when his wife said they had won the lottery. | 宝くじに当たったと妻が言ったとき、彼は信じられなかった。 |
| The actress was **waylaid** by a group of reporters. | その女優は記者の一団に呼び止められた。 |
| She is quite pleased with her **tubby** mug. | 彼女はずんぐりした形のマグカップがとても気に入っている。 |
| After much negotiation, the company **acquiesced** to the demands of its employees. | 長い交渉の末、その会社は従業員の要求を受け入れた。 |
| The country has a mandatory **conscription** for all of its male citizens. | その国ではすべての男性国民に徴兵義務を課している。 |
| The construction company was fined for **contravening** safety regulations. | その建設会社は、安全規則に違反したとして罰金を科された。 |
| He was **interred** next to his wife. | 彼は妻の隣に埋葬された。 |

15
72

1573 **addendum** [ədéndəm]

名 追加物、(本の) 補遺(ほい)
► 複数形は addenda または addendums。

1574 **dribble** [dríbl]

動 ①〈液体・よだれ〉を垂らす；垂れる
②(サッカーなどで) ドリブルする
名 したたり

1575 **rumple** [rʌ́mpl]

動〈髪・服など〉をくしゃくしゃにする；くしゃくしゃになる
名 しわ

1576 **kindred** [kíndrəd]

ⓘ kin (親族)+ d+ red (状態)

形 ① 同類の、よく似た ② 血縁の、親類の
► kin の後ろの d は音声学的に挿入されたもので意味はない。

1577 **cardinal** [kɑ́ːrdənl]

形 非常に重要な、基本的な (≒basic, fundamental)

1578 **matriculate** [mətríkjəlèɪt]

動 (大学などに) 入学する

1579 **treason** [tríːzn]

名 反逆 (罪)
► betray (裏切る) などと同語源語。
形 treasonable 反逆の、裏切りの

1580 **bereaved** [bɪríːvd]

形 最近家族 [親友] を亡くした、あとに残された
名 bereavement 家族 [親友] の死

1581 **tier** [tíər]

名 ① 段階、階層 (≒layer, level)
② (段状の) 座席

1582 **garrulous** [gǽrələs]

形 おしゃべりな (≒talkative) (⇔taciturn)

1583 **digression** [daɪgréʃən]

ⓘ di- (分離)+ gress (歩く)+ -ion 名

名 (話などの) 脱線、逸脱
動 digress (本題から) 脱線する

1584 **stymie** [stáɪmi]

動 ～を妨害する、邪魔する (≒frustrate, thwart)

Track 132

| | |
|---|---|
| This report is provided as an **addendum** to the earlier document. | このレポートは以前の文書の補遺として提供されている。 |
| I accidentally **dribbled** some coffee on my shirt. | シャツにうっかりコーヒーを垂らしてしまった。 |
| The man **rumpled** his hair with his hands. | 男性は両手で髪をくしゃくしゃにした。 |
| I do not believe in ghosts and **kindred** phenomena. | 私は幽霊やそれに類する現象を信じていない。 |
| Respect for basic human rights is a **cardinal** principle of the Constitution of Japan. | 基本的人権の尊重は日本国憲法の基本原則の一つだ。 |
| He **matriculated** at Harvard University in 1988. | 彼は1988年にハーバード大学に入学した。 |
| They were convicted of **treason** for passing nuclear secrets to the enemy nation. | 彼らは、核兵器の機密を敵国に渡したとして、反逆罪で有罪になった。 |
| The company announced they would compensate the **bereaved** family. | その会社は遺族に対し補償を行うと発表した。 |
| The coach introduced three-**tier** training courses. | コーチは3段階のトレーニングコースを導入した。 |
| After she drank a few glasses of wine, she became **garrulous**. | ワインを2、3杯飲むと、彼女はおしゃべりになった。 |
| The professor apologized for the **digression** and resumed his lecture. | その教授は話が脱線したことを謝り、講義を再開した。 |
| The moving plan has been **stymied** by land contamination problems. | 移転計画は土壌汚染の問題のために立ち往生している。 |

15
84

1585 **snip** [snɪ́p]
動 ～をはさみで切る
名 はさみで切ること[音]

1586 **dismay** [dɪsméɪ]
動 ～をうろたえさせる、失望させる(≒upset, disappoint)
名 狼狽、失望
① dis-(否定)+may(力)

1587 **volition** [voʊlɪ́ʃən]
名 意志の働き、決断
形 volitional 意志による
① vol(意志)+-ition(行為)

1588 **arbitrate** [ɑ́ːrbətrèɪt]
動 ～を仲裁する、調停する
名 arbitration 仲裁、調停
名 arbiter 調停者
① ar-(～に)+bitr(裁く)+-ate 動

1589 **agape** [əgéɪp]
形 (驚いて)口を開けた、非常に驚いた
① a-(～に)+gape(口を開けた)

1590 **gradient** [gréɪdiənt]
名 (道・鉄道などの)勾配、傾斜(≒grade)
① gradi(勾配)+-ent 形

1591 **repulsive** [rɪpʌ́lsɪv]
形 嫌悪感を催させる、不快な
動 repulse ～に嫌悪感を抱かせる
名 repulsion 嫌悪、反感
① re-(分離)+puls(追いやる)+-ive 形

1592 **abduct** [æbdʌ́kt]
動 〈人〉を誘拐する、拉致する(≒kidnap)
名 abduction 誘拐、拉致
名 abductor 誘拐犯
名 abductee 拉致被害者
① ab-(～から)+duct(導く)

1593 **linkage** [lɪ́ŋkɪdʒ]
名 つながり、関連(≒correlation)
① link(つながり)+-age(状態)

1594 **contraption** [kəntrǽpʃən]
名 変わった機械[器具](≒gadget)

1595 **garble** [gɑ́ːrbl]
動 ～を誤って伝える

1596 **demur** [dɪmə́ːr]
動 (穏やかに)異議を唱える(≒object)
① de-(悪化)+mur(引き延ばす)

Track 133

| | |
|---|---|
| She **snipped** some parsley from her garden and put it in the soup. | 彼女は庭からパセリを切り取って、スープに入れた。 |
| Her choice to drop out of school **dismayed** her parents. | 学校を中退するという彼女の選択は、両親をうろたえさせた。 |
| The decision to participate in the medical trial must be made of the patient's own **volition**. | 治験に参加するかどうかの決断は、患者自身の意志でなされなければならない。 |
| The UN **arbitrated** the dispute between the two nations. | 国連が2国間の紛争を仲裁した。 |
| He just stood there with his mouth **agape** when he received an acceptance letter. | 合格通知を受け取ったとき、彼は口をぽかんと開けてその場に立ち尽くしていた。 |
| This car drives smooth even on roads with steep **gradients**. | この車は勾配のきつい道も快適に走ります。 |
| The smell was so **repulsive** that she had to leave the room. | においがあまりに不快だったので、彼女は部屋を出なければならなかった。 |
| The child, who was **abducted** late last night, has been returned to her parents. | その子どもは昨夜遅くに誘拐されたが、両親の元に帰ってきた。 |
| We could not find any **linkage** between the two incidents. | 私たちは2つの出来事の間に何のつながりも見いだせなかった。 |
| He built a **contraption** that can make seawater drinkable. | 彼は、海水を飲めるようにする装置を作った。 |
| After I hung up the phone, I realized I **garbled** my address. | 電話を切ったあと、自分の住所を間違えて伝えたことに気づいた。 |
| When asked to invest, she **demurred**, saying that she was looking for more stable investments. | 投資を頼まれると、彼女はもっと安定した投資を探していると言って、やんわりと断った。 |

25/96

1597 **trounce**
[tráuns]

動 ～を完全に打ち負かす、～に完勝する

1598 **stolid**
[stá:ləd | stɔ́lɪd]

形 感情を表に出さない；無感動な（≒impassive）
名 stolidity 無表情；無感動

1599 **sedate**
[sɪdéɪt]
① sed（座る）+ -ate 形

形 〈人・場所などが〉落ち着いた、物静かな
名 sedation 鎮静状態

1600 **gaudy**
[gɔ́:di]

形 派手な、けばけばしい（≒showy, garish）

1601 **provident**
[prá:vədənt | prɔ́vɪ-]
① pro-（前に）+ vid（見る）+ -ent 形

形 将来に備えた、将来のために倹約する

1602 **fortuitously**
[fɔ:rt(j)ú:ətəsli]
① fortuit（運）+ -ous（満ちた）+ -ly 副

副 偶然に、思いがけず（≒by chance）
形 fortuitous 偶然の、思いがけない

1603 **rebate**
[rí:beɪt]
① re-（再び）+ bate（引き下げる）

名 払い戻し（金）（≒reimbursement）
► 日本語の「リベート」のような悪い意味はない。

1604 **burnish**
[bə́:rnɪʃ]

動 〈金属など〉を磨く、～につやを出す（≒polish）

1605 **overhaul**
[動 òuvərhɔ́:l 名 óuvərhɔ̀:l]

動 ～を分解修理する、オーバーホールする（≒revamp, restore）
名 分解修理、オーバーホール

1606 **ponderous**
[pá:ndərəs | pɔ́n-]
① ponder（重さ）+ -ous（満ちた）

形 ①（重々しくて）退屈な、つまらない
②〈動きなどが〉のっそりした、鈍重な

1607 **eponymous**
[ɪpá:nəməs | -pɔ́nɪ-]

形 〈小説・劇などの主人公が〉作品名と同名の

1608 **incisive**
[ɪnsáɪsɪv]

形 〈言葉・批評などが〉鋭い、的確な（≒sharp, penetrating）

Track 134

| | |
|---|---|
| Our team was **trounced** 10 to 2 in the last game. | 我々のチームはこの前の試合で10対2で完敗した。 |
| The accused remained **stolid** even when he received a sentence of death. | 被告は死刑判決が下されたときにも何の反応も示さなかった。 |
| The hotel is located in a **sedate** town. | そのホテルは物静かな町にある。 |
| Her **gaudy** dress got everyone's attention. | 彼女の派手なドレスはみんなの注目を浴びた。 |
| You should lead a more **provident** life. | あなたはもっと将来を見すえた生活を送るべきだ。 |
| Our visit to the city **fortuitously** coincided with its summer festival. | 私たちがその町を訪れたのは、偶然にも夏祭りの当日だった。 |
| Just mail this form to get the $50 **rebate** for the printer. | この用紙を郵送していただくだけで、プリンターの50ドルの払い戻しを受けることができます。 |
| I **burnished** the silver ring to get it to shine again. | 私は銀の指輪を磨いて、輝きを取り戻させた。 |
| Recently I had my watch **overhauled**. | 私は最近、腕時計をオーバーホールしてもらった。 |
| His latest book was **ponderous** rather than philosophical. | 彼の最新作は哲学的というより退屈だった。 |
| The film *Forrest Gump* tells the story of its **eponymous** hero's journey from childhood to adulthood. | 映画『フォレスト・ガンプ』は、同名の主人公が幼少期から大人になるまでの道のりを描いた物語だ。 |
| Her newsletter's **incisive** analyses of market trends make it popular among investors. | 彼女のニュースレターは、市場動向を的確に分析しているため、投資家の間で人気がある。 |

16
08

1609 **bedraggled**
[bɪdrǽgld]
① be-（強意）+ draggle（引きずって汚す）+ -(e)d 形

形（雨・泥などで）ぐしょぐしょの、汚れた

1610 **cavernous**
[kǽvərnəs]

形（洞窟のように）だだっ広い
（≒vast, huge）（⇔cramped, tiny）
名 cavern 大きな洞窟；広く暗い部屋

1611 **jubilant**
[ʤú:bələnt]
① jubil（非常に喜ぶ）+ -ant 形

形 歓喜に満ちた（≒overjoyed）
名 jubilation 歓喜、歓声
名 jubilee 記念祭、祝祭

1612 **aperture**
[ǽpərtʃʊ̀ər | -tʃə]
① apert（開いた）+ -ure 名

名 すき間、割れ目（≒crack）

1613 **devout**
[dɪváʊt]

形 信心深い、敬虔（けいけん）な（≒religious, pious）
► devote（～を捧げる）と同語源語。
副 devoutly 信心深く

1614 **promulgate**
[prá:məlgèɪt | prɔ́m-]

動 ①〈考えなど〉を広める、宣伝する
（≒spread, disseminate）
②〈法律など〉を公布する
名 promulgation 普及；公布

1615 **pliable**
[pláɪəbl]
① pli（曲げる）+ -able（できる）

形 曲がりやすい、柔軟な（≒flexible）

1616 **chunky**
[tʃʌ́ŋki]

形 ①〈服などが〉厚手の
②〈人・動物が〉どっしりした、ずんぐりした
（≒stocky）

1617 **specter**
[spéktər]

名 ① 不安、恐怖
② 幽霊、亡霊（≒ghost, apparition）

1618 **undulate**
[ʌ́nʤəlèɪt | -djə-]
① und（波）+ -ul（指小辞）+ -ate（～にする）

動〈土地などが〉起伏に富む、〈水面などが〉波打つ
名 undulation 波動、うねり

1619 **spoof**
[spú:f]

名 パロディー、もじり（≒parody, takeoff）

1620 **extort**
[ɪkstɔ́:rt]
① ex-（外に）+ tort（ねじる）

動〈金銭など〉を巻き上げる、強要する
名 extortion 恐喝、強要
形 extortionate〈要求・価格などが〉法外な

| | |
|---|---|
| A **bedraggled** man was taking shelter from the rain under a tree. | 雨でぐしょぐしょの男性が木の下で雨やどりをしていた。 |
| The seminar was held in a **cavernous** hall. | セミナーはがらんとした大きなホールで行われた。 |
| Fans of the team were **jubilant** when it finally won a championship. | そのチームがついに優勝したとき、ファンは歓喜に沸いた。 |
| We entered the cave through a narrow **aperture**. | 私たちは狭いすき間を通って洞窟の中に入った。 |
| He is a **devout** Christian. | 彼は敬虔なキリスト教徒だ。 |
| He succeeded in **promulgating** his ideas through the media. | 彼はメディアを通じて自分の考えを広めることに成功した。 |
| The material is both **pliable** and durable, making it perfect for gloves. | その素材は柔軟で耐久性もあるので、手袋に最適だ。 |
| He wore a **chunky** sweater and looked chic. | 彼は厚手のセーターを着て、おしゃれにきめていた。 |
| The citizens live in fear of the **specter** of war. | 市民は戦争の恐怖におびえながら暮らしている。 |
| The path **undulates** gently alongside a river. | その道は川に沿ってゆるやかに起伏している。 |
| The movie was a **spoof** of *Star Wars*. | その映画は『スター・ウォーズ』のパロディーだった。 |
| They attempted to **extort** large sums of money from Carol. | 彼らはキャロルから大金を巻き上げようとした。 |

1621 **submissive**
[səbmísɪv]
① sub-（下に）+ miss（置く）+ -ive 形

形 従順な、言うことを聞く（≒obedient）（⇔assertive）
動 submit 服従する
名 submission 服従、降服

1622 **inimical**
[ɪnímɪkl]
① in-（否定）+ imic（友人）+ -al 形

形 有害で、不利で（≒harmful, adverse）

1623 **ameliorate**
[əmíːliərèɪt]
① a-（～に）+ melior（よりよい）+ -ate（～にする）

動 ～を改善する（≒improve）（⇔worsen, aggravate）

1624 **waver**
[wéɪvər]
① wav（揺れる）+ -er（反復）

動 動揺する、迷う
名 動揺、ためらい

1625 **ferocious**
[fəróuʃəs]
① feroc（どう猛な + -ious（満ちた）

形 ①〈人・動物が〉凶暴な、どう猛な（≒fierce）
②〈風雨・感情などが〉激しい
名 ferocity どう猛さ

1626 **irresolute**
[ɪrézəlùːt]

形 優柔不断な、決断力のない（≒indecisive）（⇔resolute）

1627 **hilarious**
[hɪléəriəs]

形 とても面白い、こっけいな
名 hilarity こっけい、爆笑

1628 **banish**
[bǽnɪʃ]
① ban（禁じる）+ -ish（～にする）

動 ①〈人〉を追放する（≒exile）
②〈考えなど〉を追い払う

1629 **conformist**
[kənfɔ́ːrmɪst]
① con-（共に）+ form（形）+ -ist（人）

名（伝統・慣習などに）従う人、順応主義者
動 conform（規則・慣習などに）従う、順応する
名 conformity 順応

1630 **angst**
[áːŋst | ǽŋst]

名（将来などに対する）不安、苦悩

1631 **remit**
[rɪmít]
① re-（後ろに）+ mit（送る）

動 ①〈金銭など〉を送る ②〈刑・税金など〉を免じる
名 remittance 送金
名 remission 減刑；免除

1632 **redolence**
[rédələns]
① red-（元に）+ ol（香る）+ -ence 名

名 芳香
形 redolent 芳香のする

Track 136

| | |
|---|---|
| The manager sees him as a **submissive** worker. | 部長は彼のことを従順な社員だと見なしている。 |
| Such an extreme ideology is **inimical** to the social order. | そのような極端な思想は社会秩序に反する。 |
| They are striving to **ameliorate** educational quality. | 彼らは教育の質を改善しようと努力している。 |
| She never **wavered** in her opposition to the war. | その戦争に反対する彼女の姿勢は決して揺らがなかった。 |
| The boat's passengers were lucky to escape the **ferocious** hippo. | ボートの乗客は、幸運にもどう猛なカバから逃れることができた。 |
| They were too **irresolute** to take swift action. | 彼らは決断力に欠けていたため、迅速な行動を取ることができなかった。 |
| Everyone was laughing at his **hilarious** story. | 彼の面白い話にみんなが笑っていた。 |
| He was **banished** from the baseball world because of the scandal. | 彼はそのスキャンダルのために球界から追放された。 |
| The musician has long said he will never be a **conformist**. | そのミュージシャンは、体制におもねるような人間にはならないと言い続けている。 |
| Many young people at that age are full of **angst**. | その年ごろの多くの若者は不安を抱えている。 |
| Please **remit** payment by cash or check. | ご送金は現金か小切手でお願いいたします。 |
| When she entered the bakery, it smelled a **redolence** of sweet cinnamon. | 彼女がパン屋に入ると甘いシナモンの香りがした。 |

16/32

1633 **tingle**
[tíŋgl]
動 〈体の一部が〉ひりひりする、ちくちくする

1634 **predominate**
[prɪdɑ́:mənèɪt | -dɔ́mɪ-]
① pre-（前もって）+ domin（支配する）+ -ate 動
動 （数・力などの点で）優位を占める
形 predominant 支配的な
副 predominantly 主に
名 predominance 優勢

1635 **apex**
[éɪpèks]
名 ①（山の）頂上（≒pinnacle, peak）（⇔bottom）
②（成功の）絶頂（≒pinnacle, peak）（⇔bottom）

1636 **accreditation**
[əkrèdɪtéɪʃən]
① a-（～に）+ credit（信用）+ -ation 名
名 （公式の）認可、認定
動 accredit ～を認可［認定］する

1637 **courier**
[kə́:riər | kú-]
名 （書類・小包などの）配達人、配達業者（≒messenger, carrier）

1638 **elongate**
[ɪlɔ́:ŋgeɪt | í:lɔŋgèɪt]
① e-（外に）+ long（長い）+ -ate（～にする）
動 ～を長くする、伸ばす（≒lengthen）（⇔shorten）

1639 **servitude**
[sə́:rvət(j)ù:d]
① servi（奴隷）+ -tude（状態）
名 隷属（れいぞく）（状態）、服従（≒slavery）（⇔freedom, liberty）

1640 **inertia**
[ɪnə́:rʃə]
① in-（否定）+ ert（技術）+ -ia（病名）
名 ① ものぐさ、怠惰 ② 慣性、惰性
形 inert 動作が鈍い、不活発な

1641 **impregnable**
[ɪmprégnəbl]
① im-（否定）+ pregn（取る）+ -able（できる）
形 ①〈考え・地位などが〉揺るがない、動じない
②〈要塞などが〉難攻不落の

1642 **stalwart**
[stɔ́:lwərt]
名 （組織・政党などの）熱心な支持者
形 〈支持者などが〉熱心な

1643 **blasphemy**
[blǽsfəmi]
名 （神などに対する）不敬、冒涜（≒profanity）
動 blaspheme ～を冒涜する
形 blasphemous 冒涜的な

1644 **haughty**
[hɔ́:ti]
① haught（高い）+ -y 形
形 〈人・態度などが〉高慢な、横柄な（≒arrogant, lofty）
副 haughtily 高慢に

Track 137

| | |
|---|---|
| His arm was **tingling** because he had been sleeping on it. | 彼は腕を枕にして寝ていたので、腕がしびれていた。 |
| Democrats **predominate** in the Senate. | 上院では民主党が優位を占めている。 |
| We at last got to the **apex** of the mountain. | 私たちはようやく山の頂上に着いた。 |
| The government withdrew **accreditation** from the college. | 政府はその大学の認可を取り消した。 |
| We use a **courier** service to deliver our packages. | わが社は荷物の配送に宅配便を利用している。 |
| She wore high heels to **elongate** her legs. | 彼女は脚を長く見せるためにハイヒールを履いていた。 |
| A lot of people are in a state of **servitude** in that country. | その国では多くの人が隷属状態に置かれている。 |
| She could not throw off the feeling of **inertia** after her afternoon nap. | 彼女は昼寝のあとの気だるさから抜け出すことができなかった。 |
| Her position as the leading figure seems **impregnable**. | 第一人者としての彼女の地位は揺るぎそうにない。 |
| They are **stalwarts** of our volunteer activities. | 彼らは私たちのボランティア活動の熱心なメンバーだ。 |
| Criticism of the religion's scriptures is considered **blasphemy** by its believers. | その宗教の経典に対する批判は、信者たちから冒涜と見なされる。 |
| The **haughty** attitude of the wealthy man makes many people dislike him. | その資産家は高慢な態度を取るので、多くの人に嫌われている。 |

16 ▸ 44

|  |  |  |
|---|---|---|
| 1645 | **staid** [stéɪd] | 形 生真面目な、お堅い |
| 1646 | **attuned** [ət(j)úːnd]<br>① at-（～に）+ tune（調整する）+ -ed 形 | 形 順応して、慣れて<br>動 attune ～を慣れさせる |
| 1647 | **ascetic** [əsétɪk] | 形 苦行の、禁欲主義の<br>副 ascetically 禁欲的に<br>名 asceticism 禁欲主義 |
| 1648 | **reciprocate** [rɪsíprəkèɪt] | 動 〈同じ行為〉を相手に返す<br>名 reciprocation 返礼、お返し<br>形 reciprocal 相互の |
| 1649 | **prophetic** [prəfétɪk]<br>① pro-（前もって）+ phet（述べる）+ -ic 形 | 形 予言者の、予言的な（≒predictive）<br>動 prophesy 予言する<br>名 prophecy 予言<br>名 prophet 予言者 |
| 1650 | **inclement** [ɪnklémənt]<br>① in-（否定）+ clement（温和な） | 形 〈天候が〉荒れ模様の、厳寒の（≒stormy）<br>名 inclemency（天候の）厳しさ |
| 1651 | **lure** [lúər \| ljúə] | 動 ～を誘い出す、誘い込む（≒entice）<br>名 魅力 |
| 1652 | **warden** [wɔ́ːrdn] | 名 監視員、管理人 |
| 1653 | **statutory** [stǽtʃətɔ̀ːri \| -təri]<br>① statut（法令）+ -ory 形 | 形 法定の、法令の<br>名 statute 法規、法令 |
| 1654 | **bicker** [bíkər] | 動 （ささいなことで）口論する（≒quarrel, squabble） |
| 1655 | **torrid** [tɔ́ːrəd \| tɔ́r-] | 形 ①〈恋愛感情などが〉情熱的な、熱烈な（≒passionate）<br>②〈地域・気候が〉灼熱（しゃくねつ）の、からからに乾いた |
| 1656 | **swill** [swíl] | 動 ① ～をがぶがぶ飲む（≒quaff）<br>② ～を洗い流す |

Track 138

| | |
|---|---|
| The company is trying to shake off its **staid** image. | その会社はお堅いイメージを払拭しようとしている。 |
| It took long for me to become **attuned** to the customs of the country. | 私のその国の習慣に順応するには時間がかかった。 |
| He lived a very **ascetic** life for a long time. | 彼は長い間、とても禁欲的な生活を送った。 |
| I would like to **reciprocate** your hospitality someday. | いつかあなたの親切なおもてなしに報いたいと思います。 |
| His novel later proved to be **prophetic**. | 彼の小説はのちに予言的であることがわかった。 |
| The flight had to be canceled due to the **inclement** weather. | 悪天候のため、その便はやむなく欠航になった。 |
| The low cost of living is **luring** many new residents from overseas. | 生活費の安さは、海外から多くの新しい住民を引きつけている。 |
| As a wildlife specialist, he has spent 20 years as a park **warden**. | 野生生物の専門家として、彼は20年間、公園監視員を務めてきた。 |
| The **statutory** speed limit on this road is 40 kilometers per hour. | この道路の法定制限速度は時速40キロメートルだ。 |
| They are always **bickering** about what to eat for lunch. | 彼らはいつも昼に何を食べるかで言い争っている。 |
| His latest novel is based on his **torrid** love affair. | 彼の新作小説は自身の熱烈な恋愛をもとにしている。 |
| He stuffed himself full of burgers while **swilling** beer. | 彼はビールをがぶ飲みしながらハンバーガーをたらふく食べた。 |

16
56

1657 **purvey** [pə(ː)rvéɪ]
① pur-（前もって）+ vey（見る）

動 〈食料・情報・サービスなど〉を提供する、調達する（≒provide, supply）

1658 **dilate** [daɪléɪt]
① di-（分離）+ late（広い）

動 〈体の器官〉を広げる、拡張する；〈体の器官が〉広がる、拡張する（⇔contract）
名 dilation 拡張

1659 **expiate** [ékspièɪt]
① ex-（外に）+ piate（信心深い）

動 〈罪など〉を償う（≒atone for ~）
名 expiation（罪の）償い

1660 **inane** [ɪnéɪn]

形 ばかげた、無意味な（≒silly, stupid senseless）
名 inanity 無意味

1661 **acolyte** [ǽkəlàɪt]

名 部下、助手、取り巻き

1662 **chivalrous** [ʃívlrəs]
① chivalr(y)（騎士道）+ -ous 形

形 ①〈男性が〉勇敢な、（女性に）親切な ②騎士道の
名 chivalry（女性に対する）親切さ；騎士道精神

1663 **diffuse** [dɪfjúːz]
① dif-（分離）+ fuse（注ぐ）

動 ①（〈光・熱・においなど〉を）拡散する、放散する ②〈知識・情報など〉を普及させる
名 diffusion 拡散；普及

1664 **intractable** [ɪntrǽktəbl]
① in-（否定）+ tract（扱う）+ -able（できる）

形 ①〈問題などが〉解決困難な、手に負えない（≒unmanageable）（⇔manageable） ②〈病気が〉治りにくい

1665 **fathom** [fǽðəm]

動 〈不可解なことなど〉を理解する、推測する

1666 **squint** [skwínt]

動 目を凝らす、目を細めて見る

1667 **confluence** [kɑ́ːnfluəns | kɔ́n-]
① con-（共に）+ flu（流れる）+ -ence 名

名 ①（複数の出来事の）同時発生 ②（川などの）合流点（≒junction）

1668 **craze** [kréɪz]

名 （一時的な）熱狂、大流行（≒fad）
形 crazy 正気でない

Track 139

| | |
|---|---|
| The store **purveys** a wide range of goods, from clothing to home appliances. | その店は、衣料品から家電製品まで幅広い商品を取り揃えている。 |
| He was looking at the scene with eyes **dilated** and mouth open. | 彼は目を見開き、口を開けてその光景を見ていた。 |
| I would do anything to **expiate** my guilt. | 罪を償うためには何でもするつもりです。 |
| The actress was fed up with being asked lots of **inane** questions. | その女優はくだらない質問ばかりされるのでうんざりしていた。 |
| The president counseled one of his most faithful **acolytes**. | 大統領は最も忠実な取り巻きの一人に相談した。 |
| She dreamed of meeting a **chivalrous** man like the ones in the stories she read. | 彼女は、読んだ物語に出てくるような女性に親切な男性に出会うことを夢見ていた。 |
| The lighting was beautifully **diffused** throughout the room. | 照明の光が部屋中に美しく拡散していた。 |
| This book discusses the **intractable** problems with an aging society. | この本は高齢化社会の厄介な問題を論じている。 |
| I could not **fathom** why she said things like that. | なぜ彼女があんなことを言ったのか私には理解できなかった。 |
| She did not have her glasses, so she needed to **squint** in order to read the sign. | 彼女は眼鏡をかけていなかったので、目を細めないと標識が読めなかった。 |
| The rare **confluence** of events led to them holding a once-in-a-lifetime concert. | めったにないことに複数の出来事が偶然重なり、彼らは一生に一度のコンサートを開催することになった。 |
| Running has become the latest **craze** to sweep the country. | 最近はランニングが大流行し、国中を席巻している。 |

16
68

1669 **fiendish** [fíːndɪʃ]
形 悪魔のような、残忍な（≒diabolical）
名 fiend 悪魔；残忍な人

1670 **gripe** [gráɪp]
名 不平、愚痴（≒complaint, grievance）
動 （だらだらと）文句を言う（≒complain）

1671 **cleave** [klíːv]
動 （人・思想などに）執着する、忠実である
► cleave to ～ で「～に執着する、忠実である」という意味。同じつづりで「（おのなどで）～を割る」という意味の動詞もある。

1672 **luscious** [lʌ́ʃəs]
形 〈味・香りが〉とてもよい、甘い

1673 **mirth** [mə́ːrθ]
名 はしゃぐこと、浮かれ騒ぐこと
形 mirthful はしゃいだ

1674 **caveat** [kǽviɑ̀ːt | kǽviæ̀t]
名 警告、忠告

1675 **atonement** [ətóʊnmənt]
名 償い、罪滅ぼし
動 atone 償いをする

1676 **embroider** [ɪmbrɔ́ɪdər]
動 ①〈話など〉を潤色する、脚色する（≒embellish）
②〈布地など〉に刺繍する
名 embroidery 脚色；刺しゅう

1677 **strife** [stráɪf]
名 衝突、紛争（≒conflict）

1678 **partake** [pɑːrtéɪk]
動 （活動などに）参加する
ⓘ par(t)（役割）+ take（取る）

1679 **juxtapose** [ʤʌ́kstəpòʊz | ʤʌ̀kstəpóʊz]
動 （比較対照のために）～を並べる、並置する
名 juxtaposition 並置；併記
ⓘ juxta（隣に）+ pose（置く）

1680 **fortress** [fɔ́ːrtrəs]
名 （大規模な）要塞、城塞（≒stronghold）
► fort は「強い」を意味する語根で「強い場所」が原義。

Track 140

| | |
|---|---|
| The man approached her with a **fiendish** look on his face. | その男は悪魔のような顔つきで彼女に近づいてきた。 |
| My only **gripe** with this smartphone is the size of the screen. | このスマートフォンで唯一不満なのは、スクリーンの大きさだ。 |
| The two were determined to **cleave to** their original positions, so the argument was never resolved. | 2人は元の立場に固く執着したので、議論は決して解決されることはなかった。 |
| The tart is topped with a **luscious** homemade whipped cream. | そのタルトにはおいしい自家製ホイップクリームがトッピングされている。 |
| The children's laughter brings much **mirth** to the small park outside her home. | 子どもたちの笑い声で、彼女の家の前の小さな公園はとてもにぎやかだ。 |
| There are a number of **caveats** written in her contract. | 彼女の契約書にはいくつかの警告が書かれている。 |
| He decided to leave his position as president as **atonement** for his wrongdoings. | 彼は自分の不正行為に対する償いとして、社長の地位を退くことに決めた。 |
| She always **embroiders** her stories with exciting details. | 彼女はいつも、面白おかしく自分の話を脚色する。 |
| The political instability in the country was caused by ethnic **strife**. | その国の政情不安は民族紛争によって引き起こされた。 |
| All employees are encouraged to **partake** in the upcoming charity event. | 全従業員が近々行われるチャリティーイベントに参加するようにしてください。 |
| The photo **juxtaposes** the appearance of a forest before and after it has been chopped down. | その写真には、伐採前と伐採後の森の様子が並んで写っている。 |
| The **fortress** was built 300 years ago and is now a tourist attraction. | その要塞は300年前に建てられ、現在は観光名所となっている。 |

1681 **advocate**
□□□
[名 ǽdvəkət 動 ǽdvəkèɪt]
① ad- (～に) + voc (呼ぶ) + -ate (～にする)

名 提唱者、主張者
(≒supporter, proponent) (⇔opponent, enemy)
動 ～を提唱する、主張する
名 advocacy 支持、擁護

1682 **manipulate**
□□□
[mənípjəlèɪt]
① mani (手) + pul (満たす) + -ate (～にする)

動 〈人・世論・価格など〉を操作する、巧みに仕向ける
(≒operate)
名 manipulation (情報などの) 改ざん
形 manipulative (人を) 巧みに操る

1683 **regime**
□□□
[rəʒíːm]

名 政権、政府；政治制度

1684 **subsequent**
□□□
[sʌ́bsɪkwənt]
① sub- (下に) + sequ (ついていく) + -ent 形

形 その後の、それに続く
(≒consecutive, following)
(⇔previous, prior)
副 subsequently あとで

1685 **vulnerable**
□□□
[vʌ́lnərəbl]
① vulner (傷つける) + -able (できる)

形 〈人・感情などが〉傷つきやすい、
(病気などに) かかりやすい (≒susceptible)
名 vulnerability 脆弱性

1686 **indigenous**
□□□
[ɪndíʤənəs]

形 (ある土地に) 固有の、先住の (≒native, original)
(⇔alien, foreign)

1687 **trait**
□□□
[tréɪt | tréɪ]

名 (性格・身体上の) 特徴 (≒attribute, characteristic)

1688 **predator**
□□□
[prédətər]

名 捕食動物、捕食者 (⇔prey)
形 predatory 捕食性の、肉食の

1689 **ultimately**
□□□
[ʌ́ltəmətli]
① ultim (最終の) + -ate 形 + -ly 副

副 結局、最終的に
(≒basically, finally, fundamentally, in the end)
形 ultimate 究極の

1690 **diagnose**
□□□
[dàɪəgnóʊs | dáɪəgnəʊz]
① dia- (完全に) + gnose (知る)

動 ① ～を診断する ② 〈故障・異常など〉を突き止める
名 diagnosis 診断
形 diagnostic 診断の

1691 **legitimate**
□□□
[lɪʤítəmət]
① legitim (合法の) + -ate (～にする)

形 ① 理にかなった、正当な (≒fair, reasonable)
② 合法的な (≒legal, lawful) (⇔illegitimate)
動 legitimize ～を合法化する
名 legitimacy 合法性、正当性

1692 **enhance**
□□□
[ɪnhǽns | -hάːns]

動 〈質・価値・力など〉を高める、向上させる
(≒improve, augment)
名 enhancement 強化、向上

Track 141

| | |
|---|---|
| He is a leading **advocate** of political reform. | 彼は政治改革の指導的提唱者だ。 |
| The large monopoly has the ability to **manipulate** prices. | その巨大な独占企業には価格を操作する力がある。 |
| The communist **regime** in that country collapsed in the late 20th century. | その国の共産主義政権は 20 世紀後半に崩壊した。 |
| Initial research was promising, and **subsequent** tests proved the theory correct. | 初期の研究は有望で、その後のテストでその理論が正しいと証明された。 |
| She was quite **vulnerable** after her divorce. | 離婚後、彼女はかなり弱気になっていた。 |
| The **indigenous** people welcomed the settlers when they first arrived. | 先住民は入植者が最初に到着したとき、彼らを歓迎した。 |
| He has many of the same **traits** as his father. | 彼は父親と同じ特徴をたくさん持っている。 |
| Orcas are arguably the most powerful **predators** in the ocean. | シャチは、ほぼ間違いなく海で最も強力な捕食者だ。 |
| She is confident that her hard work will **ultimately** lead her to success. | 彼女は、自分の懸命の努力が最終的に成功に導いてくれると確信している。 |
| He was **diagnosed** with a rare liver disease, but luckily it is not very serious. | 彼はまれな肝臓の病気だと診断されたが、幸いなことにそれほど深刻ではない。 |
| You must have a **legitimate** reason for missing work. | 欠勤するには正当な理由がなければならない。 |
| Adding a bit of salt can greatly **enhance** the flavor of a dish. | 塩を少し加えることで、料理の味を格段によくすることができる。 |

16/92

1693 **incentive**
[ɪnséntɪv]
① in- (～に)+ cent (歌う)+ -ive 形

名 動機、インセンティブ
(≒motive, encouragement) (⇔deterrent)

1694 **validity**
[vəlídəti]

名 ① 妥当性、正当性 ② (法的な) 効力、有効性
形 valid 有効な
動 validate ～を有効にする

1695 **proponent**
[prəpóunənt]
① propon (提議した)+ -ent (人)

名 (主義・方針などの) 擁護者、支持者
(≒advocate, supporter)
(⇔opponent, detractor)

1696 **cognitive**
[kάːgnətɪv | kɔ́g-]
① co- (共に)+ gn (知る)+ -itive 形

形 認識の、認識に関する (≒mental, intellectual)
名 cognition 認識

1697 **outright**
[副 àutráɪt 形 áutràɪt]

副 ① 完全に、全面的に (≒absolutely, completely)
② ずばりと、公然と (≒openly)
③ 即座に
形 完全な、あからさまな (≒absolute, utter)

1698 **facilitate**
[fəsílətèɪt]
① facil (簡単な)+ itate (～にする)

動 ～を容易にする、促進する
(≒ease, promote) (⇔block, impede)
形 facile 簡単な

1699 **correlation**
[kɔ̀ːrəléɪʃən | kɔ̀r-]
① cor- (共に)+ relation (関係)

名 相関関係
動 correlate ～を相互に関連づける
形 correlative 相関関係のある

1700 **underestimate**
[動 ʌ̀ndəréstəmèɪt 名 ʌ̀ndəréstəmət]
① under- (下に)+ estim (評価する)+ -ate 動

動 (～を) 過小評価する、見くびる
(≒undervalue) (⇔overestimate)
名 過小評価

1701 **drawback**
[drɔ́ːbæ̀k]

名 (状況・考えなどの) 欠点
(≒disadvantage, downside) (⇔advantage)

1702 **skeptical**
[sképtɪkl]
① skept (よく考える)+ -ical (特有の)

形 懐疑的な、疑っている (≒dubious, suspicious)
名 skeptic 懐疑的な人
名 skepticism 懐疑的態度

1703 **embrace**
[ɪmbréɪs]
① em- (中に)+ brace (腕)

動 ① 〈考え・提案など〉を受け入れる、採用する
(≒accept)
② (～を) 抱擁する (≒hold, hug)

1704 **controversial**
[kὰntrəvə́ːrʃəl | kɔ̀n-]
① contro (反対の)+ vers (向ける)+ -ial 形

形 ① 論争を引き起こす、物議をかもす
(≒divisive, disputed)
② 論争好きな
名 controversy 物議、論争

Track 142

| | |
|---|---|
| He was offered strong **incentives** to take the job. | 彼はその仕事に就くための強力なインセンティブを提示された。 |
| A growing number of scientists have begun to question the **validity** of the experiment. | ますます多くの科学者がその実験の妥当性に異議を唱え始めた。 |
| The doctor was one of the first **proponents** of the new medical treatment. | その医師は、新しい治療法の初期の提唱者の一人だった。 |
| The child's **cognitive** development was normal despite the accident. | 事故にもかかわらず、その子どもの認知発達は正常だった。 |
| The city has banned smoking **outright** in outdoor public space. | 市は公共の屋外スペースでの喫煙を全面的に禁止した。 |
| The new visa is intended to **facilitate** cultural exchange between the two nations. | その新しいビザは、両国間の文化交流を促進することを目的としている。 |
| The study revealed a **correlation** between income levels and overall health. | その研究は、所得水準と健康全般に相関関係があることを明らかにした。 |
| Unfortunately, she **underestimated** how difficult the climb would be. | 残念ながら、彼女は登山の難しさを甘く見ていた。 |
| There are some **drawbacks** to being famous, such as a lack of privacy. | 有名になることには、プライバシーがなくなるなどの欠点がある。 |
| While the CEO insisted that the company's sales would improve, many employees remained **skeptical**. | CEO は会社の売上は改善すると主張したが、多くの従業員は懐疑的なままだった。 |
| She **embraced** Christianity when she married a minister. | 彼女は牧師と結婚してキリスト教を受け入れた。 |
| Many types of animal testing for scientific research are very **controversial**. | 科学研究のための動物実験の多くのタイプは、非常に問題含みだ。 |

17
04

1705 **hazardous**
[hǽzərdəs]
ⓘ hazard (危険) + -ous (満ちた)

形 有害な、危険な (≒perilous, risky) (⇔safe)
名 hazard 危険

1706 **extract**
[ɪkstrǽkt]
ⓘ ex- (外に) + tract (引っぱる)

動 ① 〈別の物質から〉〈物質〉を抽出する、採取する
② 〈もの〉を取り除く、引き抜く
③ 〈情報など〉を聞き出す
名 extraction 抽出、採取

1707 **implement**
[動 ímpləmènt 名 ímpləmənt]
ⓘ im- (中に) + ple (満たす) + -ment 名

動 〈計画・政策など〉を実行する、履行する (≒carry out, execute) (⇔cancel)
名 道具、用具
名 implementation 実行

1708 **influx**
[ínflʌ̀ks]
ⓘ in- (中に) + flux (流れる)

名 (人・金・ものなどの) 到来、殺到、流入

1709 **outweigh**
[àʊtwéɪ]
ⓘ out- (勝る) + weigh (重さがある)

動 ～より重要である、～に勝る (≒eclipse, overshadow)

1710 **envision**
[ɪnvíʒən]

動 〈将来など〉を想像する (≒envisage, visualize)

1711 **contend**
[kənténd]
ⓘ con- (共に) + tend (伸ばす)

動 ① …であると強く主張する ② 競う、争う
名 contention 議論、主張
形 contentious 議論を呼ぶ

1712 **pharmaceutical**
[fɑ̀ːrməs(j)úːtɪkl]

形 製薬の、薬剤の
名 pharmacy 薬局

1713 **migration**
[maɪgréɪʃən]
ⓘ migr (移動する) + at 動 + -ion 名

名 (人・動物などの) 移動、移住
動 migrate 移住する
形 migratory 移住性の、回遊性の
名 migrant 移住者

1714 **warfare**
[wɔ́ːrfèər]

名 戦争;戦闘

1715 **livestock**
[láɪvstɑ̀ːk | -stɔ̀k]

名 家畜
► 集合的に馬・牛・ヒツジなどの「家畜類」を表す。

1716 **perish**
[pérɪʃ]
ⓘ per- (完全に) + ish (行く)

動 ① 〈人・動物が〉(突然) 死ぬ ② 滅びる、消滅する
形 perishable 傷みやすい、腐りやすい

Track 143

| | |
|---|---|
| Used syringes are dropped into a container for **hazardous** waste. | 使用済みの注射器は有害廃棄物用の容器に入れられる。 |
| The new machine **extracts** oil from seeds more efficiently. | 新型機は、種から油をより効率的に抽出する。 |
| The government cannot **implement** this new plan without raising taxes. | 政府は、増税することなしにこの新計画を実行することはできない。 |
| After giving a powerful speech, the mayor got an **influx** of support. | 力強い演説を行ったあと、市長のもとには支持が殺到した。 |
| The advantages of joining the treaty **outweigh** the disadvantages. | その条約に参加することのメリットはデメリットを上回る。 |
| They tried to **envision** the future of their community. | 彼らは地域の未来図を描こうとした。 |
| The employees **contend** that they deserve a raise in pay. | 従業員たちは、自分たちは昇給に値すると主張している。 |
| The **pharmaceutical** company is best known for its popular brand of painkillers. | その製薬会社は、鎮痛剤の人気銘柄で最もよく知られている。 |
| Tourists visit the Serengeti each year to witness the **migration** of the wildebeest. | ヌーの大移動の現場を目にしようと、毎年観光客がセレンゲティを訪れる。 |
| The use of drones has become a common aspect of modern **warfare**. | ドローンの使用は、現代の戦争のありふれた局面となっている。 |
| She decided to become vegetarian after watching a film about commercial **livestock** production. | 彼女は商業的な家畜生産に関する映画を見て、ベジタリアンになることを決意した。 |
| The baby birds will **perish** if their mother does not feed them. | そのひな鳥たちは、母鳥がえさを与えないと死んでしまうだろう。 |

17▸
16

1717 **enact**
[ɪnǽkt]
① en-（～にする）+ act（行う）

動 〈法律など〉を制定する
名 enactment 制定、立法；法律

1718 **implant**
[動 ɪmplǽnt | -plɑ́:nt
名 ímplænt | -plɑ:nt]
① im-（中に）+ plant（植える）

動 ①〈臓器など〉を移植する；〈もの〉を埋め込む
②〈思想など〉を植えつける
名 移植（片）

1719 **hypothesis**
[haɪpɑ́:θəsɪs | -pɔ́θ-]
① hypo（下に）+ thesis（置く）

名 仮説
► 複数形は hypotheses。
動 hypothesize …と仮定する
形 hypothetical 仮定の

1720 **breakthrough**
[bréɪkθrù:]

名 飛躍的な進歩、現状突破

1721 **overly**
[óʊvərli]

副 過度に、あまりにも
（≒too, excessively）
（⇔moderately, insufficiently）
► 形容詞の前で使う。

1722 **inherent**
[ɪnhíərənt | -hér-]
① in-（中に）+ her（くっつく）+ -ent 形

形 本来備わっている、生まれつきの
（≒natural, intrinsic）
副 inherently 生来的に

1723 **roam**
[róʊm]

動（～を）歩き回る、放浪する（≒wander）

1724 **mandatory**
[mǽndətɔ̀:ri | -təri]
① mandat（命令する）+ -ory 形

形 義務的な、強制的な
（≒compulsory, obligatory）（⇔optional）
動 mandate ～を義務付ける

1725 **accusation**
[æ̀kjəzéɪʃən | æ̀kju-]
① ac-（～に）+ cus（原因）+ -ation 名

名 告発、非難
動 accuse ～を告発する、非難する
形 accusatory 責めるような、非難の

1726 **contaminate**
[kəntǽmənèɪt]
① con-（～に）+ taminate（汚す）

動 ～を汚染する
名 contamination 汚染
名 contaminant 汚染物質

1727 **inmate**
[ínmèɪt]
① in-（中の）+ mate（仲間）

名（刑務所の）囚人；（精神病棟の）収容者

1728 **dub**
[dʌ́b]

動 ① ～を（…と）呼ぶ（≒name, call）
②〈映画などの言語〉を吹き替える

Track 144

|  |  |
| --- | --- |
| The government **enacted** a new law to protect endangered wildlife. | 政府は、絶滅の危機に瀕した野生生物を保護するために新しい法律を制定した。 |
| The surgeon **implanted** a metal rod in the patient's leg. | 外科医はその患者の脚に金属の棒を埋め込んだ。 |
| Their **hypothesis** was supported by the results of the tests that were conducted. | 彼らの仮説は、実施されたテストの結果によって裏づけられた。 |
| A **breakthrough** in genetic research may have unlocked the key to new anti-aging treatments. | 遺伝子研究の飛躍的な進歩により、新しいアンチエイジング治療のかぎが開かれた可能性がある。 |
| He became **overly** emotional during his speech, and he was unable to finish. | 彼はスピーチ中に過度に感情的になり、話を終えることができなかった。 |
| The corporation's size gives it an **inherent** advantage over competitors. | その企業は規模が大きいので、競合他社に対する本質的な優位性がある。 |
| They let their pet rabbits **roam** around freely in their backyard. | 彼らはペットのウサギを裏庭で自由に歩き回らせている。 |
| You must attend three days of **mandatory** training to get your license. | 免許を取得するためには、3日間の必須トレーニングに参加する必要があります。 |
| The athlete has denied the **accusation** that he used the drug. | そのアスリートは、薬物を使用したという告発を否定した。 |
| The factory was **contaminating** the nearby river with toxic waste. | その工場は有毒廃棄物で近くの河川を汚染していた。 |
| He volunteers once per week to teach computer programming to prison **inmates**. | 彼は週に1度、ボランティアで刑務所の受刑者にコンピュータプログラミングを教えている。 |
| The movement was **dubbed** by the media "Arab Spring." | その運動はマスコミに「アラブの春」と呼ばれた。 |

17
28

1729 **genetically**
[ʤənétɪkli]
① genet (発生) + -ical 形 + -ly 副

副 遺伝子 (学) 的に
► genetically engineered [modified] で「遺伝子組み換えの」という意味。
名 gene 遺伝子　形 genetic 遺伝子の；遺伝学的な

1730 **credibility**
[krèdəbíləti]
① cred (信用する) + -ibil (できる) + -ity 名

名 信用、信頼性 (≒reliability)
形 credible 信用できる
副 credibly 確実に

1731 **toxic**
[tá:ksɪk | tɔ́ks-]
① tox (毒) + -ic 形

形 毒性のある、有毒な (≒poisonous, harmful)
名 toxin 毒 (素)
名 toxicity 毒性

1732 **relevance**
[réləvəns]
① re- (再び) + lev (持ち上げる) + -ance 名

名 関連 (性)；(社会的) 意味
形 relevant (当面の問題などに) 関連のある

1733 **thrive**
[θráɪv]

動 ① 〈動植物が〉育つ (≒flourish) (⇔wither)
② 繁栄する、成功する (≒prosper, flourish)

1734 **underlie**
[ʌ̀ndərláɪ]
① under- (下に) + lie (横たわる)

動 〈思想・行動など〉の基礎となる、根拠をなす

1735 **sway**
[swéɪ]

動 ① ～に影響を与える、〈考え〉を左右する (≒influence)
② 揺れる、揺れ動く
名 影響 (力)

1736 **delegate**
[動 délɪgèɪt 名 délɪgət]
① de- (分離) + leg (送る) + -ate (～にする)

動 ① ～を任せる、委託する
② 〈人〉を (公式の場に) 派遣する
名 代表者
名 delegation 委任；代表派遣

1737 **foresee**
[fɔ:rsí:]
① fore- (前もって) + see (見る)

動 〈問題・事故など〉を予知する；～を予見する
形 foreseeable 予測可能な

1738 **reinforce**
[rì:ɪnfɔ́:rs]
① re- (再び) + in (～にする) + force (強い)

動 ～を強化する、強固にする (≒bolster, fortify) (⇔diminish, weaken)
名 reinforcement 強化

1739 **assault**
[əsɔ́:lt]
① as- (～に) + sault (跳ぶ)

動 〈人〉を襲う、〈人〉に暴行する (≒attack)
名 暴行

1740 **inject**
[ɪnʤékt]
① in- (中に) + ject (投げる)

動 〈薬など〉を注射する、注入する
►「〈人〉に注射する」と人を目的語にする使い方もある。
名 injection 注射

Track 145

| | |
|---|---|
| **Genetically engineered** crops have become controversial in recent years. | 近年、遺伝子組み換え作物は物議をかもす問題となっている。 |
| The evidence presented at the trial damaged her **credibility** as a witness. | 裁判で提出された証拠によって、彼女の証人としての信用は損なわれた。 |
| It is possible that the factory workers were exposed to **toxic** chemicals. | その工場の労働者が有毒な化学物質にさらされた可能性がある。 |
| The book explores the **relevance** of the ancient teachings to modern-day life. | その本は、現代生活に対して古代の教えが持つ意味を探求している。 |
| The plant **thrives** in bright sunlight and requires little water. | その植物は明るい日光の下でよく育ち、水はほとんど必要としない。 |
| The desire to feel safe **underlies** much of human behavior and decision-making. | 安全だと感じたいという欲求が、人間の行動や意思決定の多くの根底にある。 |
| The party leader's powerful speech **swayed** the voters. | 党首の力強いスピーチは投票者たちの心を動かした。 |
| His company will not grow unless he learns to **delegate** some of his tasks. | 彼が自分の仕事の一部を人に任せることを学ばない限り、彼の会社は成長しない。 |
| The tribe's people did not **foresee** how technology would change their society. | テクノロジーが自分たちの社会をどう変えることになるか、部族の人々は予見できなかった。 |
| The walls have been **reinforced** to prevent them from collapsing in an earthquake. | その壁は、地震で倒壊しないよう補強されている。 |
| He was **assaulted** by three men on his way home. | 彼は帰宅途中に３人の男に襲われた。 |
| She closed her eyes as the doctor **injected** the needle into her arm. | 医者が彼女の腕に注射するとき、彼女は目を閉じた。 |

17/40

|  |  |  |
|---|---|---|
| 1741 | **pricey** [práısi] ① price (価格)+ -y 形 | 形 高価な (≒expensive) ► pricy ともつづる。 |
| 1742 | **disrupt** [dısrʌ́pt] ① dis- (分離)+ rupt (破る) | 動 〈会合・制度・交通など〉を混乱させる、中断させる (≒interrupt)<br>名 disruption 混乱、中断<br>形 disruptive 混乱を伴う |
| 1743 | **quota** [kwóʊtə] | 名 (生産・販売などの) 分担、ノルマ (≒portion, allocation) |
| 1744 | **forefront** [fɔ́:rfrʌ̀nt] | 名 (活動などの) 最前線 |
| 1745 | **uprising** [ʌ́pràızıŋ] | 名 反乱、暴動 (≒rebellion, revolt) |
| 1746 | **constitutional** [kɑ̀:nstət(j)ú:ʃənl \| kɔ̀nstı-] ① con- (共に)+ stitut (建てる)+ -ional 形 | 形 憲法の、合憲の (≒lawful, legal) (⇔unconstitutional)<br>► 「構成上の」が原義。<br>名 constitution 憲法 |
| 1747 | **specimen** [spésəmən \| -mın] ① speci (見る)+ men (結果) | 名 標本、サンプル |
| 1748 | **displace** [dıspléıs] ① dis- (分離)+ place (置く) | 動 〈人・動物など〉を立ち退かせる、追い出す (≒force out, replace)<br>名 displacement 強制退去 |
| 1749 | **mortgage** [mɔ́:rgıdʒ] ▲ 発音注意。 ① mort (死)+ gage (誓約) | 名 ① 住宅ローン ② 抵当、担保 |
| 1750 | **socioeconomic** [sòʊsioʊèkənɑ́:mık \| sòʊʃiəʊì:kənɔ́mık] | 形 社会経済的な |
| 1751 | **livelihood** [láıvlihʊ̀d] | 名 生計、生活手段 |
| 1752 | **intensify** [ınténsəfàı] ① in- (中に)+ tens (伸ばす)+ -ify (～にする) | 動 ～を強める、激しくする<br>形 intense 強烈な<br>名 intensity 強烈さ<br>形 intensive 激しい；集中的な |

Track 146

| | |
|---|---|
| That wine is excellent, but a little **pricey** at 50 dollars. | そのワインはとてもおいしいが、50ドルと少し値段が高い。 |
| Train service was **disrupted** due to poor weather conditions. | 悪天候のため、列車の運行が乱れた。 |
| That branch did not meet its **quota** for new customers this year. | その支店は、今年、新規顧客のノルマを達成できなかった。 |
| The research institute is at the **forefront** of dementia research. | その研究所は認知症研究の最前線にいる。 |
| The French Revolution was one of the most significant **uprisings** in modern times. | フランス革命は、近代における最も重要な反乱の一つだった。 |
| The panel will decide whether or not the new law is **constitutional**. | 委員会は、その新法が合憲かどうかを判断する。 |
| The scientist collected a **specimen** of the strange insect for further study. | その科学者は、さらなる研究のためにその変わった昆虫の標本を集めた。 |
| The war has already **displaced** hundreds of thousands of people. | その戦争により、すでに何十万人もの人々が家を追われている。 |
| Due to the financial crisis, many homeowners cannot pay their **mortgages**. | 金融危機の影響で、多くの住宅所有者が住宅ローンを払えていない。 |
| Access to education is often affected by **socioeconomic** factors such as income and race. | 教育の機会は、収入や人種などの社会経済的な要因に影響されることが多い。 |
| The people of the village rely on the river for their **livelihoods**. | 村の人々は生計をその川に依存している。 |
| As their savings depleted, they **intensified** their efforts to find an investor. | 蓄えが底をつき、彼らは投資家を見つける努力を強化した。 |

17/52

1753 **potent**
[póutənt]
① pot（力強い）+ -ent 形

形 ① 強力な、影響力のある（⇔impotent）
② 〈薬などが〉強い効果を持つ
名 potency 影響、効果

1754 **induce**
[ɪnd(j)úːs]
① in-（中に）+ duce（導く）

動 ① ～を引き起こす、誘発する（≒cause）（⇔prevent）
② 〈人〉に勧めて～させる
名 inducement 誘因、刺激

1755 **surpass**
[səːrpǽs | -pɑ́ːs]
① sur-（越えて）+ pass（通る）

動 ～に勝る、～を超える（≒succeed, outdo）

1756 **irrational**
[ɪrǽʃənl]
① ir-（否定）+ ration（計算）+ -al 形

形 不合理な、ばかげた（≒absurd, ridiculous）（⇔rational, reasonable）

1757 **infamous**
[ínfəməs]
① in-（否定）+ famous（有名な）

形 悪名高い（≒notorious）
名 infamy 悪名、汚名

1758 **outrage**
[áutrèɪdʒ]
① outr-（越えて）+ -age（動作）

名 激怒
動 〈人〉を激怒させる（≒incense, infuriate）
形 outrageous 常軌を逸した、法外な

1759 **overthrow**
[òuvərθróu]

動 〈政府など〉を転覆させる

1760 **spur**
[spə́ːr]

動 ～を促進する、刺激する；～に拍車をかける
名 動機づけるもの、拍車
► spur A to *do*（A に～するよう促す）という表現も覚えておこう。

1761 **overstate**
[òuvərstéɪt]

動 ～を大げさに話す、誇張する（≒exaggerate）（⇔understate）
名 overstatement 誇張

1762 **dilemma**
[dɪlémə]
① di-（2 つ）+ lemma（想定）

名 ジレンマ、板ばさみ

1763 **ravage**
[rǽvɪdʒ]

動 〈国家・経済など〉を破壊する、荒廃させる
名 荒廃、惨害

1764 **viable**
[váɪəbl]
① vi（生きる）+ -able（できる）

形 実行可能な、成功の見込める（≒feasible）（⇔impossible）
名 viability 実行可能性

| | |
|---|---|
| The **potent** drug is very effective, but taking it comes with significant risks. | その強力な薬はよく効くが、服用には大きなリスクが伴う。 |
| Prior to the procedure, the doctors will give you a drug to **induce** sleep. | 治療の前に医師は睡眠を誘発する薬を投与します。 |
| He had **surpassed** her ability and no longer needed her as a teacher. | 彼は彼女の力を凌駕(りょうが)し、もはや彼女を師として必要としなくなった。 |
| Let's stop this **irrational** argument. | こんなばかげた議論はやめよう。 |
| Al Capone was an **infamous** crime boss during the Prohibition era in the United States. | アル・カポネは、合衆国の禁酒法時代の悪名高い犯罪組織のボスだった。 |
| People have expressed **outrage** over the destruction of the historical monument. | 人々は、その歴史的建造物の破壊に対して強い怒りを表明している。 |
| In 1959, Fidel Castro and his rebels **overthrew** the Cuban government. | 1959年、フィデル・カストロとその反乱軍はキューバ政府を転覆させた。 |
| Based on this theory, lower taxes should **spur** economic growth. | この理論に基づけば、減税は経済成長を促すはずだ。 |
| The company has been criticized for **overstating** the effectiveness of the new drug. | その会社は、新薬の有効性を誇張していると批判されている。 |
| He faced a **dilemma**: save his job or save his marriage. | 仕事を守るか結婚を守るかというジレンマに彼は直面した。 |
| The country was **ravaged** by the disease, which killed millions. | その病気は国を荒廃させ、何百万人もの死者を出した。 |
| The proposed marketing campaign is not **viable** because it would be too expensive. | 提案されたマーケティングキャンペーンは、費用がかかりすぎるため実現できない。 |

17/64

1765 **flawed** [flɔ́:d]
形 欠陥がある（⇔flawless）
名 flaw 欠陥、きず

1766 **uphold** [ʌphóʊld]
動 〈法・制度・主義など〉を守る（≒defend, stand by）

1767 **simplistic** [sɪmplístɪk]
形 単純すぎる

1768 **intake** [íntèɪk]
名 （食べ物などの）摂取（量）（≒consumption）
► take in（〈食べ物・栄養など〉を摂取する）という表現も覚えておこう。

1769 **tremendous** [trəméndəs]
形 ①（数量・程度などが）非常に大きい（≒huge, gigantic）（⇔tiny, ordinary）
② 素晴らしい（≒remarkable）
► tremble（震える）と同語源語。

1770 **indispensable** [ìndɪspénsəbl]
ⓘ in-（否定）+ dis-（分離）+ pens（重さを計る）+ -able（できる）
形 不可欠な、欠くことのできない（≒essential, vital, crucial）（⇔nonessential, dispensable）

1771 **divert** [dəvə́:rt | daɪ-]
ⓘ di-（分離）+ vert（向ける）
動 ① ～の方向［進路］を変える（≒redirect）
② 〈資金・資源など〉を転用する
③ 〈注意など〉をそらす（≒deflect）
名 diversion（進路・用途などの）転換

1772 **projection** [prədʒékʃən]
ⓘ pro-（前方に）+ ject（投げる）+ -ion 名
名 ①（既存の情報に基づく）予測、見積もり（≒estimate, forecast）
② 投射、映写
動 project ～を予測する；～を投影する

1773 **subordinate** [səbɔ́:rdənət]
ⓘ sub-（下に）+ ordin（命令する）+ -ate 動
名 下位の人、部下
形 下位の、位が低い（≒lower）
名 subordination 下位、従属

1774 **necessitate** [nəsésətèɪt]
ⓘ ne-（否定）+ cess（譲る）+ -itate 動
動 ～を必要とする、余儀なくさせる

1775 **revolt** [rɪvóʊlt]
名 （体制・政府などに対する）反乱、暴動（≒rebellion）
動 ① 反乱を起こす ② 〈人〉を不快にする
形 revolting 非常に不愉快な

1776 **infectious** [ɪnfékʃəs]
ⓘ in-（中に）+ fect（置く）+ -ious（満ちた）
形 ①〈病気が〉伝染性の、（空気）感染する
②〈感情などが〉うつりやすい、すぐに伝わる
名 infection 伝染病
動 infect 〈人・動物など〉に感染する

| | |
|---|---|
| Critics say the plan is fatally **flawed**. | 批判派はその計画には致命的な欠陥があると言っている。 |
| The conservative politician is dedicated to **upholding** traditional family values. | その保守政治家は、伝統的な家族の価値観を守ることに尽力している。 |
| The author's **simplistic** explanation of the concept leaves out important details. | その概念についての、著者の単純すぎる説明には、重要な詳細が抜け落ちている。 |
| The doctor advised her to increase her daily **intake** of water. | 医者は彼女に、毎日の水の摂取量を増やすように助言した。 |
| Paying for the lawsuit was a **tremendous** burden for the company. | 訴訟費用の支払いは、その会社にとって非常に大きな負担だった。 |
| He was **indispensable** to the team and their success. | 彼はチームとその成功になくてはならない存在だった。 |
| Construction to **divert** the river started. | 川の方向を変える工事が始まった。 |
| The **projection** turned out to be unrealistic, and the company suffered as a result. | 予測は非現実的であることが判明し、結果的に会社は苦境に立たされた。 |
| Make sure to be kind to your **subordinates**. | 部下には優しくするようにしなさい。 |
| The new workplace safety law **necessitated** a substantial investment in the factory building. | 新しい労働安全法により、工場の建物に多額の投資が必要になった。 |
| The **revolt** was mostly led by young adults in their late teens and early twenties. | その反乱は、主に10代後半から20代前半の若者によって主導された。 |
| **Infectious** diseases have spread over the region. | 伝染病がその地域全体に広がった。 |

1777 **expel** [ɪkspél]
① ex-（外に）+ pel（追いやる）

動 ① ～を追放する、追い出す
② 〈水・ガスなど〉を排出する（≒discharge）
名 expulsion 排出；追放

1778 **oppress** [əprés]
① op-（上から）+ press（押す）

動 〈人・集団〉を虐げる、圧迫する（≒persecute）
名 oppression 抑圧、圧迫
形 oppressive 圧政的な；蒸し暑い

1779 **disposal** [dɪspóʊzl]
① dis-（離れた）+ pos（置く）+ -al 名

名 処分、処理
► dispose of ～（～を処分する）という表現も重要。

1780 **overrun** [動 òʊvərrʌ́n　名 óʊvərrʌ̀n]

動 ① 〈場所〉を制圧する、侵略する
② [be overrun]（望ましくないもので）いっぱいになる
③ 〈予算など〉を超過する
名 超過

1781 **recipient** [rɪsípiənt]
① re-（元に）+ cip（受ける）+ -ient 名

名 受け手、受益者

1782 **societal** [səsáɪətl]

形 社会の、社会に関する（≒social）

1783 **rebellious** [rɪbéljəs]
① re-（再び）+ bel(l)（戦争）+ -ious 形

形 ① 〈人・態度が〉言うことを聞かない、反抗的な（≒defiant）
② 反乱を起こした
名 動 rebel 反乱者；反乱を起こす　名 rebellion 反乱

1784 **niche** [nítʃ | níːʃ]

名 （市場の）すき間、ニッチ

1785 **devastate** [dévəstèɪt]
① de-（悪化）+ vast（荒れた）+ -ate（～にする）

動 〈国・地域など〉を荒廃させる、壊滅させる（≒ruin, wreck）
名 devastation 破滅させること、荒廃
形 devastating 破壊的な

1786 **prestige** [prestíːʒ]

名 名声、威信
►「錯覚、まやかし」が原義。
形 prestigious 名声のある、一流の

1787 **brutality** [bruːtǽləti]

名 ① 残忍さ、野蛮 ② 残虐行為、蛮行
形 brutal 残忍な
動 brutalize ～を残酷に扱う
名 brute 冷酷な人

1788 **casualty** [kǽʒuəlti]
① casu（事件）+ -al 形 + -ty 名

名 ① （事故・戦闘などの）死傷者
② 被害者、犠牲者（≒victim）

Track 149

| | |
|---|---|
| The student was **expelled** from school for threatening another student with a knife. | その生徒はほかの生徒をナイフで脅して学校から追い出された。 |
| The government **oppresses** minority groups, especially homosexuals. | 政府はマイノリティグループ、特に同性愛者を弾圧している。 |
| Safe **disposal** of nuclear waste is a difficult problem. | 核廃棄物の安全な処理は難しい問題だ。 |
| The royal family fled while the city was being **overrun** by enemy troops. | 街が敵軍に制圧される中、王家は逃亡した。 |
| I added her email address to the **recipient** list. | 彼女のメールアドレスを受信者リストに追加した。 |
| The civil rights movement sparked major **societal** changes. | 公民権運動は、大きな社会変革の引き金となった。 |
| The **rebellious** teenager refuses to attend a school or obey her parents. | その反抗的なティーンエイジャーは、学校に通うことも、両親に従うことも拒否している。 |
| The new type of exercise has found a **niche** in the health and wellness market. | その新しいタイプのエクササイズは、ヘルス＆ウェルネス市場にすき間を見いだした。 |
| The city was **devastated** by a huge earthquake. | その都市は巨大地震によって壊滅した。 |
| Her prize-winning album brought her **prestige** in the entertainment industry. | 受賞したアルバムによって、彼女はエンターテインメント業界での名声を得た。 |
| There are many films that portray the **brutality** of slavery. | 奴隷制度の残虐さを描いた映画はたくさんある。 |
| The D-Day invasion resulted in heavy **casualties** for both the Allied and German forces. | Dデイの侵攻は、連合軍とドイツ軍の双方に多大な死傷者を出す結果となった。 |

17/88

1789 **rampant**
[rǽmpənt]
形 〈犯罪・病気などが〉まん延した、はびこった

1790 **coalition**
[kòuəlíʃən]
① coali（合体する）+ -tion 名
名（国・政党などの）連立、連合、（団体の）連携（≒alliance, union）

1791 **confinement**
[kənfáınmənt]
① con-（共に）+ fine（境界）+ -ment 名
名 監禁（状態）
動 confine ～を閉じ込める、監禁する

1792 **microscopic**
[màıkrəskɑ́:pık | -skɔ́p-]
① micro-（小さい）+ scop（見るもの）+ -ic 形
形 ① 微小な、微細な（≒imperceptible）② 顕微鏡による
副 microscopically 微視的に 名 microscope 顕微鏡
名 microscopy 顕微鏡検査

1793 **neutrality**
[n(j)u:trǽləti]
① neutr（二者のいずれでもない）+ -al 形 + -ity 名
名 中立、中立的立場
形 neutral 中立的な
動 neutralize ～を中立化する

1794 **evacuate**
[ıvǽkjuèıt]
① e-（外に）+ vacu（からの）+ -ate（～にする）
動 ①（〈場所〉から）避難する、立ち退く（≒vacate, withdraw）②〈人〉を避難させる
►「〈場所〉から人を避難させる」という使い方もある。
名 evacuation 避難

1795 **hygiene**
[háıʤi:n]
名 衛生（状態）（≒sanitation）
形 hygienic 衛生的な

1796 **integral**
[íntıgrəl]
① in-（否定）+ tegr（触る）+ -al 形
形 なくてはならない、不可欠な（≒indispensable, essential）
動 integrate ～を統合する、まとめる
名 integration 統合

1797 **outnumber**
[autnʌ́mbər]
① out-（勝る）+ number（数）
動 ～を数で上回る、～より数が多い

1798 **albeit**
[ɔ:lbí:ıt]
接 ～ではあるが（≒though, although）

1799 **disproportionate**
[dìsprəpɔ́:rʃənət]
① dis-（否定）+ proportion（釣り合い）+ -ate（～にする）
形 不釣り合いな、不均衡な（⇔proportionate）
名 disproportion 不均衡

1800 **restoration**
[rèstəréıʃən]
① re-（再び）+ stor（修理する）+ -ation 名
名 ① 修復 ②（制度などの）回復、復旧
動 restore ～を修復する

Track 150

| | |
|---|---|
| Due to **rampant** corruption, bribing government officials is basically a requirement. | 汚職が横行しているため、政府官僚への賄賂は基本的に必須だ。 |
| We formed a **coalition** with other civic groups to clean up the park. | 私たちは公園をきれいにするために、ほかの市民団体と連携した。 |
| Many say that the **confinement** of prisoners to solitary cells is inhumane. | 囚人を独房に監禁することは非人道的だと言う人が多い。 |
| Dust mites are **microscopic** organisms that live in the fibers of carpets and bedding. | イエダニは、カーペットや寝具の繊維に生息する微小な生物だ。 |
| Switzerland adopted an official policy of **neutrality** in the late 19th century. | 19 世紀後半、スイスは正式に中立政策を採用した。 |
| The children have been trained how to **evacuate** the building in case of an emergency. | その子どもたちは、緊急時に建物から避難する方法を訓練されてきた。 |
| The restaurant was shut down for failing to maintain minimum standards of **hygiene**. | そのレストランは、最低限の衛生基準を維持できていなかったために営業停止になった。 |
| Careful planning was **integral** to the success of the project. | そのプロジェクトの成功には、綿密な計画が不可欠だった。 |
| Women **outnumber** men in the town almost 2 to 1. | その町では、ほぼ 2 対 1 の割合で女性の数が男性の数を上回っている。 |
| His paper was turned in, **albeit** three days late. | 彼の論文は 3 日遅れではあったが提出された。 |
| The harsh punishment is considered **disproportionate** to the relatively minor crime. | その厳しい刑罰は、比較的軽微な犯罪に対して不釣り合いだと考えられている。 |
| The **restoration** of the historic building will be completed later this year. | その歴史的建造物の修復は、今年後半に完了する予定だ。 |

1800

1801 **foremost**
[fɔ́ːrmòust]

形 第一級の、主要な（≒leading, top）

1802 **allocate**
[ǽləkèɪt]
ⓘ al-（～に）+ locate（置く）

動 ～を割り当てる、配分する（≒designate, allot）
名 allocation 割り当て、配分

1803 **hostile**
[hɑ́ːstl | hɔ́staɪl]
ⓘ host（敵）+ -ile 形

形 ① 敵意を持った、非友好的な ② 敵の
③〈環境などが〉厳しい
名 hostility 敵意、反感

1804 **buildup**
[bɪ́ldʌ̀p]

名 ① 増加、増強（≒accumulation）
② 売り込み

1805 **penalize**
[píːnəlàɪz]

動〈人〉を罰する
形 penal 刑の
名 penalty 刑罰、処罰

1806 **convict**
[動 kənvɪ́kt 名 kɑ́ːnvɪkt | kɔ́n-]
ⓘ con-（強意）+ vict（征服された）

動〈人〉に有罪判決を下す
名 囚人
名 conviction 有罪判決；信念

1807 **aftermath**
[ǽftərmæ̀θ]

名（災害・戦争などの）直後の時期、余波、後遺症

1808 **hail**
[héɪl]

動 ① [hail A as B] AをBとして迎える
② 〈人〉を歓呼して迎える
► 同じつづりで「ひょう（が降る）」という意味の語もある。

1809 **merge**
[mə́ːrdʒ]

動 ①（～を）統合する、合併する
（≒combine, unite）
② ～を融合させる
名 merger 合併

1810 **captive**
[kǽptɪv]
ⓘ capt（つかむ）+ -ive 形

形 ① 捕らえられた、捕虜になった（≒imprisoned）
② とりこになった
名 captivity 捕らわれの状態　名 動 capture 捕獲（する）
動 captivate ～の心をとらえる、魅了する

1811 **complimentary**
[kɑ̀ːmpləméntəri | kɔ̀mplɪ-]
ⓘ com-（強意）+ pli（満たす）+ -ment 名 + -ary 形

形 無料で提供される、ただの（≒free）

1812 **downfall**
[dáʊnfɔ̀ːl]

名 没落、破滅

Track 151

| | |
|---|---|
| He is one of the country's **foremost** experts on environmental policy. | 彼は環境政策に関する国内有数の専門家の一人だ。 |
| She is in charge of **allocating** the company's research and development funds. | 彼女は会社の研究開発資金の割り当てを担当している。 |
| The tribe is typically **hostile** to outsiders, so caution is advised. | その部族はよそ者に対して概して敵対的であるため、注意が必要だ。 |
| The country's military **buildup** is making neighboring nations quite uneasy. | その国の軍事力増強は、近隣諸国を非常に不安にさせている。 |
| The company will be **penalized** if it does not file its taxes this month. | 今月中に税金の申告をしない場合、その会社は罰せられる。 |
| She was **convicted** of murder and sentenced to life in prison. | 彼女は殺人罪で有罪判決を受け、終身刑を言い渡された。 |
| We have to be prepared for the **aftermath** of the war. | 私たちは戦争の後遺症に備えなければならない。 |
| The new device was **hailed as** a major breakthrough in medical science. | その新しい装置は、医療科学における大躍進として歓迎された。 |
| These companies **merged** to form a new electronics giant. | これらの会社は合併し、新たな家電大手が誕生した。 |
| She thinks it is inhumane to hold animals **captive** in zoos. | 彼女は、動物を動物園に捕獲しておくことは非人道的だと考えている。 |
| That hotel offers **complimentary** shuttle service. | そのホテルは無料のシャトルバスのサービスを提供している。 |
| The **downfall** of the empire was caused by corruption. | その帝国の没落は汚職によって引き起こされた。 |

18 12

### 1813 selective
☐☐☐
[səléktɪv]

形 選択が慎重な
動 select ～を選択する
名 selection 選択

### 1814 upheaval
☐☐☐
[ʌphí:vl]
① up-（上に）+ heav（持ち上げる）+ -al 名

名 大変動、激変

### 1815 eradicate
☐☐☐
[ɪrǽdəkèɪt]
① e-（外に）+ radic（根）+ -ate（～にする）

動 〈病気・社会問題・害虫など〉を根絶する、撲滅する（≒eliminate, annihilate）
名 eradication 根絶、撲滅

### 1816 verge
☐☐☐
[və́:rʤ]

名 ① 間際、瀬戸際
② へり、境界（≒brink, edge）
► on the verge of ～ で「～に瀕して」という意味。

### 1817 pretense
☐☐☐
[prí:tens | prɪténs]
① pre-（前に）+ tense（伸ばす）

名 ふり、見せかけ；口実（≒pretext）
動 pretend ～のふりをする
名 pretension 見せかけること、てらい
形 pretentious もったいぶった、偽りの

### 1818 privileged
☐☐☐
[prívəlɪʤd]
① privi（単一の）+ leg（法律）+ -ed（～された）

形 特権的な、特権を持つ
名 privilege 特権

### 1819 tolerance
☐☐☐
[tá:lərəns | tɔ́l-]
① toler（耐える）+ -ance 名

名 寛容さ、許容
動 tolerate ～を許す、黙認する
形 tolerant 寛容な、寛大な

### 1820 render
☐☐☐
[réndər]
① ren-（元に）+ der（与える）

動 〈人・もの〉を（ある状態に）する

### 1821 outlaw
☐☐☐
[áʊtlɔ̀:]
① out-（外に）+ law（法律）

動 ～を違法とする、禁止する
名 無法者、ならず者

### 1822 reassure
☐☐☐
[rì:əʃʊ́ər | -ʃɔ́:]
① re-（再び）+ as-（～に）+ sure（安心な）

動 〈人〉を安心させる、元気づける
名 reassurance 安心；励まし
形 reassuring 安心させる、元気づける

### 1823 gigantic
☐☐☐
[ʤaɪgǽntɪk]
① gigant（巨人）+ -ic 形

形 巨大な；〈数量などが〉膨大な
（≒enormous, massive, huge）
（⇔tiny, miniscule）

### 1824 forcible
☐☐☐
[fɔ́:rsəbl]
① forc（強い）+ -ible（できる）

形 力ずくの、強制的な
副 forcibly 力ずくで、強制的に

Track 152

| | |
|---|---|
| He is very **selective** about what news sources he reads. | 彼は読むニュースソースをとても厳選している。 |
| The market has experienced great **upheaval** this year. | 市場は今年、大きな激動を経験した。 |
| A vaccine helped **eradicate** smallpox from the world. | あるワクチンが世界から天然痘を根絶するのに役立った。 |
| Many animals are **on the verge of** extinction because of humans. | 人間のせいで、多くの動物が絶滅の危機に瀕している。 |
| He was arrested for obtaining the money under false **pretenses**. | 彼は虚偽の口実でその金を手に入れたとして逮捕された。 |
| Her job at that company puts her in a **privileged** position. | その会社での仕事柄、彼女は特権的な地位に就いている。 |
| His teacher has no **tolerance** for students who are late. | 彼の先生は遅刻する生徒に対して容赦がない。 |
| The manual was **rendered** useless after it got soaked in the rain. | そのマニュアルは、雨でぬれて使い物にならなくなった。 |
| Alcohol was **outlawed** for many years in the United States. | アメリカでは長年アルコールが禁止されていた。 |
| Her grandparents **reassured** her that she would pass her exams. | 祖父母は、試験に合格するだろうと彼女を安心させた。 |
| There is a **gigantic** whale swimming through the harbor. | 巨大なクジラが港を泳いで通っている。 |
| There are signs of **forcible** entry at the front door. | 玄関に力ずくで押し入った形跡がある。 |

18/24

1825 **inhibit**
[ɪnhíbət]
① in-（中に）+ hibit（保つ）

動 〈成長・進展など〉を抑制する、阻害する（≒suppress）
名 inhibition 抑制

1826 **disguise**
[dɪsgáɪz]
① dis-（変える）+ guise（身なり）

動 ①〈事実・外見・感情など〉を偽る
②～を偽装する、変装する
名 偽装、変装

1827 **confidential**
[kɑ̀:nfədénʃəl | kɔ̀nfɪ-]
① con-（共に）+ fid（信用）+ -ential 形

形 〈情報が〉機密の、マル秘の（≒classified, private）（⇔public, open）
名 confidentiality 秘密であること、守秘

1828 **dismiss**
[dɪsmís]
① dis-（分離）+ miss（送る）

動 ①〈提案・考えなど〉を退ける、否定する（≒reject）（⇔accept）
②〈人〉を解雇する、罷免（ひめん）する（≒fire）
名 dismissal 却下；解雇

1829 **irrigation**
[ìrəgéɪʃən]
① ir-（中に）+ rig（水を引く）+ -ation 名

名 水を引くこと、灌漑
動 irrigate ～を灌漑する

1830 **confrontational**
[kɑ̀:nfrəntéɪʃənl | kɔ̀n-]
① con-（共に）+ front（前面）+ -ational 形

形 対決的な、挑戦的な（≒aggressive）
動 confront 〈人〉と対決する
名 confrontation 直面、対抗

1831 **hinder**
[híndər]

動 〈発展・動きなど〉を妨げる、妨害する（≒hamper, impede）
名 hindrance 妨害

1832 **oversight**
[óʊvərsàɪt]

名 ① 監視、監督（≒supervision）
② ミス、見落とし（≒mistake）
動 oversee ～を監督する

1833 **skyrocket**
[skáɪrɑ̀:kət | -rɔ̀k-]

動 〈価格などが〉急騰する（≒soar）

1834 **evaporate**
[ɪvǽpərèɪt]
① e-（外に）+ vapor（蒸気）+ -ate（～にする）

動 ① ～を蒸発させる；蒸発する
②〈感情・希望などが〉（蒸気のように）徐々に消える
名 evaporation 蒸発

1835 **staggering**
[stǽgərɪŋ]

形 驚くべき、途方もない（≒astounding）
動 stagger ～を驚かせる；ふらつく

1836 **status quo**
[stèɪtəskwóʊ]

名 現状（維持）

Track 153

| | |
|---|---|
| Many argue that overly strict business regulations are **inhibiting** economic growth. | 過度に厳しいビジネス規制が経済成長を阻害していると、多くの人が指摘している。 |
| The man **disguised** his true identity. | その男性は自分の正体を偽った。 |
| He was fired for selling **confidential** company records to competitors. | 彼は会社の機密記録を競合他社に売って首になった。 |
| The director **dismissed** criticisms of his film, saying they "missed the point." | その監督は、自分の映画に対する批判を「的外れだ」と一蹴した。 |
| This area is a desert, so **irrigation** is necessary to grow crops. | この地域は砂漠なので、作物を育てるには灌漑が必要だ。 |
| The country took a more **confrontational** stance against the international community. | その国は国際社会に対する対決姿勢を強めた。 |
| Production was **hindered** by low morale at the factory. | 工場の士気が低く、生産に支障をきたした。 |
| The accounting department is responsible for **oversight** of all financial reporting. | 経理部は、すべての財務報告の監督に責任を持つ。 |
| Energy prices have **skyrocketed** over the past few months. | エネルギー価格はここ数か月で急騰している。 |
| The sun's heat **evaporates** water from oceans, lakes, rivers, etc. | 太陽の熱は、海や湖、川などの水を蒸発させる。 |
| She owns a **staggering** number of purses and accessories. | 彼女は、驚くほどの数のハンドバッグとアクセサリーを持っている。 |
| She argues we need to change the **status quo** by getting more young people elected. | 彼女は、もっと多くの若者を当選させて、現状を変える必要があると主張している。 |

1837 **halt** [hɔ́:lt | hɔ́lt]
動 止まる、停止する；～を停止する（≒stop）
名 中止、停止

1838 **exert** [ɪgzə́:rt]
① ex-（強意）+ ert（結びつける）
動 ①〈権力・影響力など〉を使う、行使する
②［exert *oneself*］努力する、奮闘する
名 exertion 骨折り、奮闘

1839 **ballot** [bǽlət]
名 ① 投票用紙 ②（無記名）投票（≒vote）

1840 **disciplinary** [dísəplənèri | -plɪnəri]
形 ① 懲戒の、規律上の（≒punitive）
② 訓練の
名 discipline 訓練；規律

1841 **solidify** [səlídəfàɪ]
① solid（固体）+ -ify（～にする）
動 ①〈液体が〉凝固する；〈液体〉を凝固させる
②〈関係などが〉強固になる；〈関係など〉を強固にする
名形 solid 固体（の）
名 solidity 固さ

1842 **bribery** [bráɪbəri]
名 贈収賄
名動 bribe 賄賂（を贈る）

1843 **curb** [kə́:rb]
動 ～を抑制する、制限する（≒constrain, repress）
名 抑制、制限

1844 **rash** [rǽʃ]
形〈言動などが〉性急な、軽率な（≒hasty, reckless）

1845 **irrelevant** [ɪréləvənt]
① ir-（否定）+ re（再び）+ lev（持ち上げる）+ -ant 形
形 関連のない（≒unrelated）（⇔relevant）

1846 **demographic** [dèməgrǽfɪk]
① demo（人々）+ graph（書く）+ -ic 形
名（一群の人々から成る）層
形 人口統計の、人口の
名 demography 人口統計学；人口動態

1847 **communal** [kəmjú:nl | kɔ́mjʊ-]
① commun（生活共同体）+ -al 形
形 ① 共同の、共有の（≒collective, joint）
（⇔private, personal）
② 自治体の、共同体の
名 community 共同体

1848 **norm** [nɔ́:rm]
名 規範、基準
（≒standard, criterion）（⇔exception）

Track 154

| | |
|---|---|
| The war **halted** the export of important resources to other countries. | 戦争によって、重要な資源の他国への輸出が止められた。 |
| The large company was able to **exert** its influence over the local government. | その大企業は自治体に影響力を行使することができた。 |
| Your **ballot** will be discarded if not filled out properly. | 正しく記入されていない場合、投票用紙は破棄される。 |
| The university decided to take **disciplinary** action against some students. | 大学は数人の学生に対して懲罰処分を取ることを決定した。 |
| Concrete typically starts to **solidify** within 24 to 48 hours after it is poured. | コンクリートは通常、打ってから24時間から48時間で固まり始める。 |
| The man was charged for his involvement in the **bribery** scandal. | その男は贈収賄疑惑に関わったとして起訴された。 |
| The government raised interest rate to **curb** inflation. | 政府はインフレを抑制するために金利を引き上げた。 |
| Let's try to stay calm and avoid making any **rash** decisions. | 落ち着いて、軽率な判断をしないようにしよう。 |
| That evidence is **irrelevant** to the case. | その証拠は事件と関係がない。 |
| This app targets a younger **demographic** of users than that one. | このアプリは、そのアプリに比べ、もっと若い層のユーザーを対象としている。 |
| I grow some vegetables in a **communal** farm garden. | 私は共同農園で野菜を育てている。 |
| It was the **norm** for people to have many children back then. | 当時は人々が子どもをたくさん持つのが普通だった。 |

18/48

**1849 advent**
[ǽdvent]
① ad- (〜に) + vent (来る)

名 (重要な人・事物の) 到来、出現 (≒arrival)

**1850 shatter**
[ʃǽtər]

動 ① 〈希望・信念など〉を打ち砕く (≒destroy)
② 〈ガラスなど〉を粉々に割る (≒smash)

**1851 chaotic**
[keɪɑ́:tɪk | -ɔ́t-]
① cha(os) (無秩序) + -otic (引き起こす)

形 混沌(こんとん)とした、無秩序な (≒disordered, turbulent) (⇔calm)
名 chaos 大混乱、無秩序

**1852 integrity**
[ɪntégrəti]
① in- (否定) + tegr (触る) + -ity 名

名 ① 正直さ、誠実さ (≒honesty) (⇔dishonesty, corruption)
② 完全性

**1853 agrarian**
[əgréəriən]
① agr (畑) + -arian 形

形 農業の (≒agricultural)

**1854 uproar**
[ʌ́prɔ̀:r]
① up- (強意) + roar (ほえ声)

名 大騒ぎ、騒動 (≒commotion, pandemonium)
形 uproarious 騒がしい

**1855 commence**
[kəméns]
① com(m)- (強意) + ence (始まる)

動 〜を始める；始まる (≒begin, launch) (⇔end)

**1856 coin**
[kɔ́ɪn]

動 〈新語など〉を作る
名 coinage 新語 (を作ること)

**1857 deplete**
[dɪplí:t]
① de- (分離) + plete (満ちた)

動 〈資源・蓄えなど〉を激減させる、枯渇させる (≒drain)
名 depletion 減少、枯渇

**1858 exempt**
[ɪgzémpt]
① ex- (外に) + empt (取られた)

動 〜を免除する (≒excuse)
形 免除された
名 exemption 免除、控除

**1859 incite**
[ɪnsáɪt]
① in- (中に) + cite (呼びかける)

動 ① 〈感情など〉を引き起こす
② 〈人〉を刺激する、扇動する (≒stimulate)
名 incitement 刺激、扇動

**1860 unprecedented**
[ʌnprésədèntɪd]
① un- (否定) + precedent (先行する) + -ed (〜された)

形 前例のない、空前の (≒unheard-of)

Track 155

| | |
|---|---|
| The **advent** of television caused many movie theaters to close. | テレビの登場により、多くの映画館が閉鎖された。 |
| Her dreams of being a professional athlete were **shattered** because of her injury. | プロのアスリートになるという彼女の夢は、けがのために打ち砕かれた。 |
| The political situation in that country is still **chaotic**. | あの国の政治情勢はまだ混沌としている。 |
| There is significant evidence that business leaders with **integrity** are more successful. | 誠実なビジネスリーダーのほうが成功しているという重要な証拠がある。 |
| India is one of the largest **agrarian** countries in the world. | インドは世界有数の農業国の一つだ。 |
| The town was in an **uproar** over the decision to let the casino be built. | 町はカジノの建設を認めるという決定をめぐって大騒ぎになった。 |
| She quit the company and **commenced** her own business. | 彼女は会社を辞めて自分で事業を始めた。 |
| He is good at **coining** new words. | 彼は新しい言葉を作り出すのがうまい。 |
| Now that it is October, the store's stock of summer clothes is **depleted**. | 10月に入り、店内の夏服の在庫は枯渇している。 |
| He was **exempted** from military service because of his heart condition. | 彼は心臓病のために兵役を免除された。 |
| Some people purposely **incited** violence during the peaceful protest. | 平和的な抗議活動の最中に、意図的に暴力をあおる者がいた。 |
| That state is facing **unprecedented** levels of drought this year. | その州は今年、前例のないレベルの干ばつに直面している。 |

18/60

**1861 entity** [éntəti]
① ent (存在している) + -ity (状態)
名 (独立した) 存在、実体 (≒individual)

**1862 intervene** [ìntərvíːn]
① inter- (間に) + vene (来る)
動 (調停・和平などのために) 介入する
名 intervention 介入

**1863 attic** [ǽtɪk]
名 屋根裏 (部屋)
► 貯蔵庫として使われることが多いが、部屋にする人もいる。

**1864 presumption** [prɪzʌ́mpʃən]
① pre- (前もって) + sump (取る) + -tion 名
名 想定、推定
動 presume ~を仮定する、推定する

**1865 assertive** [əsə́ːrtɪv]
① as- (~に) + sert (結びつける) + -ive 形
形 はっきり意見を述べる、自信に満ちた (≒decisive)
動 assert ~を断言する
名 assertion 断言

**1866 liken** [láɪkən]
① lik(e) (~のような) + -en (~にする)
動 ~をなぞらえる (≒compare)

**1867 fragility** [frəʤíləti]
① frag (壊す) + -ility 名
名 もろさ、脆弱(ぜいじゃく)性
形 fragile もろい、脆弱な

**1868 hefty** [héfti]
形 ① 高額な
② がっしりした、大きくて重い (≒sizable, weighty)

**1869 foe** [fóʊ]
名 敵、(競技などの) 相手 (≒opponent) (⇔friend)

**1870 incidence** [ínsədəns]
① in- (上に) + cid (起こる) + -ence 名
名 発生 (率) (≒frequency, occurrence)
名 incident 出来事

**1871 catastrophe** [kətǽstrəfi]
① cata- (下に) + strophe (ひっくり返す)
名 破局、大失敗 (≒calamity)
形 catastrophic 破壊的な

**1872 outstrip** [àʊtstríp]
① out- (勝る) + strip (速く走る)
動 〈需要・量が〉 ~を上回る、超える

| | |
|---|---|
| Each **entity** must agree to the terms of the contract. | 各社が契約条件に同意する必要がある。 |
| The brother and sister's mother **intervened** when they started to get violent. | 母親は、兄妹が暴力を振るい始めると割って入った。 |
| There is a nice view from the spare room we built in the **attic**. | 屋根裏に作った予備の部屋からは眺めがよい。 |
| Acting on your **presumptions** without researching them first is a bad idea. | 最初に調べもせずに想定で行動するのはよくない。 |
| She is trying to become more **assertive** so that people listen to her opinions more. | 彼女は、自分の意見をもっと聞いてもらえるように、もっとはっきり意見を言えるようになろうとしている。 |
| The horror director's films have been **likened** to those of Alfred Hitchcock. | このホラー映画監督の作品は、アルフレッド・ヒッチコックの作品になぞらえられている。 |
| The **fragility** of these items must be considered when packing them. | 梱包するときには、これらの品物の壊れやすさを考慮に入れなければならない。 |
| He paid a **hefty** sum of money for his new car. | 彼は新車に多額の金を払った。 |
| His mother taught him to treat everyone with kindness, be they friends or **foes**. | 友人であろうと敵であろうと、誰に対しても親切に接するようにと母親は彼に教えた。 |
| The area has high **incidence** of cancer compared to the national average. | その地域は国の平均と比べてがんの発生率が高い。 |
| The party was a **catastrophe**; the guest of honor did not show up, the food was awful. | パーティーは悲惨だった。主賓は現れず、料理もひどかった。 |
| Demand for masks far **outstripped** supply during the early days of the pandemic. | パンデミックの初期には、マスクの需要が供給をはるかに上回っていた。 |

1873 **solidarity**
[sɑ̀:lədérəti | sɔ̀lɪdǽr-]

名 団結、連帯（≒unity）（⇔discord）

1874 **overdue**
[òʊvərd(j)ú:]

形 ①（支払い・返却の）期限が過ぎて（⇔timely, punctual）②（予定より）遅れて ③もっと早くすべきで
► due は「期限の来た」。

1875 **seamless**
[sí:mləs]
seam（継ぎ目）+ -less（ない）

形 継ぎ目のない、一体となった（≒smooth, consistent）（⇔irregular, uneven）

1876 **evoke**
[ɪvóʊk]
e-（外に）+ voke（呼ぶ）

動 〈感情・記憶など〉を喚起する（≒call up）
名 evocation 喚起
形 evocative 喚起する

1877 **brag**
[brǽg]

動 自慢する（≒boast）

1878 **upscale**
[ʌ́pskèɪl]

形 高所得者（向け）の、高級な（≒luxurious）（⇔downscale）

1879 **renowned**
[rɪnáʊnd]
re-（再び）+ nown（名前）+ -ed 形

形 名高い、名声のある（≒famous, celebrated, distinguished, notable）（⇔unknown, obscure）
名 renown 名声

1880 **freight**
[fréɪt]

名 ①運送貨物（≒cargo）②貨物輸送

1881 **outcry**
[áʊtkràɪ]

名 （世間の強い）抗議、憤激（≒backlash）
► cry out（強く抗議する）から。

1882 **unearth**
[ʌnə́:rθ]
un-（反対）+ earth（埋める）

動 ①～を掘り出す、発掘する（≒dig up）②（偶然）～を見つける、発見する（≒discover）

1883 **municipality**
[mju(:)nìsəpǽləti]
muni（役目）+ cip（取る）+ -al 形 + -ity 名

名 地方自治体
形 municipal 市の、市営の

1884 **recede**
[rɪsí:d]
re-（後ろに）+ cede（行く）

動 ①後退する、遠ざかる（≒go back）②〈感情・痛みなどが〉弱まる、和らぐ（≒fade, lessen, subside）
名 recession 後退

Track
157

| | |
|---|---|
| She expressed her **solidarity** with the people affected by the floods. | 彼女は、洪水の被害を受けた人々に連帯の意を表した。 |
| The librarian scolded her for having so many books **overdue**. | 彼女は、あまりに多くの本を延滞していると図書館員から叱られた。 |
| The city is hoping to manage a **seamless** transition to solar power. | 市は、太陽光発電へ途切れることなく移行できることを望んでいる。 |
| The photographs **evoke** the comfort of home. | それらの写真は、家庭の心地よさを思い起こさせる。 |
| He **bragged** about his promotion to all of his colleagues. | 彼は同僚全員に自分の昇進を自慢した。 |
| They went to an **upscale** restaurant to celebrate their anniversary. | 彼らは結婚記念日のお祝いに高級レストランに行った。 |
| The magazine commonly pays **renowned** authors to write book reviews. | その雑誌は通常、有名な作家にお金を払って書評を書いてもらっている。 |
| All the **freight** was lost when the ship sunk. | 船は沈没し、貨物はすべて失われた。 |
| The shooting incident triggered a public **outcry**. | その銃撃事件は大衆の抗議を誘発した。 |
| An unexploded bomb was **unearthed** at the construction site. | その工事現場で不発弾が掘り出された。 |
| Leaders of several **municipalities** are against the bill. | いくつかの地方自治体の長はその法案に反対している。 |
| It took a long time for the tsunami to **recede** completely. | 津波が完全に引くまで、長い時間がかかった。 |

18
84

1885 **taxonomic**
[tæksənɑ́:mɪk |-nɔ́m-]
① taxo（配列）+ nom（名前）+ -ic 形

形 分類学の、分類上の
名 taxonomy 分類学

1886 **watershed**
[wɑ́:tərʃèd | wɔ́:-]

名 ①（歴史・人生などの）転機、分岐点（≒turning point）
② 分水嶺

1887 **instability**
[ìnstəbíləti]
① in-（否定）+ stability（安定）

名 不安定さ
（≒insecurity, fluctuation）（⇔stability）
► 形容詞形は instable よりも unstable のほうがふつう。

1888 **suppress**
[səprés]

動 ①〈感情など〉を抑える
②〈反乱など〉を鎮圧する（≒quash）
名 suppression 抑圧

1889 **misinterpret**
[mìsɪntə́:rprət]
① mis-（誤って）+ interpret（解釈する）

動 ～を誤って解釈［説明］する
名 misinterpretation 誤った解釈、誤解

1890 **decent**
[dí:snt]
① dec（似合う）+ -ent 形

形 ① 満足できる、まずまずの
②〈人・振る舞いなどが〉上品な、礼儀正しい
名 decency 上品さ

1891 **retrieve**
[rɪtrí:v]
① re-（再び）+ trieve（見つける）

動 ① ～を救出する、取り戻す（≒recover）
（⇔forfeit, relinquish） ②〈情報〉を検索する
► 犬種の「レトリバー」は retriever から。
名 retrieval 検索

1892 **wary**
[wéəri]

形 警戒している、慎重な（≒suspicious, leery）
► be wary of ～ で「～に警戒している」という意味。

1893 **criminality**
[krìmənǽləti]

名 犯罪性；犯罪行為
形 criminal 罪を犯した

1894 **vandalism**
[vǽndəlìzm]
① vandal（ヴァンダル族）+ -ism（行為）

名（文化・芸術などの）破壊行為
► ヴァンダル族はローマ文化の破壊者。
動 vandalize〈芸術作品など〉を破壊する

1895 **sanitation**
[sæ̀nətéɪʃən]
① sanit（健康）+ -ary 形

名（公衆）衛生（≒hygiene）
動 sanitize ～を清潔にする
形 sanitary 衛生的な

1896 **setback**
[sétbæ̀k]

名（進歩・発展の）障害、妨げ
（≒obstacle, blow, hindrance）
（⇔boost, advantage）
► set back（～の進行を遅らせる）から（2183 参照）。

Track 158

| | |
|---|---|
| The **taxonomic** diversity of bees is being challenged by climate change. | ミツバチの分類学的多様性は、気候変動による試練を受けている。 |
| These movies were a **watershed** in the history of Hollywood. | これらの映画がハリウッドの歴史の分岐点となった。 |
| Economic **instability** is causing many people to struggle to survive. | 経済の不安定さのため、多くの人々が生き残るためにもがいている。 |
| She was unable to **suppress** her emotions. | 彼女は感情を抑えることができなかった。 |
| She **misinterpreted** his silence as agreement to go to the party. | 彼女は彼の沈黙をパーティーに行くことへの同意だと誤解した。 |
| She has a **decent** collection of artwork in her basement. | 彼女は、地下室に美術品のちょっとしたコレクションを持っている。 |
| He **retrieved** the wallet he left on the train from the lost and found. | 彼は電車に忘れた財布を遺失物取扱所で取り戻した。 |
| You have to **be wary of** such a good deal. | そんなうまい話には気をつけなければならない。 |
| He did not recognize the **criminality** of sending the money to his cousin, who was a terrorist. | 彼は、テロリストであるいとこに送金することの犯罪性を認識していなかった。 |
| The police charged the two young men with **vandalism**. | 警察はその２人の若者を破壊行為で起訴した。 |
| Poor **sanitation** used to cause the spread of many diseases. | かつては、劣悪な衛生環境によって多くの病気がまん延したものだった。 |
| There have been several **setbacks** for the construction of the new baseball stadium. | その新しい野球場の建設には、これまで幾度も挫折があった。 |

18
96

1897 **strive** [stráɪv]
動 〈懸命に〉努力する (≒try)

1898 **affluent** [ǽfluənt]
形 裕福な、〈経済的に〉豊かな (≒prosperous, wealthy) (⇔destitute, poor)
名 affluence 豊かさ、裕福
① af-(〜に)+ flu(流れる)+ -ent 形

1899 **rundown** [rʌ́ndàʊn]
名 概要、〈手短な〉報告
► run-down (〈家・場所などが〉荒れ果てた) という語も覚えておこう。

1900 **formidable** [fɔ́ːrmədəbl | fɔːmí-]
形 〈敵・問題などが〉手ごわい (≒daunting, intimidating) (⇔harmless, unthreatening)
① formid(恐怖)+ -able(値する)

1901 **deregulate** [diːrégjəlèɪt]
動 〈商取引など〉の規制を解く (⇔regulate)
名 deregulation 規制緩和、自由化
① de-(分離)+ regulate(規制する)

1902 **erupt** [ɪrʌ́pt]
動 ① 〈暴動などが〉勃発する (≒break out)
② 噴火する
③ 〈感情を〉爆発させる
形 eruptive 噴火による 名 eruption 噴火
① e-(外に)+ rupt(壊れた)

1903 **diminutive** [dɪmínjətɪv]
形 非常に小さい、小型の
① di-(分離)+ minut(小さい)+ -ive 形

1904 **benchmark** [béntʃmàːrk]
名 基準、尺度 (≒gauge, yardstick)

1905 **indicative** [ɪndíkətɪv]
形 示して、暗示して (≒suggestive, demonstrative)
► indicative of 〜 で「〜を表して、暗示して」という意味。
動 indicate 〜を示す
名 indication 指示
① in-(〜に)+ dic(言う)+ -ative 形

1906 **reliant** [rɪláɪənt]
形 依存している
名 reliance 依存、信頼
形 reliable 信頼できる
① re-(強意)+ li(結びつける)+ -ant 形

1907 **prosecute** [prɑ́ːsəkjùːt | prɔ́sɪ-]
動 〈人〉を起訴する
名 prosecution 起訴
名 prosecutor 検察官、検事
① pro-(前方に)+ secute(追跡する)

1908 **stunning** [stʌ́nɪŋ]
形 ① とても美しい、魅力的な (≒amazing) (⇔unimpressive)
② 驚くべき、衝撃的な (≒shocking)
動 stun 〜をぼうぜんとさせる

Track 159

| | |
|---|---|
| She is a great teacher because she **strives** to help all of her students. | 彼女は生徒全員を助けようと努力しているので、素晴らしい先生だ。 |
| She grew up in an **affluent** family. | 彼女は裕福な家庭で育った。 |
| Their supervisor gave them a quick **rundown** of the schedule for the day. | 監督者は彼らにその日のスケジュールを手短に説明した。 |
| They managed to beat their **formidable** opponent in the match. | 彼らはその試合で何とか手ごわい相手を倒すことができた。 |
| Plans to **deregulate** that industry have been met with protest. | その業界を規制緩和する計画は、抗議を受けている。 |
| A civil war **erupted** within the small country last month. | 先月、その小さな国で内戦が勃発した。 |
| That **diminutive** woman is his wife. | あのとても小柄な女性が彼の奥さんです。 |
| This test is commonly used as a **benchmark** for evaluating the ability of English. | このテストは英語力の評価基準としてよく使われている。 |
| The presence of mosquitos is **indicative of** still water. | 蚊がいるのは、よどんだ水があることを示している。 |
| Many companies are **reliant** on cheap labor to make their goods. | 商品を作るために安い労働力に頼っている企業はたくさんある。 |
| She was **prosecuted** for the murder of her ex-husband. | 彼女は元夫を殺害した罪で起訴された。 |
| The bride's gown was **stunning**. | 新婦のドレスはとても美しかった。 |

19
08

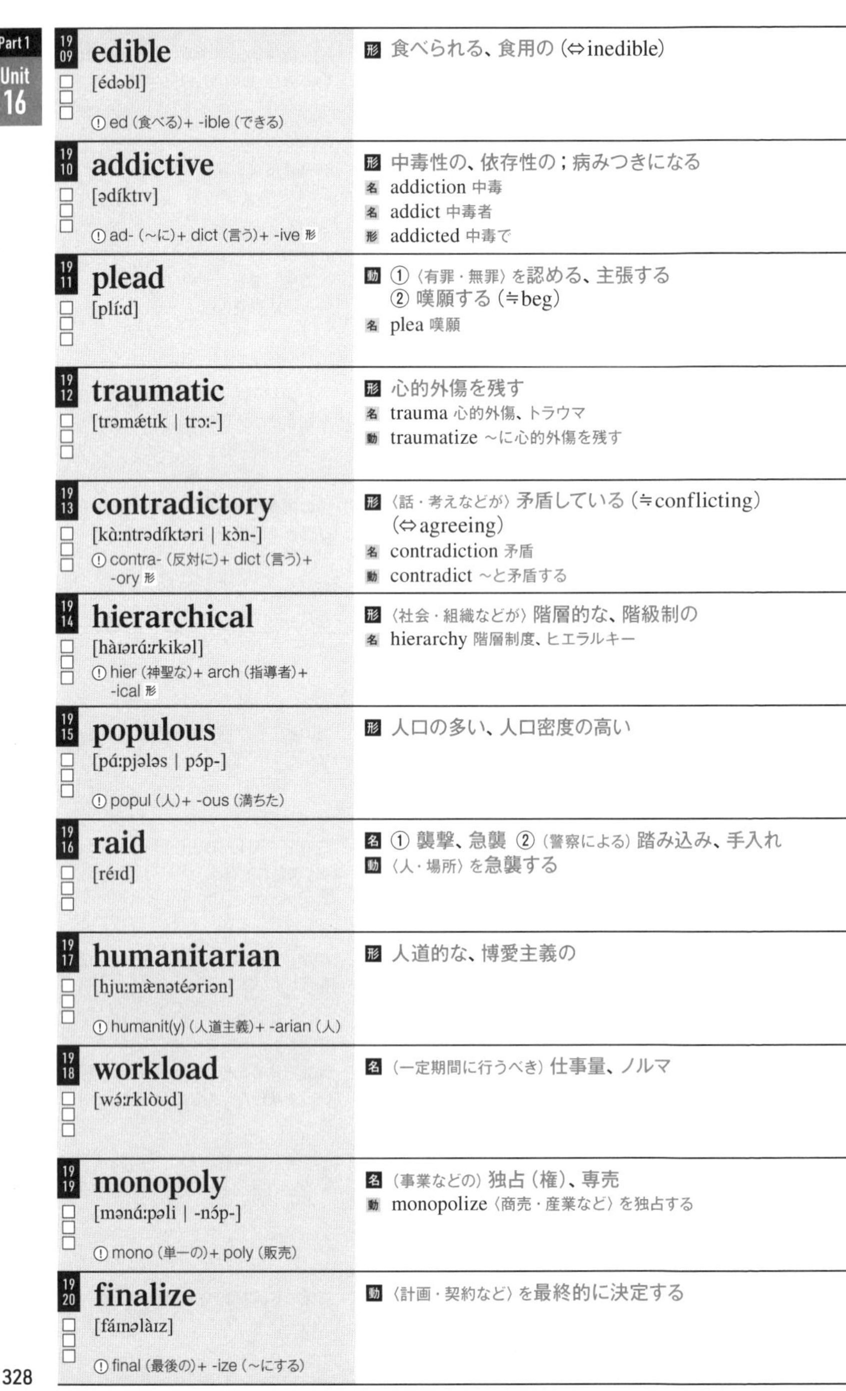

**1909** □□□
## edible
[édəbl]
① ed（食べる）+ -ible（できる）

形 食べられる、食用の（⇔inedible）

**1910** □□□
## addictive
[ədíktɪv]
① ad-（～に）+ dict（言う）+ -ive 形

形 中毒性の、依存性の；病みつきになる
名 addiction 中毒
名 addict 中毒者
形 addicted 中毒で

**1911** □□□
## plead
[plíːd]

動 ①〈有罪・無罪〉を認める、主張する
②嘆願する（≒beg）
名 plea 嘆願

**1912** □□□
## traumatic
[trəmǽtɪk | trɔː-]

形 心的外傷を残す
名 trauma 心的外傷、トラウマ
動 traumatize ～に心的外傷を残す

**1913** □□□
## contradictory
[kɑ̀ːntrədíktəri | kɔ̀n-]
① contra-（反対に）+ dict（言う）+ -ory 形

形〈話・考えなどが〉矛盾している（≒conflicting）（⇔agreeing）
名 contradiction 矛盾
動 contradict ～と矛盾する

**1914** □□□
## hierarchical
[hàɪərɑ́ːrkikəl]
① hier（神聖な）+ arch（指導者）+ -ical 形

形〈社会・組織などが〉階層的な、階級制の
名 hierarchy 階層制度、ヒエラルキー

**1915** □□□
## populous
[pɑ́ːpjələs | pɔ́p-]
① popul（人）+ -ous（満ちた）

形 人口の多い、人口密度の高い

**1916** □□□
## raid
[réɪd]

名 ①襲撃、急襲 ②（警察による）踏み込み、手入れ
動〈人・場所〉を急襲する

**1917** □□□
## humanitarian
[hjuːmæ̀nətéəriən]
① humanit(y)（人道主義）+ -arian（人）

形 人道的な、博愛主義の

**1918** □□□
## workload
[wə́ːrklòud]

名（一定期間に行うべき）仕事量、ノルマ

**1919** □□□
## monopoly
[mənɑ́ːpəli | -nɔ́p-]
① mono（単一の）+ poly（販売）

名（事業などの）独占（権）、専売
動 monopolize〈商売・産業など〉を独占する

**1920** □□□
## finalize
[fáɪnəlàɪz]
① final（最後の）+ -ize（～にする）

動〈計画・契約など〉を最終的に決定する

Track 160

| | |
|---|---|
| The guide taught them to distinguish **edible** mushrooms from poisonous ones. | そのガイドは、彼らに食用キノコと毒キノコの見分け方を教えた。 |
| The nicotine found in tobacco products is highly **addictive**. | タバコ製品に含まれるニコチンは強い中毒性がある。 |
| He **pleaded** guilty to the charge of involuntary manslaughter. | 彼は過失致死容疑に対して罪を認めた。 |
| She was still in shock weeks after the **traumatic** experience. | 彼女はトラウマ体験から数週間後も、まだショック状態にあった。 |
| Your essay is full of **contradictory** statements that do not make sense. | あなたの論文には意味をなさない矛盾した記述がいっぱいある。 |
| Some cultures organize society in a more **hierarchical** way than others. | ほかの文化よりも、階層的に社会が組織されている文化もある。 |
| Tokyo is one of the most **populous** metropolitan areas in the world. | 東京は世界で最も人口の多い大都市圏の一つだ。 |
| Most of the city was destroyed in bombing **raids**. | 街の大半が爆撃で破壊された。 |
| The nonprofit organization does a wide variety of **humanitarian** work in developing countries. | その非営利団体は、発展途上国でさまざまな人道的活動を行っている。 |
| She complained to her boss that her **workload** was too extreme. | 彼女は、自分の仕事量が極端に多すぎると上司に不平を言った。 |
| That airline basically has a **monopoly** on that particular flight route. | その航空会社はその飛行ルートに限っては、ほぼ独占している。 |
| The marketing team has not yet **finalized** the name of the new game. | マーケティングチームはその新しいゲームの名前をまだ確定していない。 |

19
20

1921 **tack**
[tǽk]

名 方針、方法

1922 **standstill**
[stǽndstìl]
① stand（立つ）+ still（静止して）

名 行き詰まり、立ち止まること

1923 **extraterrestrial**
[èkstrətəréstriəl]
① extra-（外の）+ terrestrial（地球の）

形 地球外の
名 地球外生物

1924 **consolidate**
[kənsɑ́:lədèɪt | -sɔ́lɪ-]
① con-（共に）+ solid（堅い）+ -ate（〜にする）

動 ① 〜をまとめる、統合する（≒combine）
② 〈地位・権力など〉を強固にする
► それぞれ自動詞の使い方もある。
名 consolidation 合併、統合

1925 **invariably**
[ɪnvéəriəbli]
① in-（否定）+ vari（変化する）+ -abl（できる）+ -ly 副

副 いつも、決まって（≒always, without fail）
形 invariable 一定の、変わらない

1926 **prevalence**
[prévələns]
① pre-（前に）+ val（強い）+ -ence 名

名 普及、普及率
形 prevalent 普及した
動 prevail 普及する、広まる

1927 **populace**
[pɑ́:pjələs | pɔ́p-]
① popul（人々）+ -ace（軽蔑を表す接尾辞）

名（ある国の）人民、一般大衆；人々

1928 **glamorous**
[glǽmərəs]

形 魅力的な、魅惑的な（⇔unglamorous）
名 glamor 魅力
動 glamorize 〜を（実物より）魅力的に見せる

1929 **stoke**
[stóʊk]

動 ①〈感情など〉をあおる、かき立てる（≒fuel, provoke）
② 〜に（まきなどを）くべる

1930 **ration**
[rǽʃən]

名 ① [rations] 食料 ②（食料・物資などの）配給
動 ① 〜を配給する ② 〜を（一定量に）制限する

1931 **deceptive**
[dɪséptɪv]
① de-（分離）+ cept（取る）+ -ive 形

形 ①〈見かけなどが〉当てにならない、誤解を招く（≒misleading） ② 人を迷わす［だます］
動 deceive〈人〉をだます、欺く
名 deception だますこと、欺瞞 名 deceit 詐欺

1932 **reminisce**
[rèmənís]
① re-（再び）+ minisce（思い出す）

動 懐かしむ、思い出にふける
► reminisce about 〜で「〜を懐かしむ」という意味。
名 reminiscence 思い出話
形 reminiscent 思い出させる、しのばせる

Track 161

| | |
|---|---|
| They took a different **tack** from the one they had originally decided on. | 彼らは、当初決めていたのとは異なる方針をとった。 |
| Traffic back into the city has come to a complete **standstill**. | 市内に戻る交通は完全に停止している。 |
| The scientist believes that there may have once been **extraterrestrial** life on Mars. | その科学者は、かつて火星に地球外生命体が存在していたかもしれないと考えている。 |
| Managing your debts can be easier if you **consolidate** everything into a single monthly payment. | すべてを月々の支払いに一本化すれば、借金の管理はより簡単になる。 |
| She **invariably** eats out, so everyone was surprised when she brought her lunch to work. | 彼女はいつも外食しているので、職場に弁当を持ってきたときは皆が驚いた。 |
| The **prevalence** of drinking has decreased among young people. | 若者の飲酒率は下がっている。 |
| The general **populace** of that country is unhappy with their current political leadership. | その国の一般庶民は現在の政治指導者層に不満を持っている。 |
| Fame and fortune is not always as **glamorous** as it looks on TV. | 名声と富はテレビで見るほど魅力的だとは限らない。 |
| His calm reaction only **stoked** her anger even further. | 彼の冷静な反応は彼女の怒りをさらにあおっただけだった。 |
| She found some old military **rations** in her grandfather's garage. | 彼女は祖父のガレージで古い軍用食を見つけた。 |
| This mushroom seems to be edible, but looks are **deceptive**. | このキノコは食べられそうに思えるが、見かけは当てにならない。 |
| They **reminisced about** their high school days together at the reunion. | 彼らは同窓会で一緒に高校時代を懐かしんだ。 |

19–32

**1933** **stalemate**
[stéɪlmèɪt]
☐☐☐

名 行き詰まり、こう着状態（≒deadlock, impasse）
► 「チェスでどの駒も動かせなくなった状態」から。

**1934** **agitate**
[ǽdʒətèɪt]
☐☐☐
ⓘ agit（何度も行う）+ -ate（～にする）

動 ① 世論に訴える、運動する（≒campaign）
② 〈人〉を動揺させる、〈気持ちなど〉をかき乱す（≒annoy）
名 agitation（社会）運動；動揺　名 agitator 扇動者

**1935** **entail**
[ɪntéɪl]
☐☐☐
ⓘ en-（中に）+ tail（限定）

動（必然的に）～を伴う（≒involve）

**1936** **detour**
[dí:tʊər]
☐☐☐
ⓘ de-（分離）+ tour（回る）

名 回り道、迂回路
► take [make] a detour で「遠回りをする」という意味。

**1937** **milestone**
[máɪlstòʊn]
☐☐☐

名 画期的な事件、出来事（≒landmark）
► 「マイル標石、道しるべ」が原義。

**1938** **reclaim**
[rɪkléɪm]
☐☐☐
ⓘ re-（元に）+ claim（叫ぶ）

動 ① ～を奪還する、取り戻す（≒recover）
② 〈土地など〉を造成する、開拓する
名 reclamation 造成、開拓

**1939** **transparent**
[trænspérənt | -pǽr-]
☐☐☐
ⓘ trans-（通って）+ par（現れる）+ -ent 形

形 ①〈組織・活動などが〉透明性の高い
② 透明な、透き通った（≒clear）（⇔opaque）
名 transparency 透明（性）

**1940** **dissolution**
[dìsəlú:ʃən]
☐☐☐
ⓘ dis-（分離）+ solu（解く）+ -tion 名

名 ①（組織・団体などの）解体、分解、崩壊
②（契約などの）解消
動 dissolve ～を解体する；～を解消する

**1941** **barren**
[bǽrən]
☐☐☐

形 〈土地が〉不毛の、やせた（≒sterile）（⇔fertile）

**1942** **occupant**
[á:kjəpənt | ɔ́k-]
☐☐☐
ⓘ oc-（～に）+ cup（つかむ）+ -ant（人）

名（建物・部屋などの）占有者、居住者
► 「（地位などの）保有者；（乗り物の）乗客」という意味もある。
名 occupation 占有、居住

**1943** **land**
[lǽnd]
☐☐☐

動 〈職など〉を手に入れる

**1944** **onlooker**
[á:nlʊ̀kər | ɔ́n-]
☐☐☐

名 傍観者、野次馬（≒looker-on）
► look on（傍観する）から。

Track 162

| | |
|---|---|
| The trade talks reached a **stalemate** and have not progressed since. | 貿易交渉はこう着状態に陥り、それ以来進展していない。 |
| The group has been **agitating** for new tax laws to be passed. | その団体は新しい税法が成立するよう活動してきた。 |
| Any kind of investment **entails** some amount of risk. | どんな種類の投資にも、ある程度のリスクが伴う。 |
| I had to **take a detour** because of a traffic accident. | 交通事故のため、私は遠回りをしなければならなかった。 |
| The opening of this plant is an important **milestone** in the history of our company. | この工場の開設は、わが社の歴史において重要な節目となる出来事だ。 |
| He **reclaimed** the title of top swimmer at the latest competition. | 彼は最近の大会で、トップスイマーの座に返り咲いた。 |
| Protesters are demanding the government be more **transparent** about spending. | 抗議者たちは政府に対し、支出の透明性を高めるよう要求している。 |
| The **dissolution** of the NGO surprised the local community. | その NGO の解散は地域社会を驚かせた。 |
| It is hard to imagine that that area was once a **barren** desert. | その地域がかつて不毛な砂漠だったと想像するのは難しい。 |
| All of the **occupants** of the apartment building were asked to leave. | そのアパートの住人は全員、退去を求められた。 |
| She **landed** a job with a good salary. | 彼女は給料のよい仕事を手に入れた。 |
| Many **onlookers** gathered on the beach to see the beached whale. | 打ち上げられたクジラを見ようと、たくさんの野次馬が浜辺に集まった。 |

19
44

1945 **thermal** [θə́ːrml]
① therm（熱）+ -al 形

形 ① 熱の、温度の
② 〈衣服などが〉保温性のよい
► thermometer（温度計、体温計）という語も覚えておこう。

1946 **racket** [rǽkət]

名 大騒ぎ、（不快な）騒音（≒row）

1947 **humane** [hjuːméɪn]

形 人道的な、残酷でない（⇔inhumane）

1948 **withhold** [wɪðhóʊld]
① with-（逆らって）+ hold（保持する）

動 ～を与えずにおく、保留する（≒keep back）

1949 **obsessive** [əbsésɪv]
① ob-（～に）+ sess（座る）+ -ive 形

形 頭から離れない、強迫観念の
動 obsess ～に取りつく
名 obsession 強迫観念

1950 **proposition** [prɑ̀ːpəzíʃən | prɔ̀p-]
① pro-（前に）+ posit（置く）+ -ion 名

名 ①（取引などにおける）提案、申し出
②（対処すべき）事柄、主張
動 propose ～を申し出る

1951 **scrutinize** [skrúːtənàɪz]

動 ～を綿密に調べる（≒probe, investigate）
名 scrutiny 綿密な調査

1952 **containment** [kəntéɪnmənt]
① con-（共に）+ tain（保つ）+ -ment 名

名 （好ましくないものの）制御、封じ込め
動 contain ～を抑制する

1953 **distressing** [dɪstrésɪŋ]
① di-（分離）+ stress（引っぱる）

形 悲惨な、痛ましい、つらい（≒upsetting）
名 distress 苦痛

1954 **impair** [ɪmpéər]

動 〈能力など〉を弱める、損なう（≒weaken, damage）
名 impairment 機能障害
形 impaired 正常な機能の損なわれた

1955 **resurrect** [rèzərékt]
① re-（再び）+ surrect（立ち上がる）

動 〈失われたもの・忘れられたものなど〉を復活させる（≒revive）
名 resurrection 復活、再起

1956 **discontent** [dìskəntént]
① dis-（否定）+ con-（共に）+ tent（含まれた）

名 不満、不平
（≒dissatisfaction）（⇔content, contentment）

| | |
|---|---|
| The human body converts food into **thermal** energy through metabolic processes. | 人間の体は、代謝を通じて食物を熱エネルギーに変換する。 |
| There is no need for you to make a **racket** like that. | あんなに大騒ぎする必要はないよ。 |
| Their aim is to run a **humane** animal sanctuary. | 彼らの目的は、人道的な動物保護区域を運営することだ。 |
| The information was **withheld** for security reasons. | その情報は安全保障上の理由で公表されなかった。 |
| She is **obsessive** about the cleanliness of her home. | 彼女は家の清潔さに異常なまでにこだわる。 |
| Although they made an attractive **proposition**, the other company rejected it. | 彼らは魅力的な提案をしたが、相手の会社はそれを断った。 |
| The scientists **scrutinized** the report for any possible errors. | 科学者たちは、報告書に間違いがないかを精査した。 |
| The **containment** of the fire was a top priority for all the firefighters. | 火災を食い止めることは、すべての消防士にとって最優先事項だった。 |
| The video of the plane crash was very **distressing** to watch. | 飛行機が墜落する映像は、見ていてとても痛ましかった。 |
| Alcohol **impairs** our quick judgment. | アルコールはとっさの判断力を鈍らせる。 |
| Talks of peace collapsed and have yet to be **resurrected**. | 和平交渉は決裂し、いまだに再開していない。 |
| There was widespread **discontent** among the staff about low wages. | 社員の間に低賃金についての不満が広がっていた。 |

1957 **loot** [lú:t]
- 動 ①〈場所など〉から略奪する（≒plunder）
  ②〈もの〉を略奪する（≒plunder）
- 名 略奪品、戦利品

1958 **conspiracy** [kənspírəsi]
① con-（共に）+ spir（息をする）+ -acy 名
- 名 陰謀、共謀
- 動 conspire 陰謀を企む
- 形 conspiratorial 陰謀の
- 名 conspirator 共謀者

1959 **lousy** [láuzi]
- 形 お粗末な、ひどい（≒terrible）

1960 **legislature** [lédʒɪslèɪtʃər | -lətʃə]
① legis（法律）+ -lature 名
- 名 議会、立法府
- 動 legislate（～を）法制化する
- 形 legislative 立法の
- 名 legislation 法律；立法

1961 **interrogation** [ɪntèrəgéɪʃən]
① inter-（間に）+ rog（尋ねる）+ -ation 名
- 名 尋問、取り調べ
- 動 interrogate〈人〉を尋問する
- 形 interrogative 疑問の、質問の

1962 **itchy** [ítʃi]
- 形 かゆい、むずむずする
- 動 itch かゆい、ちくちくする

1963 **scheme** [skí:m]
- 名 ① 事業計画（≒plan） ② 陰謀
- 動〈陰謀など〉を企てる

1964 **vocalization** [vòukələzéɪʃən | -laɪ-]
① vocal（声の）+ -ization 名
- 名 発声；発生された音［声］
- 動 vocalize ～を発声する

1965 **obsolescence** [ɑ̀:bsəlésns | ɔ̀b-]
① ob-（～に）+ solesc（慣れた）+ -ence 名
- 名 廃れること、旧式化
- 形 obsolete 旧式の、廃れた

1966 **preferential** [prèfərénʃəl]
① pre-（前に）+ fer（運ぶ）+ -ential 形
- 形 優先的な、優遇の
- 動 prefer ～のほうを好む
- 名 preference 優遇、ひいき

1967 **pesky** [péski]
- 形 うるさい、やっかいな
- ► pest（害虫、厄介なこと）と同語源語。

1968 **janitor** [dʒǽnətər]
- 名（ビル・学校などの）管理人、用務員、清掃作業員

Track 164

| | |
|---|---|
| Some demonstrators began to **loot** the stores. | デモ隊の一部は商店の略奪を始めた。 |
| Many people seem to believe that particular **conspiracy**. | 多くの人があの陰謀を信じているようだ。 |
| The ratings for that restaurant are low because of the **lousy** service. | サービスがひどいため、そのレストランの評点は低い。 |
| The provincial **legislature** passed a new law regarding health services. | 州議会は、医療サービスに関する新しい法律を可決した。 |
| The **interrogation** of the man lasted for several hours. | その男の取り調べは数時間続いた。 |
| Her wool socks are making her feet very **itchy**. | ウールの靴下をはくと、彼女は足がとてもかゆくなる。 |
| Our new financial **scheme** is based on careful research and development. | 私たちの新しい財政計画は、入念な研究開発に基づいている。 |
| Make sure to respond to **vocalizations** your baby makes. | 赤ちゃんが出した声には必ず応えてあげましょう。 |
| The sudden **obsolescence** of the cassette tape came as a surprise to many. | カセットテープが突然廃れてしまったのは、多くの人にとって驚きだった。 |
| They give their regular customers **preferential** treatment at that shop. | その店には常連客の優待制度がある。 |
| The **pesky** fly kept bothering her while she was trying to give her speech. | スピーチをしようとしている間中、彼女はうるさいハエに悩まされていた。 |
| All of the children always say good morning to the **janitor**. | 子どもたちは皆いつも、用務員さんにおはようございますとあいさつする。 |

19
68

1969
## pendulum
[péndʒələm]

名 ①（意見・流行などの）変化、動揺
②（時計などの）振り子
► ①の意味は②の意味の比喩的な使い方。pend は「ぶら下げる」を意味する語根。

1970
## perimeter
[pərímətər]
① peri（周りの）+ meter（計測）

名 ① 周囲［周辺］（の長さ）（≒circumference）
② 境界線、防御線（≒border）

1971
## loom
[lú:m]

動 〈困難・危険・脅威などが〉迫ってくる（≒approach）

1972
## respiratory
[réspərətɔ̀:ri | rɪspírətəri]
① re-（再び）+ spir（息をする）+ -atory 形

形 呼吸（器）の
名 respiration 呼吸
動 respire 呼吸する

1973
## state-of-the-art
[stéɪtəvðəá:rt]

形 最新式の、最先端の
（≒cutting-edge）（⇔outdated, obsolete）

1974
## assimilate
[əsíməlèɪt]
① as-（～に）+ simil（似た）+ -ate（～にする）

動 ①（〈民族・文化など〉を）同化する、融合する
（≒absorb, incorporate）
②〈考え・情報など〉を自分のものにする
名 assimilation 同化

1975
## refurbish
[rɪfə́:rbɪʃ]
① re-（再び）+ furbish（きれいにする）

動 〈建物など〉を改装する、改修する
名 refurbishment 改修

1976
## conglomerate
[kənglá:mərət | -glɔ́m-]
① con-（共に）+ glomer（球）+ -ate（～にする）

名 ① コングロマリット、複合企業
② 寄せ集め、集合（体）

1977
## simulate
[símjəlèɪt]
① simul（似た）+ -ate（～にする）

動 ～の模擬実験をする、～をシミュレーションする
名 simulation 模擬実験

1978
## doom
[dú:m]

動 ～を（悪い方向に）運命づける
名 運命
形 doomed 不運な、絶望的な、運の尽きた

1979
## stockpile
[stá:kpàɪl | stɔ́k-]

名 （食料・兵器などの）備蓄（≒stock）
動 ～を備蓄する（≒store）

1980
## inconsequential
[ɪnkà:nsəkwénʃəl | -kɔ̀n-]
① in-（否定）+ con-（共に）+ sequent（あとに続く）+ -ial 形

形 取るに足りない、重要でない
（≒unimportant, insignificant）
（⇔essential, important）

Track 165

19/80

| | |
|---|---|
| In the country, the **pendulum** is now swinging from internationalism to isolationism. | その国ではちょうど今、振り子が国際主義から孤立主義へと振れている。 |
| A security guard patrols the **perimeter** of the house constantly. | 警備員がその家の周りを絶えずパトロールしている。 |
| The deadline to turn in his thesis **looms** closer every day. | 彼の論文の提出期限は日に日に間近に迫っている。 |
| The device provides breathing support for patients with **respiratory** illnesses. | その装置は、呼吸器疾患の患者の呼吸を補助する。 |
| The museum's **state-of-the-art** security system makes it almost impossible to steal works of art. | その美術館の最新のセキュリティシステムにより、美術作品を盗むことはほぼ不可能だ。 |
| Not everyone is able to **assimilate** to a new culture. | 誰もが新しい文化に同化できるわけではない。 |
| The couple **refurbished** their whole house in the past year. | その夫妻はこの１年で家全体を改修した。 |
| They discussed the regulation of financial **conglomerates**. | 彼らは金融複合企業に対する規制について議論した。 |
| The researchers **simulated** the breakdown of society in their experiment. | 研究者たちは、実験で社会の崩壊をシミュレーションした。 |
| Everyone thought she was **doomed** to failure when she started her own business. | 彼女がビジネスを立ち上げたとき、失敗に終わるだろうと誰もが考えた。 |
| It is important to have a **stockpile** of supplies for earthquakes. | 地震に備えて物資を備蓄しておくことが重要だ。 |
| The change of government had an **inconsequential** effect on economy. | 政権交代が経済に与えた影響は取るに足りないものだった。 |

**1981 vibrant** [váɪbrənt]
① vibr（揺れる）+ -ant 形

形 ① 活気に満ちた（≒lively）
② 〈色・光などが〉鮮やかな（≒colorful）（⇔dull）
③ 振動する
動 vibrate 震える、振動する　名 vibration 振動

**1982 eyewitness** [áɪwìtnəs]

名 目撃者（≒witness）

**1983 commodity** [kəmɑ́:dəti | -mɔ́d-]
① com-（共に）+ mod（尺度）+ -ity 名

名 ① 商品、売買品
② 有用なもの

**1984 notorious** [noutɔ́:riəs]
① not（注目）+ -orious（満ちた）

形 悪名高い、（よくないことで）よく知られた（≒infamous）
► not は「印をつける」を意味する語根。
名 notoriety 悪評、悪名

**1985 shot** [ʃɑ́:t | ʃɔ́t]

名 ①（賭けなどの）勝ち目、可能性（≒chance）
② 試み、挑戦（≒attempt）
►「発砲」「写真」「皮下注射」「シュート」などの意味でも出題されている。

**1986 emigrate** [éməgrèɪt]
① e-（外に）+ migr（移動する）+ -ate 動

動（自国から他国に）移住する（≒migrate）
名 emigration 移住
名 emigrant 移民

**1987 cede** [sí:d]

動〈土地・権利など〉を譲渡する、割譲する（≒surrender, relinquish）
名 cession 譲渡、割譲

**1988 degrade** [dɪgréɪd]
① de-（下に）+ grade（段階）

動 ① ～を分解する、劣化させる
② 〈価値・品位など〉を低下させる
③ 〈人〉を降格させる
名 degradation 劣化

**1989 extremist** [ɪkstrí:mɪst]
① extr-（外の）+ em（最上級）+ -ist（人）

名 過激派、過激主義者
形 extreme 極度の；過激な
名 extremism 過激主義

**1990 execute** [éksəkjù:t]
① ex-（外に）+ ecute（追う）

動 ① 〈計画・義務など〉を実行する（≒carry out）
② ～を処刑する
名 execution 実行；処刑

**1991 long-lasting** [lɔ̀(:)ŋlǽstɪŋ | -lɑ́:s-]

形 長続きする、持続的な

**1992 reside** [rɪzáɪd]
① re-（後ろに）+ side（座る）

動〈事物・性質などが〉存在する、備わっている

Track 166

| | |
|---|---|
| After he spent years in a boring little town, the **vibrant** city seemed very exciting. | 彼は退屈な小さな町で何年も過ごしたあとだったので、活気のある街はとてもエキサイティングに思えた。 |
| The police are looking for **eyewitnesses** of the crime. | 警察はその犯行の目撃者を探している。 |
| Oil is one of the world's most sought-after **commodities**. | 石油は世界で最も需要がある商品の一つだ。 |
| Police were in a panic after the **notorious** criminal managed to escape from prison. | 悪名高い犯人が脱獄に成功すると、警察はパニックに陥った。 |
| His team has a good **shot** at winning the championship. | 彼のチームが優勝する可能性は十分ある。 |
| Her grandparents **emigrated** to Brazil. | 彼女の祖父母はブラジルに移住した。 |
| The army had to **cede** land to their enemies. | その軍隊は敵に土地を譲り渡さなければならなかった。 |
| The constant exposure to sunlight **degraded** the color of the chairs. | 日光に絶えずさらされて、いすの色が劣化した。 |
| The police arrested several **extremists** who were planning a terrorist attack. | 警察は、テロ攻撃を計画していた数人の過激派を逮捕した。 |
| We will need a minimum of three people to **execute** this plan effectively. | この計画を効果的に実行するためには、最低３人の人員が必要だ。 |
| That company sells **long-lasting** mascara that is also waterproof. | その会社は、長持ちし、しかもウォータープルーフのマスカラを販売している。 |
| The problem **resides** in her inability to be quiet when needed. | 問題は、彼女が必要なときに静かにできないことにある。 |

19
92

|  |  |  |
| --- | --- | --- |
| 1993 | **empower**<br>[ımpáuər]<br>① em-（中に）+ power（力） | 動〈人〉に権限［裁量］を与える（≒authorize）<br>名 empowerment 権限付与 |
| 1994 | **hallmark**<br>[hɔ́:lmɑ̀:rk] | 名（顕著な）特徴、特質 |
| 1995 | **squarely**<br>[skwéərli] | 副 真っ向から、直接に（≒directly） |
| 1996 | **parameter**<br>[pərǽmətər]<br>① para-（準）+ meter（計器） | 名 限界、指針<br>（≒criterion, framework, specification, guideline）<br>► ふつう複数形で使う。 |
| 1997 | **wield**<br>[wí:ld] | 動〈権力・影響など〉を行使する（≒exert, command） |
| 1998 | **epidemic**<br>[èpədémık]<br>① epi-（間に）+ dem（人々）+ -ic 形 | 名 流行、伝染（病） |
| 1999 | **perilous**<br>[pérələs]<br>① peril（危険）+ -ous（満ちた） | 形 危険な（≒dangerous, hazardous）<br>名 peril 危険 |
| 2000 | **predisposed**<br>[prì:dıspóuzd]<br>① pre-（前もって）+ dis-（分離）+ posed（置かれた） | 形（～の）傾向にある；（病気などに）なりやすい<br>► be predisposed to ～ で「～しやすい傾向がある；〈病気〉にかかりやすい」という意味。 |
| 2001 | **sovereign**<br>[sɑ́:vərən \| sɔ́v-] | 形 主権を有する、独立した<br>名 君主；主権者<br>名 sovereignty 主権、統治権 |
| 2002 | **hardscrabble**<br>[hɑ́:rdskræ̀bl] | 形〈土地が〉やせた、耕作に適さない |
| 2003 | **impersonal**<br>[ımpə́:rsənl]<br>① im-（否定）+ person（人間）+ -al 形 | 形 ① 人間味のない ② 事務的な<br>名 impersonality 人間味のなさ |
| 2004 | **beset**<br>[bısét]<br>① be-（強意）+ set（配置する） | 動〈問題・困難が〉～を悩ます |

Track 167

| | |
|---|---|
| The judge is **empowered** to sentence people to life in prison. | 裁判官は終身刑を宣告する権限を与えられている。 |
| Attention to detail is the **hallmark** of a great web designer. | 細部にまで気を配ることが、優れたウェブデザイナーの証しだ。 |
| We must face and deal with the issues **squarely**. | 私たちはそれらの問題に正面から向き合い、取り組まなければならない。 |
| We have to work within the **parameters** of the budget. | 私たちは予算の範囲内で仕事をしなければならない。 |
| She **wields** the power to give everyone a raise. | 彼女は皆を昇給させる決定権を握っている。 |
| The flu **epidemic** has gotten so severe that some schools have temporarily closed. | インフルエンザの流行がひどくなり、臨時休校になった学校もある。 |
| The journey across the ocean remains **perilous** to this day. | 海を渡る旅は、今日でも危険なことに変わりはない。 |
| These mice **are** genetically **predisposed to** cancer. | これらのマウスは遺伝的にがんにかかりやすい。 |
| In 1804, Haiti gained independence from France and declared itself a **sovereign** nation. | 1804 年、ハイチはフランスから独立し、主権国家であることを宣言した。 |
| They had great difficulty farming the **hardscrabble** land. | 彼らはやせた土地で農業を営むのにとても苦労した。 |
| Some people do not want to work for large, **impersonal** corporations. | 人間味のない大企業には勤めたくない人もいる。 |
| The team was **beset** with injuries this year, so their poor record is not surprising. | そのチームは今年けがに悩まされたので、成績が悪いのも驚くことではない。 |

2004

2005 **trespass** [tréspəs]
① tres (越えて) + pass (通過する)
動 (不法) 侵入する
► trespass on ~ で「~に (不法) 侵入する」という意味。

2006 **quip** [kwíp]
動 当意即妙に答える、気の利いたことを言う
名 当意即妙な言葉；皮肉

2007 **forte** [fɔ́ːrt | fɔ́ːrteɪ]
名 得意 (分野)、強み (≒strength)

2008 **foolproof** [fúːlprùːf]
形 〈方法・装置などが〉絶対確実な、間違いのない (≒infallible)

2009 **far-fetched** [fɑ̀ːrfétʃt]
形 〈話・考えなどが〉ありえない、現実的でない

2010 **weather** [wéðər]
動 ~を (無事に) 切り抜ける

2011 **eerie** [íəri]
形 不気味な、薄気味悪い (≒uncanny, spooky)

2012 **pawn** [pɔ́ːn]
動 ~を質に入れる
名 (人の) 手先、利用される人

2013 **esoteric** [èsətérɪk]
形 ① 難解な、深遠な ② 秘教の、秘伝の

2014 **despicable** [dɪspíkəbl]
① despic (軽蔑する) + -able (できる)
形 卑劣な、軽蔑に値する (≒contemptible)

2015 **scavenge** [skǽvɪndʒ]
動 〈動物が〉(食べ物を) あさる

2016 **shroud** [ʃráʊd]
動 ~を包む、覆い隠す
► 元は「(埋葬される死者に着せる) 経かたびら」に由来する語。

Track
168

| | |
|---|---|
| It is illegal to **trespass on** private property in most cases. | 私有地に侵入することは、たいていの場合違法だ。 |
| She **quipped** that she would rather go to the dentist than attend another boring meeting. | 彼女はまた退屈な会議に出席するくらいなら歯医者に行ったほうがましだとうまいことを言った。 |
| Baking things like cakes and cookies is definitely not her **forte**. | ケーキやクッキーなどを焼くのは、間違いなく彼女の得意分野ではない。 |
| They came up with a **foolproof** plan to rob the bank. | 彼らは、銀行強盗の絶対確実な計画を思いついた。 |
| The once **far-fetched** idea of treatments to reverse aging may become a reality. | 若返り治療という以前なら荒唐無稽だったアイデアが現実になるかもしれない。 |
| The village **weathered** the hurricane with only some small damage to the school building. | 学校の校舎にわずかな損傷を受けたくらいで、その村はハリケーンを切り抜けた。 |
| The forest feels **eerie** when you walk through it at night. | 夜に歩くと、その森は不気味な感じがする。 |
| She had to **pawn** her watch collection to pay her rent. | 家賃を払うために、彼女は腕時計のコレクションを質に入れなければならなかった。 |
| He is interested in studying and understanding **esoteric** philosophical debates. | 彼は難解な哲学的議論を研究し理解することに興味がある。 |
| Racial discrimination is absolutely **despicable** and should not be tolerated. | 人種差別はまったく卑劣で、許されるべきではない。 |
| Seagulls can often be found **scavenging** for food near the beach. | カモメが浜辺でえさをあさっているのをよく見かける。 |
| The reasons behind his disappearance are **shrouded** in mystery. | 彼の失踪の理由は謎に包まれている。 |

20
16

**2017** **infighting**
[ínfàɪtɪŋ]

名 内輪もめ

**2018** **laureate**
[lɔ́:riət]

名 受賞者（≒winner）
► 「laurel（月桂樹、ローリエ）を与えられた者」が原義。

**2019** **squeak**
[skwí:k]

動 金切り声を出す；〈ネズミなどが〉チューチュー鳴く
名 キーキー（言う声）；チューチュー（鳴く声）
► ものがこすれる音にも使う。

**2020** **qualm**
[kwá:m]

名 ① 良心の呵責（かしゃく）、気のとがめ ② 不安、懸念
► ふつう複数形で使う。

**2021** **psychic**
[sáɪkɪk]
① psych（魂）＋ -ic 形

形 ① 精神の、精神的な（⇔physical）
② 心霊（現象）の

**2022** **full-fledged**
[fʊ̀lflédʒd]

形 一人前の、れっきとした
► 「羽毛が生えそろった」が原義。

**2023** **reimburse**
[rì:ɪmbə́:rs]
① re-（再び）+ im-（中に）+ burse（財布）

動 〈人〉に（費用を）返済する、補償する
名 reimbursement 返済

**2024** **philanthropy**
[fɪlǽnθrəpi]
① phil（愛）+ anthrop（人）+ -y 名

名 ① 慈善活動 ② 博愛行為、慈善事業
名 philanthropist 慈善家
形 philanthropic 博愛（主義）の、慈善（事業）の

**2025** **unilateral**
[jù:nilǽtərəl]
① uni-（単一の）+ later（側面）+ -al 形

形 一方的な（⇔bilateral）

**2026** **commonplace**
[ká:mənplèɪs | kɔ́m-]

形 ありふれた、ごく日常的な
名 ありふれたもの

**2027** **domesticate**
[dəméstɪkèɪt]
① domest（家庭）+ -ic 形 + -ate（〜にする）

動 〈動物〉を家畜化する；〈植物〉を栽培品種化する
名 domestication 飼いならすこと
形 domestic 飼いならされた；家庭の；国内の

**2028** **polytheistic**
[pà:liθi(:)ístɪk | pɔ̀li-]
① poly-（多くの）+ the（神）+ -istic 形

形 多神教の（⇔monotheistic）
► atheism（無神論）、pantheism（汎神論）などの語も覚えておこう。
名 polytheism 多神教

Track 169

| | |
|---|---|
| The discussion has made little progress because of the party's **infighting**. | 党内の内輪もめのせいで議論はほとんど進んでいない。 |
| Henry Dunant was the first ever **laureate** of the Nobel Peace Prize. | アンリ・デュナンは、史上初のノーベル平和賞受賞者だった。 |
| The ball **squeaked** when the dog bit into it. | 犬がそのボールに噛みつくと、キュッという音がした。 |
| I felt some **qualms** about accepting the money. | その金を受け取るのは少々気がとがめた。 |
| Your physical condition will affect your **psychic** state. | 体調は精神状態に影響する。 |
| After his training ends, he will be a **full-fledged** soldier. | 訓練が終わると、彼は一人前の兵士になる。 |
| I will **reimburse** you for the cost of gas if you take me to the airport. | 空港まで乗せていってもらえるなら、その分のガソリン代を払います。 |
| She was awarded for all of her hard work in **philanthropy**. | 彼女は、慈善活動の中でしたあらゆる努力に対して賞を受賞した。 |
| She made a **unilateral** decision to shut down the company without consulting with any employees. | 彼女は、従業員に相談することなく、一方的に会社をたたむことを決めた。 |
| It is now **commonplace** to see people using smartphones. | スマートフォンを使っている人を見るのは今や当たり前だ。 |
| Dogs and cats were **domesticated** thousands of years ago. | 犬と猫は何千年も前に家畜化された。 |
| People here believe in a **polytheistic** religion. | この土地の人たちは多神教を信仰している。 |

20
28

**2029 concur**
[kənkə́ːr]
① con-（共に）+ cur（走る）

動 …であると意見が一致する（≒agree）（⇔disagree）
名 concurrence 意見の一致
形 concurrent 意見の一致した

**2030 idiosyncratic**
[ìdiəsɪŋkrǽtɪk]

形〈行動・嗜好・習慣などが〉独特の、特異な
名 idiosyncrasy 特異性

**2031 tenure**
[ténjər]
① ten（保つ）+ -ure 名

名 ①（大学教員などの）終身在職権
②（重職の）在職期間

**2032 graffiti**
[grəfíːti]

名（壁などの）落書き
► 教科書などの落書きは scribbles。

**2033 intrusive**
[ɪntrúːsɪv]
① in-（中に）+ trus（突っ込む）+ -ive 形

形 立ち入った、押しつけがましい（≒invasive）
動 intrude（他人の私事に）立ち入る
名 intrusion 侵入
名 intruder 侵入者

**2034 mimicry**
[mímɪkri]
① mimic（まねる）+ -ry（行為）

名 ① 模倣、まね（≒impersonation, imitation）
② 擬態
動 mimic ～をまねる

**2035 coffer**
[kɔ́(ː)fər]

名 ①［coffers］財源、資金 ② 金庫（≒safe）

**2036 phenomenal**
[fɪnɑ́ːmənl | -nɔ́m-]

形 驚異的な、並みはずれた
（≒amazing, exceptional）
（⇔ordinary, common）
名 phenomenon 驚異的な人、奇才

**2037 bizarre**
[bɪzɑ́ːr]

形 風変わりな、奇妙な
（≒odd, weird）（⇔ordinary）

**2038 ignominious**
[ìgnəmíniəs]
① ig-（否定）+ nomin（名前）+ -ious 形

形 不名誉な、恥ずべき
（≒disgraceful, humiliating）
名 ignominy 不名誉

**2039 fraternity**
[frətə́ːrnəti]
① fratern（兄弟）+ -ity 名

名 ① 兄弟関係；友愛、兄弟愛（≒brotherhood）
②（共通の目的などを持つ人々の）団体
形 fraternal 友愛の
動 fraternize 親しく交わる

**2040 serene**
[səríːn]

形 ①〈場所・生活などが〉のどかな、平穏な
②〈表情などが〉穏やかな
名 serenity 平穏；落ち着き

Track 170

| | |
|---|---|
| Everyone seems to **concur** that taxes should not be raised. | 税金は上げるべきでないというのは、皆の一致した意見のようだ。 |
| The pianist has an **idiosyncratic** playing style. | そのピアニストは独特な弾き方をする。 |
| She received **tenure** at a university. | 彼女はある大学の終身在職権を取得した。 |
| The wall was sprayed with **graffiti**. | その壁はスプレーで落書きされていた。 |
| She has always struggled to deal with her **intrusive** thoughts. | 彼女は、自分の押しつけがましい考えと折り合いをつけるのに苦労してきた。 |
| Parrots are a species of bird with particularly impressive **mimicry** skills. | オウムは、特に印象的な物まねの能力を持つ鳥の一種だ。 |
| The aggressive tax system has filled the **coffers** of the government. | 積極的な税制により、政府の財源は潤った。 |
| The book was a **phenomenal** success, and it allowed him to pursue writing full-time. | この本は驚異的な成功を収め、そのおかげで彼は執筆活動に専念できるようになった。 |
| Publishers worried that the **bizarre** story would only appeal to a limited audience. | 出版社は、その奇想天外な話は限られた人にしか受けないのではと心配した。 |
| They suffered an **ignominious** defeat against a lower ranking team. | 彼らは下位チーム相手に不名誉な負けを喫した。 |
| The community center aims to create an atmosphere of **fraternity** and inclusiveness among all local residents. | そのコミュニティセンターは、地域住民の間に親しみがあり、誰にでも開かれた雰囲気を作ることを目指している。 |
| He enjoys taking walks through the **serene** forest behind his house. | 彼は、家の裏の静かな森を散歩するのを楽しんでいる。 |

20
40

## コラム　語根のイメージをつかむ 1

本文の語源欄には多くの語根が登場しますが、ここではいくつかの代表的な語根を取り上げ、それを構成要素とするさまざまな単語の具体例をご紹介します。♀で取り上げたやさしめの単語を手がかりに、語根のイメージをつかんでください。

### ■ am / em / im / mi …「友人」

♀ amateur（アマチュア、愛好家）、enemy（敵）（en = not）も同語源語。

**ami**able 人当たりのよい、愛想のよい
**ami**ty（特に国家・集団間の）友好、親善
**inimi**cal 有害で、不利で
**enmi**ty（長期にわたる）敵意、憎しみ

### ■ clam / claim …「叫ぶ」

♀ claim（要求する、主張する）はカタカナ語になっているが、「文句を言う」（→ complain）という意味ではないので注意。

**clam**or 騒がしい音
ac**claim** 称賛する
ex**claim** 叫ぶ、大声で叫ぶ
dis**claim**er 否認する人
re**claim** ～を取り戻す

### ■ cogni(s) / gnos …「知る」

♀ know はこの異形。ignore（～を無視する）や recognize（～を認める）も同語源語。

**cogni**tive 認識の
pro**gnos**is 病後の経過、予後
a**gnos**tic 不可知論（者）の

### ■ cur(s) / cours …「走る」

♀ 一番おなじみなのは course（コース、走路）。current は「走っている」→「現在の」となった。

pre**curs**or 前兆、前触れ
in**cur**〈負債・損害など〉を負う、こうむる
re**cur**rent 繰り返し起こる、再発する
**curs**ory 大まかな、急ぎの
con**cur** 同意見である、一致する

### ■ dign / dain …「価値のある」

♀ dignity（威厳）に含まれる dign。

in**dign**ant 憤慨した、憤った
**dain**ty 上品な、優美な
dis**dain** ～を見下す

### ■ doc …「教える」

♀ doctor（博士、医師）の原義は「教える人」、document（文書）の原義は「教える手段」、doctrine（教義）の原義は「教えられるもの」。

**doc**ile 従順な
in**doc**trinate〈人〉に（思想などを）吹き込む

# Part 2

# 熟語

熟語は、以下の優先順位を基に配列されています。

① 筆記大問１で正解になった句動詞の頻度
② 筆記大問１で誤答になった句動詞の頻度

一部、長文で登場した句動詞も収録しています。筆記大問１の選択肢として出題された句動詞が長文などで登場するケースもあります。

試験まで時間がない場合は、出題確率の高いUnit 18（可能であればUnit 19）の句動詞まで目を通しましょう。

2041 □□□
**tamper with ~**
〈機械・文書など〉を勝手にいじる、～に手を加える

It looks like someone has **tampered with** the lock on your garage door.
お宅のガレージのドアのかぎを誰かがいじったようですよ。

2042 □□□
**buckle down**
(仕事などに)本気で取りかかる

It is time to **buckle down** and get back to work.
そろそろ腰を据えて、仕事に取り組まなければならない。

2043 □□□
**mull over**
～についてじっくり考える(≒ponder)

The government **mulled over** changing the age of retirement for years.
政府は何年もの間、定年の変更を検討した。

2044 □□□
**boil down to ~**
〈問題・状況などが〉つまるところ～になる

Whether you get a promotion or not **boils down to** how much effort you put in.
昇格するかしないかは、どれだけ努力したかにかかっている。

2045 □□□
**crack down on ~**
～を厳しく取り締まる、～に断固とした措置を取る(≒clamp down on ~)

The mayor promised to **crack down on** the city's growing drug problem.
市長は、市の増え続ける薬物問題に断固とした措置を取ると約束した。

2046 □□□
**crop up**
〈問題などが〉(思いがけなく)持ち上がる

Problems have been **cropping up** since the start of this trip.
この旅行に出て以来、いろいろな問題が持ち上がっている。

2047 □□□
**tip off**
～に内報する、こっそり知らせる

She **tipped off** the press as to where the meeting would take place.
彼女は、その会議がどこで行われるかをマスコミにこっそり教えた。

Track 171

2048 **pan out**

うまくいく、成果が出る
► 否定文、疑問文で使うことが多い。

Things did not **pan out** for him, and he lost the match.

彼の思うようにことは運ばず、彼は試合に負けた。

2049 **clam up**

口をつぐむ、黙り込む

After she entered the room, she **clammed up** and could not speak a word.

部屋に入ると彼女は黙り込み、一言も発することができなかった。

2050 **harp on**

（同じことを）くどくど言う

His sister always **harps on** about the time she spent teaching in Thailand.

彼の姉はいつも、タイで教師をしていたときのことばかりくどくど言っている。

2051 **pine for ~**

～を恋しく思う

These hot days make me **pine for** autumn.

こう暑い日が続くと秋が恋しくなる。

2052 **chime in**

議論に加わる、話に割って入る

The interview was less interesting because the host kept **chiming in** with unnecessary comments.

司会者が絶えず余計な口をはさんだので、インタビューは面白くなくなった。

2053 **tap into ~**

① 〈資源・市場など〉を開拓する
② 〈経験・知識など〉を活用する

It is about time we **tap into** the growing young readership.

そろそろ増加中の若い読者層を開拓するべき時期だ。

2054 **beef up**

～を強化する、増強する

The police **beefed up** security around the station.

警察は駅周辺の警備を強化した。

2055 □□□
**egg on**
〈人〉をけしかける、そそのかす

They **egged** her **on** until she finally jumped into the pool.
彼らにけしかけられて、彼女はついにプールに飛び込んだ。

2056 □□□
**scrape by**
かろうじて生計を立てる

His family is barely **scraping by**, even with everyone working.
彼の家族は全員働いても、何とかぎりぎりの生活を送っているところだ。

2057 □□□
**blow away**
① 〈人〉を仰天させる、〈人〉の度肝を抜く
② (試合などで)〈人〉をこてんぱんに負かす
► be blown away で「ひどく驚く」という意味。

He **was blown away** by the news that the queen had died suddenly.
彼は、女王が急逝したというニュースに驚がくした。

2058 □□□
**drown out**
〈大きな音が〉〈音・声など〉をかき消す

The train noise **drowned out** his voice.
電車の音で彼の声はかき消された。

2059 □□□
**bank on ~**
~を当てにする、~に頼る

Don't **bank on** her coming to the party this weekend.
彼女が今週末のパーティーに来るとは思わないほうがいい。

2060 □□□
**rub off on ~**
〈感情・性質・習慣などが〉〈人〉に移る、影響を与える
►「~の上にこすれ落ちる」イメージ。

His passion for books has **rubbed off on** all his friends.
彼の本に対する情熱は、友人みんなに影響を与えた。

2061 □□□
**dote on ~**
~を溺愛する、~にぞっこんだ

My mother **dotes on** her cats.
私の母は猫を溺愛している。

Track 172

2062 □□□

**rattle off**

～をすらすらと言う、そらんじる（≒reel off）

Her son can **rattle off** stats about almost every Major League Baseball player.

彼女の息子は、ほとんどすべてのメジャーリーガーに関する統計をすらすら言うことができる。

2063 □□□

**own up**

認める、白状する（≒confess）
► own up to ～ で「〈過失など〉を認める」という意味。

He **owned up to** having broken the glass.

彼はガラスを割ったことを認めた。

2064 □□□

**shell out**

〈大金〉を（しぶしぶ）払う（≒fork out, fork over）

He had to **shell out** $4,000 to get his car repaired.

彼は車を修理するのに4,000ドルも払わなければならなかった。

2065 □□□

**peter out**

次第に減少して［弱まって］なくなる

Public attention to the issue **petered out**.

その問題に対する世間の注目は次第に薄れた。

2066 □□□

**eke out**

〈生計など〉を立てる；〈金・食料・燃料など〉を何とか持たせる

He is **eking out** a living by doing several part-time jobs.

彼はいくつかのアルバイトをして、生計を立てている。

2067 □□□

**pass down**

〈知識など〉を伝える

This knowledge has been **passed down** for generations.

この知識は何世代にもわたって伝えられてきた。

2068 □□□

**butter up**

〈人〉におべっかを言う

Before asking for money, she **buttered up** her mother by complimenting her cooking.

金をねだる前に、彼女は母親の料理をほめてごまをすった。

2069 □□□
**dispense with ~**
~なしで済ます、~を省く（≒do without ~, do away with ~）

The major **dispensed with** all formalities when he announced the bad news to the general.
その悪い知らせを将軍に伝えるとき、少佐は形式的な手続きをすべて省いた。

2070 □□□
**do up**
① 〈家など〉を飾る、修繕する
② 〈服など〉のボタンを留める（⇔undo）
③ 〈もの〉を包む、包装する（≒wrap）

Her mother **does up** the house every year for Halloween.
彼女の母親は毎年ハロウィーンのために家の飾りつけをする。

2071 □□□
**live down**
〈自分の愚行・恥など〉を忘れる

He will never **live down** the time he accidentally bit into soap.
彼は、うっかり石けんをかじってしまったときのことを一生忘れられないだろう。

2072 □□□
**level with ~**
〈人〉に正直に話す、包み隠さず話す

I'll **level with** you: the company is going bankrupt.
君には正直に話すよ。会社は倒産しかけているんだ。

2073 □□□
**dawn on ~**
〈人〉にわかり始める

It **dawned on** me why he said so at that time.
あのときなぜ彼がそう言ったのか、わかり始めた。

2074 □□□
**shake off**
〈問題・病気・イメージなど〉を振り払う

I have not been able to **shake off** a cold for a month.
私は1か月間、風邪が抜けていない。

2075 □□□
**vouch for ~**
~を保証する、請け合う

I cannot **vouch for** their pizza, since I have not tried it, but their pasta is great.
その店のピザは食べたことがないので保証できないが、パスタは最高だ。

Track 173

2076 **rifle through ~**

〈場所など〉をくまなく調べる

She **rifled through** her purse to find her keys.

彼女はかぎを見つけるためにハンドバッグの中をくまなく探した。

2077 **head off**

① ~を阻止する、阻む
② (ある方向に)進む、向かう

It is now too late to completely **head off** climate change.

気候変動を完全に食い止めるには、もう遅すぎる。

2078 **polish off**

〈食べ物〉をさっと平らげる、〈仕事など〉を素早く片づける

They **polished off** three bottles of wine.

彼らはワインを3本空けた。

2079 **rein in**

~を抑制する、厳しく制限する

Every airline struggles to **rein in** fuel spending.

どの航空会社も、燃料の消費を抑えるのに苦労している。

2080 **bow out**

(仕事などから)身を引く、辞任する

He **bowed out** when his health made it too difficult to continue as the chairman.

彼は健康上の理由で会長を続けることが難しくなり、辞任した。

2081 **cast off**

〈やっかいなもの・こと〉を捨てる

The company aspires to **cast off** its image as a traditional sales company.

その会社は、伝統的な販売会社のイメージを払拭することを目指している。

2082 **scoot over**

(長い座席で)少し詰める

**Scoot over** so that your sister can sit down with you.

お姉ちゃんも一緒に座れるように少し詰めなさい。

2083 □□□

**fizzle out**

〈最初は勢いのあったものが〉途中で駄目になる、立ち消えになる

The project **fizzled out** as everyone lost confidence in its feasibility.

そのプロジェクトを実現できるという自信を皆が失い、それは頓挫した。

2084 □□□

**rope in**

〈人〉を誘い込む、仲間に引き入れる
► rope into ～ の形でも出題されている。

The app **ropes in** new users by offering a great signup bonus.

そのアプリは、素晴らしい会員登録特典を用意して新規ユーザーを獲得している。

2085 □□□

**patch up**

〈関係など〉を修復する、
〈不和など〉を解決する

Sometimes you cannot **patch up** a relationship no matter how hard you try.

どんなに頑張っても関係を修復できないこともある。

2086 □□□

**drift off**

居眠りする

She **drifted off** during the meeting, so she missed some of the discussion.

彼女は会議中に居眠りをしてしまい、議論の一部を聞き逃した。

2087 □□□

**act up**

① 〈機械などが〉不調である
② 〈病気・症状などが〉ぶり返す、再発する
③ 〈子どもが〉いたずらをする

The printer always seems to **act up** just when I need it the most.

そのプリンターは、一番必要なときに限っていつも調子が悪い気がする。

2088 □□□

**stumble on ～**

〈もの・人など〉に偶然出くわす
► stumble upon [across] ～ とも言う。

She **stumbled on** a delightful café while exploring the area around her hotel.

彼女はホテル周辺を散策していて、偶然素敵なカフェを見つけた。

2089 □□□

**weed out**

〈無用の人・もの〉を取り除く、淘汰(とうた)する

This law is aimed at **weeding out** illegal immigrants.

この法律は、不法移民を一掃することを狙ったものだ。

Track 174

**2090** **fork out**

〈大金〉を（しぶしぶ）払う（≒shell out, fork over）

It is ridiculous to **fork out** so much money on such cheaply made clothes.

そんな安っぽい服に大金を払うなんてばかげている。

**2091** **whip up**

① 〈食事など〉を手早く用意する（≒rustle up） ② 〈感情・興味など〉をかき立てる ③ 〈ほこり・しぶきなど〉を舞い上げる

She **whipped up** a quick soup for her family to enjoy.

彼女は家族を楽しませるために簡単なスープを手早く用意した。

**2092** **fend off**

〈攻撃・批判など〉をかわす、受け流す

The man struggled to **fend off** the accusations that he was a thief.

その男性は、自分が泥棒だという言いがかりをかわすのに必死だった。

**2093** **jockey for ~**

~を得ようと競う、画策する

Those companies are **jockeying for** smartphone users' growing attention.

それらの会社は、スマートフォンユーザーの高まる関心を引こうと競い合っている。

**2094** **pull off**

① 〈困難なこと〉を苦労して成し遂げる ② （一時停車のため）〈道〉からそれる［外れる］

The team **pulled off** a win despite a weak start to the game.

最初は苦戦したが、そのチームは何とか勝利した。

**2095** **farm out**

〈仕事など〉を委託する、下請けに出す

They could never develop that game alone, so they **farmed out** some of the work.

自分たちだけではそのゲームを開発することができなかったので、彼らは作業の一部を外部委託した。

**2096** **simmer down**

（感情的・状況的に）落ち着く、静まる

You should go to your room until you **simmer down** a bit.

少し落ち着くまで、自分の部屋にいなさい。

2097 □□□

**poke around**

あれこれ探し回る

He hired a private investigator to **poke around** in his wife's affairs.

彼は私立探偵を雇って妻のことをあれこれ詮索した。

2098 □□□

**taper off**

次第に減る、徐々に弱まる

Car sales have begun to **taper off** in recent months.

ここ数か月、車の売れ行きは徐々に鈍り始めている。

2099 □□□

**write off**

① 〈人・計画など〉を無意味なものと見なす
② 〈借金など〉を帳消しにする

Don't **write off** the team just yet, as there are still many games left in the season.

今シーズンの試合はまだたくさん残っているのだから、そのチームを見限るのは早いよ。

2100 □□□

**pick off**

(離れたところから)〈人・動物・鳥など〉を狙って撃つ

A lion **picks off** its prey with skill and precision.

ライオンは、巧みにそして正確に獲物を捕らえる。

2101 □□□

**blot out**

〈景色など〉を完全に覆い隠す

The thick fog **blotted out** the view of the ocean.

濃い霧が海の景色をすっかり覆い隠した。

2102 □□□

**run up**

〈借金など〉をため込む

She **ran up** her credit card bill buying luxury bags on her trip to the US.

彼女は、アメリカ旅行中に高級バッグを買い込み、クレジットカードの使用額がかさんだ。

2103 □□□

**barge in**

(行為・発言などを)遮る、口をはさむ

Don't **barge in** on people when they are having a private conversation, please.

人が個人的な話をしているときに、口をはさまないでください。

Track 175

2104 wrggle out of ~ → **wriggle out of ~**

〈義務・責任など〉を**うまく逃れる**

► wriggle は「〈人が〉身をよじる；〈ヘビなどが〉のたくる」という意味の動詞。

She tried to **wriggle out of** her promise to help him move.

彼女は、彼の引っ越しを手伝うという約束から逃れようとした。

**2105 ease up**

（ものに対して）**圧力を緩める**

The driving instructor told him he needed to **ease up** on the accelerator.

教習所の教官は、彼にアクセルを緩めるように言った。

**2106 bear down on ~**

~**に迫ってくる**

With the storm **bearing down on** the city, they decided to cancel the event.

嵐が街に迫ってきたので、彼らはそのイベントを中止することにした。

**2107 carve up**

（不正に）〈領土など〉を**分割する**、〈利益など〉を**分配する**

The territory was once **carved up** by the European powers.

その領土は、かつてヨーロッパ列強によって分割された。

**2108 bawl out**

〈人〉を**ひどく叱る、どなりつける**

Her coach **bawled** her **out** for missing the final shot of the game.

試合終了間際のシュートを外したと言って、コーチは彼女をどなりつけた。

**2109 bottle up**

〈感情など〉を（無理に）**押し殺す**

She tends to **bottle up** her emotions.

彼女は感情をため込む傾向がある。

**2110 goof off**

**時間を浪費する、さぼる**

He got detention for two weeks for **goofing off** in class.

彼は、授業をきちんと聞いていなかったので、2週間居残りをさせられた。

2111

**dwell on ~**

〈不愉快なこと〉についてあれこれ考える、こだわる

Even if you **dwell on** the past, it is not going to solve anything.

過ぎたことをくよくよしても、何の解決にもならない。

2112

**dish out**

① 〈罰〉を与える；〈忠告・批判〉をする
② ～を（よく考えずに）配る、与える

She has a reputation for **dishing out** strict punishments to cheaters.

彼女は、カンニングをした者に厳しい罰を与えるという評判だ。

2113

**louse up**

～を駄目にする、台無しにする

She did not want to **louse up** the chance to impress her potential employer in the interview.

彼女は、雇用主になるかもしれない人に面接で好印象を与えるチャンスを逃したくなかった。

2114

**nose around ~**

～をかぎ回る、調べ回る

The police started **nosing around** about the incident.

警察はその事件についてかぎ回り始めた。

2115

**come by ~**

① ～を手に入れる（≒obtain）
② ～に立ち寄る

Parts to repair older elevators can be hard to **come by**.

昔のエレベーターは、修理部品が手に入りにくいことがある。

2116

**rail against ~**

～を（怒りをもって）激しく非難する

The townspeople **railed against** the decision to close the public park.

町民は公園を閉鎖するという決定を激しく非難した。

2117

**crank out**

～を次々に生み出す、量産する

That mystery author is **cranking out** masterpiece after masterpiece these days.

そのミステリー作家は最近、傑作を次々生み出している。

Track 176

2118
**hang back**

① (ほかの人より) 後ろにいる
② 尻込みする、ためらう

She **hung back** and waited for her friends to catch up with her.

彼女は後ろに残り、友人たちが追いつくのを待った。

2119
**piece together**

〈捜査官などが〉〈事実・証拠など〉を組み立てる;〈情報など〉をつなぎ合わせる

They **pieced** a few clues **together** and discovered the truth.

彼らはわずかな手がかりをつなぎ合わせ、真相を突き止めた。

2120
**swear by ~**

〈もの〉を信じ込む、~に信頼を置く

His mother **swears by** her homemade laundry detergent for getting stains out of clothes.

彼の母親は、服の汚れを落とすのに自家製の洗濯洗剤が一番だと思っている。

2121
**put in for ~**

〈仕事・異動など〉を要請する、申請する

I am going to **put in for** the scholarship.

私はその奨学金を申請するつもりだ。

2122
**chew out**

〈目下の者など〉をガミガミ叱る

She was **chewed out** by her father for missing her curfew.

彼女は門限を破って父親にガミガミ言われた。

2123
**fritter away**

〈時間・金銭など〉を浪費する

He **frittered away** his savings on gambling.

彼は貯金をギャンブルに使ってしまった。

2124
**wolf down**

〈食べ物〉をがつがつ食べる

He **wolfed down** his breakfast before running out the door.

彼は朝食をかき込むと、玄関から飛び出していった。

2125 □□□
## dole out
〈少しずつ〉〈金・食べ物など〉を分け与える

He **doled out** chocolate to the children.
彼は子どもたちにチョコレートを配った。

2126 □□□
## spur on
〈人〉を奮起させる、駆り立てる

The musicians were **spurred on** by the cheers of their fans.
ミュージシャンたちはファンの歓声に心が奮い立った。

2127 □□□
## hunker down
① (安全な場所に) 避難する (≒take shelter)
② しゃがむ

Residents were asked to **hunker down** at home until the storm passed.
住民は嵐が過ぎるまで家でじっとしているように言われた。

2128 □□□
## bog down
~の動きを取れなくする；動きが取れなくなる ► get bogged down with ~ で「~に行き詰まる」。「沼 (bog) にはまり込む」イメージ。

We **got bogged down with** a new project.
私たちは新事業で行き詰まった。

2129 □□□
## snap out of ~
〈悲しみなど〉から立ち直る、気を取り直す

**Snap out of** it and get back to work right now!
気を取り直してすぐに仕事に戻りなさい！

2130 □□□
## boil over
堪忍袋の緒が切れる
► 文字どおりには「(沸騰して) 吹きこぼれる」。

Her anger finally **boiled over** when one of her students put gum in her hair.
生徒の一人から髪にガムをつけられて、ついに彼女は堪忍袋の緒が切れた。

2131 □□□
## deck out
〈人〉を着飾らせる；~を飾り立てる

He was impressed when he saw his girlfriend **decked out** in her suit.
彼は、ガールフレンドがスーツで決めているのを見てほれぼれした。

Track 177

2132 **breeze in**

〈人が〉ふらりとやって来る
► breeze は「そよ風」。風を擬人化した表現。

The owner is strict about working hours, but he **breezes in** whenever he feels like it.

オーナーは勤務時間に厳しいが、自分は気が向いたときにふらっとやって来る。

2133 **settle on ~**

（考えたうえで）～を決める、～に決める（≒fix on ～）

I have not **settled on** a gift for him yet.

私はまだ彼へのプレゼントを決めていない。

2134 **sound out**

〈人〉に（どう考えているかを）打診する
► sound は「（測鉛で）〈水底など〉の深さを測る」という意味の動詞。

You better **sound out** your parents to see what they think of your plan.

あなたの計画についてどう思うか、ご両親にそれとなく聞いたほうがいい。

2135 **barge through ~**

～をかき分けて進む
► barge into ～ は「～にずかずか入り込む」。

The paramedics **barged through** the crowd to get to the injured man.

救急隊員は人込みをかき分け、負傷者のところまでたどり着いた。

2136 **lay out**

① 〈考え・計画など〉をはっきりと説明する
② ～を配置する、配列する

The report **lays out** the new project.

その報告書は、新しいプロジェクトについて詳しく説明している。

2137 **factor in**

〈費用など〉を計算に入れる

If you **factor in** estimated maintenance costs, you are losing money on the property.

推定される維持費を考慮に入れると、あなたはその物件で損していることになります。

2138 **pin down**

① 〈事実・原因など〉を知る、突き止める
② 〈人〉を組み伏せる、押さえつける

The police could not manage to **pin down** who the arsonist was.

警察は、放火犯が誰なのか突き止めることができなかった。

2139 □□□

## roll in

① (悪びれることなく) 遅れて到着する
② 〈金・手紙・ものが〉 大量にやって来る

She **rolled in** late and did not even apologize to her manager.

彼女は遅れて出勤し、上司に謝りさえしなかった。

2140 □□□

## hold down

① 〈仕事〉 を続ける ② 〈人〉 を押さえつける
③ 〈物価など〉 を抑える

He **holds down** a full-time job as a single parent.

彼はひとり親としてフルタイムの仕事を続けている。

2141 □□□

## fall through

〈計画などが〉 失敗に終わる

Her plans to go skating **fell through** because of the rain.

スケートに行く彼女の計画は雨で駄目になった。

2142 □□□

## stamp out

〈悪習・病気など〉 を根絶する、撲滅する

Despite his electoral promises, he failed to **stamp out** crime.

選挙公約にもかかわらず、彼は犯罪を撲滅することはできなかった。

2143 □□□

## throw out

① 〈体の一部〉 を痛める ② 〈提案・法案など〉 を受け入れない、拒否する ► throw out *one's* back で「ぎっくり腰になる」という意味。

I **threw out my back** trying to move the desk.

私は机を動かそうとしてぎっくり腰になった。

2144 □□□

## pass A off as B

A を B と偽る

The merchant **passed** the item **off as** a new one.

業者はその品物を新品だと偽った。

2145 □□□

## bear out

～(が正しいこと) を実証する、裏づける

Her theories are **borne out** by various facts.

彼女の説は、さまざまな事実に裏づけられている。

Track 178

2146 **come down on ~**

〈人〉をきつく叱る、非難する

The teacher **came down** hard **on** him for sleeping in class.

先生は、授業中に寝ていたことで彼をきつく叱った。

2147 **play up**

~を（大げさに）強調する、誇張する（⇔play down）

She **played up** her limited translation experience in the interview.

彼女は面接で、限られた翻訳経験を大げさに話した。

2148 **zero in on ~**

~に注意を集中する

A writing coach can help you **zero in on** the main flaws in your writing style.

ライティングコーチは、ライティングスタイルの主な欠点に注意を向ける手助けをしてくれる。

2149 **butt in**

口をはさむ、干渉する

She **butted in** on their conversation to ask him where the keys were.

彼女は彼らの会話に割り込んできて、彼にかぎはどこかと尋ねた。

2150 **toy with ~**

〈考えなど〉を漠然と抱く

I've been **toying with** the idea of moving to Taiwan to teach English.

私は、台湾に移住して英語を教えようかと漠然と考えていた。

2151 **wind up**

①〈会議・演説などが〉終わる、〈会議・演説など〉を終える ②（意に反して）~することになる、最後には~に至る

The meeting should **wind up** by 11 a.m., and then we can go to lunch.

午前11時までには会議は終わるだろうから、そのあとランチに行きましょう。

2152 **rack up**

〈利益・損失など〉を重ねる；〈得点〉を獲得する（≒accumulate）

He **racked up** debts and went into bankruptcy.

彼は借金が重なり、破産した。

2153 □□□

**pitch in**

協力する、援助する

The whole community **pitched in** to house the stranded people.

その地域社会全体で協力して、足止めを食った人々に宿泊場所を提供した。

2154 □□□

**horse around**

ふざけ回る、ばか騒ぎをする

They were **horsing around** while the teacher was away.

先生がいない間、彼らはばか騒ぎをしていた。

2155 □□□

**gang up on ~**

〈人〉を寄ってたかって攻撃する、袋叩きにする

It is common for children to **gang up on** anyone who they feel is different.

子どもたちが、自分とは違うと感じる人を寄ってたかっていじめるのはよくあることだ。

2156 □□□

**wind down**

徐々に終わる；~を徐々に終わらせる
►「ねじ・ぜんまいが緩む」が原義。

It does not look like the war is going to **wind down** any time soon.

その戦争は、しばらくは収束しそうにない。

2157 □□□

**make off with ~**

〈もの〉を持ち去る、盗む；〈人〉を誘拐する（≒make away with ~）

The thieves **made off with** millions of dollars worth of art.

泥棒たちは、数百万ドル相当の美術品を盗んだ。

2158 □□□

**flesh out**

〈話・構想など〉に肉づけする、詳細を盛り込む

We spent a year **fleshing out** the plan.

私たちは1年かけて計画を練り上げた。

2159 □□□

**rip through ~**

〈嵐などが〉〈場所など〉を勢いよく通り過ぎる

A tornado **ripped through** the area, killing several people in the process.

竜巻がその地域を直撃し、それによって数人の死者が出た。

Track 179

2160 □□□

**bowl over**

〈人〉を驚かせる、圧倒する
► ふつう受け身で使う。

**I was bowled over** by their wonderful performance.

私は、彼らの素晴らしいパフォーマンスに圧倒された。

2161 □□□

**squeak by**

かろうじて成功する（≒squeak through）

The test was very hard, but I **squeaked by**.

その試験はとても難しかったが、私はかろうじて合格した。

2162 □□□

**cash in on ~**

~を利用してもうける

The company **cashed in on** the popularity of their IP by partnering with many other companies.

その会社は、自社の知的財産の人気の高さを生かし、多くの他社と提携することで利益を得た。

2163 □□□

**rally around ~**

~を支援するために集まる

Members of the community **rallied around** the family that lost their home in the fire.

地域の人たちは、火災で家を失ったその家族を支援するために集まった。

2164 □□□

**let on**

秘密を漏らす、口外する
► 後ろに about や that 節などが続く。

Please don't **let on** you know that.

あなたがそれを知っていることは口外しないでください。

2165 □□□

**lean on ~**

~に圧力をかける

Many organizations are **leaning on** the government to support more green initiatives.

たくさんの団体が、より環境に配慮した取り組みを支援するよう政府に圧力をかけている。

2166 □□□

**come around**

意見を変える

After the discussion, she **came around** and agreed with us.

話し合った結果、彼女は意見を変え、私たちに同意した。

2167 □□□
**strike on ~**
〈妙案〉を思いつく、〈もの〉を発見する

She **struck on** a great idea to market her new comic to young people.
彼女は、若い人たちに自分の新作コミックを売り込むいいアイデアを思いついた。

2168 □□□
**come in for ~**
〈非難・称賛など〉を受ける

The restaurant **came in for** a lot of criticism for using only frozen ingredients.
そのレストランは、冷凍食材ばかり使っていることについて多くの批判を受けた。

2169 □□□
**let up**
① 〈風雨・痛みなどが〉和らぐ、弱まる
② 気を緩める、手を抜く ► let up on ~（～に対する態度を緩和する）という表現も重要。

The rain is probably not going to **let up** until tomorrow morning.
雨はおそらく明日の朝まで収まらないだろう。

2170 □□□
**pluck up**
〈勇気など〉を奮い起こす

He **plucked up** the courage to ask his girlfriend to marry him.
彼は勇気を振りしぼって、ガールフレンドに結婚を申し込んだ。

2171 □□□
**grow on ~**
〈人〉の心を引くようになる

She hated the city at first, but now it is **growing on** her.
彼女は最初はこの街が嫌いだったが、今ではだんだん好きになってきている。

2172 □□□
**sail through ~**
〈試験など〉を楽に乗り切る

He **sailed through** all the interviews, but ended up failing the skills test.
彼は、面接はすべて乗り切ったが、最後に技能試験に落ちてしまった。

2173 □□□
**pile in**
どやどやと中に入る、急いで乗り込む

The group of friends **piled in** as soon as the van stopped.
バンが止まるとすぐに友人の一団が乗り込んできた。

Track 180

2174 **leap out at ~**
〈人・ものが〉〈人〉の目に留まる、目につく

Only one painting really **leapt out at** him at the art gallery.
そのアートギャラリーで、1枚の絵だけが本当に彼の目に飛び込んできた。

2175 **kick up**
〈面倒・騒ぎなど〉を起こす

Don't **kick up** a fuss over something that can't be changed.
仕方のないことにわめき立てないでください。

2176 **be put upon**
つけ込まれる、こき使われる

She does not let herself **be put upon** by her coworkers.
彼女は同僚たちにこき使われたりはしない。

2177 **smack of ~**
〈不快な性質・態度など〉が感じられる、~の気がある

Everything about the new government **smacks of** corruption and lies.
新政府に関するすべてに、腐敗とうそが感じられる。

2178 **roll out**
〈新製品〉を正式に発売［発表］する

They **rolled out** their new line of cosmetics just in time for the holiday season.
ホリデーシーズンにちょうど間に合うように、化粧品の新しいシリーズが正式発表された。

2179 **fly at ~**
〈人〉に飛びかかる、襲いかかる
► jump [leap] at ~ は「〈チャンスなど〉に飛びつく」という意味。

The dog **flew at** her before biting her stomach and arm.
その犬は彼女に飛びかかり、おなかと腕にかみついた。

2180 **level at ~**
〈非難・批判など〉を向ける
► level against ~ とも言う。

The accusations **leveled at** the journalist for simply doing her job were uncalled for.
自分の仕事をしていただけで、そのジャーナリストに向けられた非難はいわれのないものだった。

2180

2181 □□□
**frown on ~**
〈人・行為など〉を認めない、批判する

His boss **frowns on** employees leaving the building for their lunch break.
彼の上司は、従業員が昼休みに建物から出るのに難色を示す。

2182 □□□
**be roped into ~**
〈活動など〉に誘い込まれる

She **was roped into** watching her sister's kids on Friday night.
彼女は金曜の夜、妹の子どもたちの面倒を見る羽目になった。

2183 □□□
**set back**
~（の進行）を遅らせる

The poor weather has **set back** construction by several weeks.
悪天候のため、工事が数週間遅れている。

2184 □□□
**put across**
① （人に）〈イメージ〉を持たせる
② 〈考え・主義など〉をうまく伝える
► ①は主にイギリス英語の使い方。

He **puts across** a positive image but is actually a very negative person.
彼は、ポジティブなイメージを与えているが、実際には非常にネガティブな人物だ。

2185 □□□
**dig into ~**
~を（注意深く）調べる、調査する

The detective **dug into** the man's past and learned that he had changed his name.
刑事はその男の過去を調べ上げ、改名していたことを知った。

2186 □□□
**wash over ~**
〈感情などが〉〈人〉の心に押し寄せる

Sadness **washed over** her when she heard the news of her grandmother's passing.
彼女は祖母の訃報を聞き、悲しみがこみ上げてきた。

2187 □□□
**choke off**
~を妨げる、制限する
► choke は「~を窒息させる」。

If we **choke off** their supply to weapons, we can still win.
相手の武器の供給を妨げれば、我々が勝てる可能性はまだある。

Track 181

**2188** **coast along**

漫然と過ごす

She just wants to **coast along** and enjoy life as it comes.

彼女はのんびり過ごし、あるがままに人生を楽しみたいだけだ。

**2189** **go at ~**

① 〈人〉を攻撃する ② ~に取り組む

The boxers **went at** each other even after the match was called.

ボクサーたちは、試合が終わったあとも攻撃しあった。

**2190** **haul off**

(警察などに)〈人〉を連れていく

She was **hauled off** to the local police station for questioning.

彼女は取り調べのために地元の警察署に連行された。

**2191** **fend for *oneself***

自活する、自力で生きていく

The flood victims had to **fend for themselves.**

洪水の被災者たちは、自力で生きていかなければならなかった。

**2192** **root out**

〈問題など〉を根絶する

The mayor promised to **root out** corruption.

市長は汚職を根絶すると約束した。

**2193** **muscle in on ~**

~に強引に割り込む

Larger companies are **muscling in on** the market now and pushing out smaller competition.

その市場に今、規模のより大きな会社が強引に割り込んできて、小さな競争相手を押し出そうとしている。

**2194** **cop out**

(責任・約束などから) 逃げる;
(仕事などを) すっぽかす

After all, you're just **copping out.**

結局のところ、君は逃げているだけだ。

2195 □□□
## mill about
〈人々が〉あたりをうろうろする、ひしめき合う（≒mill around）

People **milled about** in the lobby before the graduation ceremony started.
卒業式が始まるまで、人々はロビーでうろうろしていた。

2196 □□□
## key up
〈人〉を興奮させる、鼓舞する

The announcer **keyed up** the audience before the performers came on stage.
アナウンサーは、出演者がステージに上がる前に観客を盛り上げた。

2197 □□□
## play along
同意するふりをする、合わせる

She was forced to **play along** with her boss's idea even though she was against it.
彼女は上司の考えに反対していたにもかかわらず、同意するふりをせざるを得なかった。

2198 □□□
## bargain on ～
～を予期する、前もって考慮に入れる
► bargain for ～ とも言う。

Nobody **bargained on** a storm damaging the stadium before the championships.
大会前に嵐でスタジアムが壊れるとは、誰も予期しなかった。

2199 □□□
## fall in with ～
〈好ましくない人物〉と親しくなる、交際を始める（⇔fall out with ～）

She **fell in with** a bad crowd in her teens.
彼女は10代のころに悪い連中と親しくなった。

2200 □□□
## limber up
ウォーミングアップをする、準備［柔軟］運動をする

The coach asked her to **limber up** for the second half of the game.
コーチは、試合の後半戦に向けてウォーミングアップするよう彼女に言った。

2201 □□□
## dip into ～
〈貯金など〉に手をつける、〈貯金など〉を切り崩す

He had to **dip into** his savings to pay his medical bills.
彼は医療費を払うために貯金を切り崩さなければならなかった。

Track 182

2202 **tide over**

（必要なものを与えて）～に困難な時期をしのがせる

You'll have to **tide** yourself **over** with snacks until we get home.

私たちが家に帰り着くまで、おやつでしのいでね。

2203 **settle up**

精算する、勘定を払う

I'll pay the bill now, and we can **settle up** later.

今は私が払うので、あとで精算しよう。

2204 **kick in**

効果が出始める

My medicine is finally starting to **kick in**, so I feel a bit better.

薬がようやく効き始めて、私は少し気分がよくなった。

2205 **hunger for ~**

～を熱望する、渇望する

After years spent working at an office job, she **hungered for** adventure.

事務職として長年働いたあと、彼女は冒険を欲していた。

2206 **drag A into B**

A を B に引きずり込む、巻き込む

He was **dragged into** going to the concert by his two children.

彼は子ども２人に引っ張り出されて、コンサートに行くことになった。

2207 **ride out**

〈難局・危機など〉を乗り切る

The mayor managed to **ride out** several scandals and be reelected.

市長はいくつものスキャンダルを何とか乗り切り、再選された。

2208 **buy off**

〈人〉を金で抱き込む、買収する

He believes that votes can be **bought off**.

彼は票は金で買えると思っている。

2209 □□□

**rip off**

① 〈人〉をだまして売りつける、
〈人〉からぼったくる
② ～をはぎ取る

Shops in that area are infamous for **ripping off** tourists.

その地域の店は、観光客からぼったくることで悪名が高い。

2210 □□□

**take off**

〈売上が〉急に伸びる；
〈商品が〉突然売れ出す

Her knitting business never did manage to **take off** even though she is a great crafter.

彼女は素晴らしい手芸作家だが、彼女の編み物事業は軌道に乗らなかった。

2211 □□□

**kick around**

〈案・計画など〉についてあれこれ検討する

He is still **kicking around** a few ideas for his next film.

彼はまだ次の映画のアイデアをいくつか検討している。

2212 □□□

**hail from ~**

〈人が〉～出身である

She originally **hails from** Denmark but has been living in Portugal for most of her life.

彼女はもともとデンマークの出身だが、人生のほとんどをポルトガルで過ごしている。

2213 □□□

**boot out**

〈人〉を追い出す、追い払う

The bartender had to **boot out** an individual who was harassing his customers.

バーテンダーは、客に嫌がらせをしている人を追い払わなければならなかった。

2214 □□□

**get back at ~**

〈人〉に仕返しをする

She thought up several ways to **get back at** her brother for eating her cookies.

彼女は、自分のクッキーを食べた兄に仕返しする方法をいくつも考え出した。

2215 □□□

**gloss over ~**

〈都合の悪いこと〉を取り繕う、ごまかす

The country's history books **gloss over** the violent acts of the regime.

その国の歴史書は、政権の暴力行為を取り繕っている。

Track 183

2216 **lash out**

痛烈に非難する

He **lashed out** at the server for giving him the wrong order.

彼は、注文を間違えたと言ってウェイターをののしった。

2217 **stake out**

〈場所・容疑者など〉を見張る

The thieves **staked out** the house they planned on robbing later that week.

泥棒たちは、その週の後半に強盗を計画していた家を見張った。

2218 **hem in**

～を取り囲む

His car was **hemmed in** by several police cars.

彼の車は数台のパトカーに取り囲まれた。

2219 **smooth over**

〈問題など〉を和らげる；
〈言い争いなど〉を丸く収める

I tried to **smooth over** their relationship.

私は彼らの仲を取りなそうとした。

2220 **iron out**

〈小さな問題・障害など〉を処理する、解決する

We still need to **iron out** the details such as which hotel we will book for the event.

そのイベントにどのホテルを予約するかなど、私たちはまだ詳細を詰めなければならない。

2221 **nod off**

うとうとする、居眠りする

He **nodded off** in the middle of his exam and was not able to finish it.

彼は試験の途中でうとうとし、それを終えることができなかった。

2222 **flare up**

〈炎が〉燃え上がる

The fire **flared up** as the wind grew stronger in the area.

辺りの風が強くなるにつれ、炎が燃え上がった。

2223 □□□

**palm off**

～を（だまして）つかませる、売りつける

The fake painting was **palmed off** as an original Picasso.

その贋作はピカソの肉筆として売られた。

2224 □□□

**tack on**

～をつけ足す

This CD has a bonus track **tacked on** at the end.

この CD には最後にボーナストラックが 1 曲追加されている。

2225 □□□

**hinge on ～**

～次第である、～で決まる

Our success **hinges on** the success of the negotiations with the bank.

私たちの成功は、銀行との交渉が成功するかどうかにかかっている。

2226 □□□

**pore over ～**

～をじっくり読む、じっくり眺める

He **pored over** the magazines, trying to learn everything he could about his favorite idol.

彼は大好きなアイドルのことを何でも知ろうとして、雑誌をじっくり読んだ。

2227 □□□

**hole up**

隠れる、身を潜める

The robbers **holed up** in the mountains for a few weeks.

強盗たちは数週間、山中に身を潜めた。

2228 □□□

**churn out**

〈(粗悪な) 品など〉を乱造する、大量に作り出す

You'll eventually burn out if you keep **churning out** articles at that pace.

そんなペースで記事を量産し続けたら、いずれ燃え尽きてしまうよ。

2229 □□□

**leaf through ～**

〈本など〉を素早くパラパラめくる
(≒thumb through ～, flip through ～, flick through ～)

The woman **leafed through** the book to see if she would buy it.

女性はその本をパラパラとめくって、買うかどうか考えた。

Track 184

2230 **trip up**

〈人〉をひっかける、はめる

There was a question to **trip** you **up** in the exam.

その試験にはひっかけ問題が1問あった。

2231 **blurt out**

～を思わず口に出す

He could not help but **blurt out** his true feelings despite the poor timing.

タイミングは悪かったが、彼は本当の気持ちをつい口に出してしまった。

2232 **nail down**

① ～を取り決める、確定する
② 〈人〉に考えをはっきり言わせる
③ 〈原因など〉を突き止める

After long negotiations, they **nailed down** the agreement.

長い交渉の末、彼らは合意にこぎつけた。

2233 **tear into ～**

〈人など〉を激しく攻撃する、非難する

She **tore into** her partner for breaking her favorite vase.

お気に入りの花瓶を割られて、彼女はパートナーを激しくなじった。

2234 **trump up**

(人を陥れるために) ～を捏造(ねつぞう)する、でっち上げる

They **trumped up** an excuse to charge me with the accident.

彼らはその事故を私のせいにするための口実をでっち上げた。

2235 **knuckle down**

真剣に取り組む、精を出す

► knuckle down to ～ で「～に真剣に取り組む」という意味。

It's time for us to **knuckle down to** solving the problem.

そろそろ私たちはその問題の解決に真剣に取り組むべきだ。

2236 **lap up**

〈情報など〉を真に受ける

The media **lapped up** her story about the discovery.

メディアはその発見に関する彼女の話を真に受けた。

2237 □□□

**spout off**

とうとうと話す、べらべらしゃべる

He has been **spouting off** nonsense ever since he got here.

彼はここに来てからずっと、意味のないことをべらべら言っている。

2238 □□□

**scrimp on**

～を節約する、倹約する

She always **scrimps on** food so she can spend more money on books.

彼女は本の購入費を増やすために、いつも食費を節約している。

2239 □□□

**wrap up**

〈仕事・議論など〉を終える、やり遂げる

He started working on a new album after **wrapping up** a long tour.

彼は長いツアーを終わらせたあと、新しいアルバムの制作に取りかかった。

2240 □□□

**shrug off**

(取るに足らないものとして)～を無視する、受け流す(≒dismiss)

He **shrugged off** his doctor's advice and continued smoking.

彼は医者の忠告を無視し、喫煙を続けた。

2241 □□□

**side with ～**

(議論・けんかなどで)～の側につく

She **sided with** her mother in her parents' arguments most of the time.

両親が言い争いをすると、彼女はたいてい母親の側についた。

2242 □□□

**drag on**

長引く、だらだら続く

As the war **dragged on**, more soldiers became homesick.

戦争が長引くにつれ、ホームシックになる兵士が増えた。

2243 □□□

**ramp up**

〈生産など〉を増やす

We need to **ramp up** production of masks to meet demand.

需要に応えるために、マスクの生産を増やさなければならない。

Track 185

**2244** ☐☐☐

## shy away from ~

（不安で）~を避ける、敬遠する

She **shies away from** being too critical in her film reviews.

彼女は映画のレビューをする際、批判的になりすぎるのを避けている。

**2245** ☐☐☐

## chip in

〈仲間などが〉金を出し合う

They all **chipped in** to help her pay for her surgery.

彼女の手術費用を支援するために、彼らは皆で金を出し合った。

**2246** ☐☐☐

## strike up

〈会話・親交など〉を始める

He **struck up** a conversation with a man while waiting for a bus.

彼はバスを待つ間、一人の男性と会話を始めた。

**2247** ☐☐☐

## fire away

どんどん質問［話］をする［続ける］

► ふつう命令形で使う。

If you have any questions, just **fire away**.

何か質問があれば、どんどん聞いてください。

**2248** ☐☐☐

## fan out

〈捜索する人々などが〉四方に散らばる、展開する

The search and rescue team **fanned out** through the forest to find the child.

捜索救助隊は森の中を四方に散らばって、その子どもを捜した。

**2249** ☐☐☐

## bail out

① 〈人・経営難の企業など〉を救済する
② 〈人〉を保釈する、保釈してもらう

The state has a program to **bail out** failing businesses.

その州には、倒産しそうな企業を救済するプログラムがある。

**2250** ☐☐☐

## cave in

① 〈人が〉降参する、屈服する
② 〈壁・天井などが〉落ち込む

He **caved in** and let his children have their own computers.

彼は折れて、子どもたちそれぞれにコンピュータを持たせた。

2250

2251
## square off
□□□

対戦する、論争する

The two candidates will **square off** next week in a live debate.

2人の候補者は来週、生放送の討論会で対決する。

2252
## crack up
□□□

① 大笑いする;〈人〉を大笑いさせる
② 〈車・飛行機などが〉大破する;
　～を大破させる

The whole room **cracked up** over her jokes about the mayor.

市長に関する彼女のジョークに、部屋中の人が爆笑した。

2253
## choke up
□□□

① 〈場所〉をいっぱいにする、ふさぐ
② 〈感情の高まりで〉〈声・言葉〉を詰まらせる

The hallway **choked up** with people trying to leave the event.

イベントから帰ろうとする人々でロビーはいっぱいだった。

2254
## mete out
□□□

〈罰など〉を与える

A severe punishment was **meted out** to the leader of the crime.

犯罪の首謀者には厳しい罰が与えられた。

2255
## clog up
□□□

～の動きを妨害する、
〈道路など〉を渋滞させる

The roads out of the city were **clogged up** with traffic.

市外へ出る道路は車で渋滞していた。

2256
## waste away
□□□

だんだんとやせる、衰える

He **wasted away** alone at home without any support from family.

彼は家族からの支援もなく、家で一人衰弱した。

2257
## jot down
□□□

～を書き留める

I **jotted down** her email address so we could keep in touch.

連絡を取り合えるよう、私は彼女のメールアドレスを書き留めた。

Track 186

**2258** **lay into ~**

〈人〉を非難する、殴打する

The coach really **laid into** the players for getting so many foolish penalties.

ばかげたペナルティをあまりにたくさん受けて、コーチは選手たちを本気で怒った。

**2259** **stand in for ~**

〈人〉の代わりをする

Jessica is sick, so I was hoping you could **stand in for** her at the meeting.

ジェシカが病気なので、会議で彼女の代理をしていただけるとありがたいのですが。

**2260** **foul up**

〈計画など〉を駄目にする、台無しにする

His afternoon plans got **fouled up** by the poor weather.

悪天候のため、彼の午後の計画は台無しになった。

**2261** **belt out**

～を大声で歌う、大音量で演奏する

The singer was **belting out** his old hits on stage.

その歌手はステージで自分の昔のヒット曲を熱唱していた。

**2262** **spruce up**

〈人・もの〉を小ぎれいにする；身なりを整える

He **spruced** himself **up** for the ceremony.

彼は式典のために身なりを整えた。

**2263** **muddle through**

（もたつきながらも）どうにか切り抜ける

The course was difficult for him, but he **muddled through** somehow.

そのコースは彼には難しかったが、どうにか乗り切った。

**2264** **snuff out**

～を（突然、力づくで）終わらせる、〈生命など〉を絶つ

The government tried to **snuff out** the democratic protest.

政府は民主化を求める抵抗運動を鎮圧しようとした。

2265 □□□

**pick up on ~**

～に気づく、～を察知する

He has always been good at **picking up on** small details.

彼は相変わらず細かいことによく気がつく。

2266 □□□

**keel over**

〈人が〉倒れる、卒倒する

Medical staff rushed onto the field when the player **keeled over.**

その選手が倒れると、医療スタッフがグラウンドに駆けつけた。

2267 □□□

**bunch up**

一か所に集まる、まとまる；
～を一か所に集める、まとめる
► bunch together とも言う。

They **bunched up** for warmth after the power went out.

停電になると、彼らは暖を取るために身を寄せ合った。

2268 □□□

**go through with ~**

〈計画・約束など〉を遂行する

We have decided to **go through with** downsizing the company.

私たちは、会社の縮小をやり遂げようと決意した。

2269 □□□

**ease off**

〈速度・風雨・状況などが〉緩和される、ゆるむ
► ease up とも言う。

After a night's sleep, the pain **eased off** a lot.

一晩寝たら、痛みはずいぶん和らいだ。

2270 □□□

**load up on ~**

〈もの〉を買いだめする

They **loaded up on** snacks before the long drive.

彼らは、長いドライブの前におやつを買い込んだ。

2271 □□□

**chip away at ~**

〈金額など〉を減らす；〈感情・制度など〉を少しずつ弱める、弱体化させる
►「～を少しずつ削り取る」が原義。

After years of **chipping away at** the debt, he had finally paid it all off.

何年にもわたって借金を少しずつ減らし、彼はついにそれを完済した。

Track 187

2272 □□□
## float around
① 〈うわさなどが〉広まる
② 〈ものが〉どこかにある

Bad rumors are **floating around** about the politician.
その政治家に関する悪いうわさが広まっている。

2273 □□□
## drag out
① ~をだらだらと長引かせる
② ~を引きずり出す

They **dragged out** the negotiations for as long as possible.
彼らは交渉をできるだけ長引かせた。

2274 □□□
## roll back
〈価格・賃金など〉を下げる

The store **rolled back** their prices for a Christmas sale.
その店はクリスマスセールのために価格を下げた。

2275 □□□
## creep in
〈よくないことが〉(知らぬ間に) 忍び寄る、入り込む

Mistakes started to **creep in** once he sped up his writing to meet the deadline.
締め切りに間に合わせるため彼が書くスピードを上げると、ミスが紛れ込み始めた。

2276 □□□
## drum up
〈事業など〉を起こす;〈支持など〉を獲得する

The city is running a campaign to **drum up** support for the new rail line.
新しい鉄道路線への支持を得ようと、その市はキャンペーンを実施している。

2277 □□□
## skirt around ~
① 〈問題など〉を避ける、回避する
② ~の周辺に位置する;~の周辺を通る

You cannot **skirt around** your problems for any longer.
これ以上問題を回避することはできません。

2278 □□□
## sift through ~
(情報を得るために) ~を詳しく調べる
►「~をふるいにかける」が原義。

The reporter **sifted through** the pictures she had taken at the demonstration.
そのレポーターは、デモのときに撮った写真を詳しく調べた。

2279 □□□

## worm A out of B

B から A を聞き出す

He finally **wormed** the truth **out of** his parents about his missing games.

彼はついに、なくなったゲームについて、両親から真実を聞き出した。

2280 □□□

## square up

① 清算する、勘定を払う ② 向かい合う
► square up with ～ で「～に勘定を払う」という意味。

I'll **square up with** you later.

あとで清算させてもらうよ。

2281 □□□

## while away

〈時間〉をのんびりと過ごす

They **whiled away** the afternoon sitting in front of the fireplace.

彼らは暖炉の前に座ってその午後をのんびりと過ごした。

2282 □□□

## tower over ～

① ～より抜きん出ている、秀でている
② 〈建物などが〉～の上にそびえる

She feels that classical composers **tower over** today's musicians.

彼女は、クラシックの作曲家は今のミュージシャンたちより秀でていると感じている。

2283 □□□

## rake in

（大して努力せずに）〈大金〉を手にする

The surrounding businesses have been **raking in** profits ever since the museum opened.

その美術館が開館して以来、周辺の商店に利益が転がり込んでいる。

2284 □□□

## lead up to ～

～につながる、至る
► leading up to ～ で「～までの、～に至る」と前置詞的に使われることもある。

Several smaller events will be held **leading up to** the main celebration.

いくつかの小さなイベントが開催され、メインの祝賀会へと続く。

2285 □□□

## back out

（事業・取引などから）手を引く

Their largest sponsor **backed out**, so they had to cancel the music festival.

最大のスポンサーが撤退したため、彼らは音楽祭を中止しなければならなかった。

Track 188

2286 **head up**
〈集団・組織〉の責任者である

He **heads up** the largest animal shelter in the whole city.
彼はその街で一番大きな動物保護施設の責任者だ。

2287 **cater to ~**
〈要求・需要など〉を満たす、~に応える

Our shop **caters to** customers of all different backgrounds.
当店は、さまざまなを背景を持つお客さまに対応しています。

2288 **push for ~**
~を強く求める

Citizens are **pushing for** the government to raise the minimum wage.
国民は政府に対して、最低賃金の引き上げを強く求めている。

2289 **snap up**
〈掘り出し物など〉を急いで買う

He **snapped up** all the copies of his favorite action figures available at the store.
彼はその店で販売されているお気に入りのアクションフィギュアをすべて買い占めた。

2290 **mark up**
〈商品〉を値上げする；〈価格〉を上げる

The prices of many products are being **marked up** due to inflation.
インフレにより、多くの製品の価格が上がっている。

2291 **dumb down**
〈難しいこと〉を簡単にする

The movie has been criticized for **dumbing down** the book's complex ideas.
その映画は、原作の複雑な考えをあまりに単純化したと批判されている。

2292 **squeeze in**
① ~のための［〈人〉に会う］時間を捻出する
② ~を押し込む、ねじ込む

The doctor **squeezed** me **in** during his lunch hour.
医者は、自分の昼休みに私を診る時間を取ってくれた。

2293 □□□

## throw in

① (おまけとして) ~をつける
② 〈言葉〉を差しはさむ

The salesperson **threw in** a set of free headphones with my phone purchase.

私が携帯電話を購入すると、販売員は無料のヘッドフォンをおまけにつけてくれた。

2294 □□□

## lag behind ~

~に後れを取る

The country **lags behind** its neighboring countries in the field of technology.

その国は科学技術分野で近隣諸国に後れを取っている。

2295 □□□

## shoot for ~

~を目指す、狙う

You should **shoot for** 30 minutes of walking a day.

あなたは1日30分歩くことを目標とするといいでしょう。

2296 □□□

## pass over

〈人〉を (昇進などの候補から) 外す

He was **passed over** for a promotion, though he deserved one.

昇進してしかるべきだったのに、彼の昇進は見送られた。

2297 □□□

## descend on ~

~に (集団で) 押しかける、詰めかける

Thousands of tourists **descended on** the area to see the cherry blossoms.

桜を見に、何千人もの観光客がその地域に押し寄せた。

2298 □□□

## sink in

① 〈言葉・ことなどが〉十分理解される
② 〈液体が〉染み込む

It took several minutes for the meaning of her words to **sink in**.

彼女の言葉の意味が理解できるまで数分かかった。

2299 □□□

## bubble over

興奮する、はしゃぐ

The kids **bubbled over** with excitement when the character came onto the stage.

そのキャラクターがステージに登場すると、子どもたちは興奮して大はしゃぎした。

Track 189

2300 □□□
**branch out**
〈事業などを〉拡大する、手を広げる

The company **branched out** into online sales.
その会社はオンライン販売に乗り出した。

2301 □□□
**spice up**
〈会話・生活など〉に趣を添える、味わいを加える

You can **spice up** your life by trying a new hobby.
新しい趣味を始めることで、生活に味わいを加えることができる。

2302 □□□
**trail off**
〈声・言葉などが〉次第に小さくなる、消える

Her voice **trailed off** as she realized no one was listening to her.
誰も自分の話を聞いていないことに気づき、彼女の声は次第に小さくなった。

2303 □□□
**skim off**
①〈利益の一部・他人のお金など〉を取る
②〈優秀な人材など〉を集める
►「上澄みをすくいとる」が原義。

He was fired for **skimming off** some of the profits of the sales he made.
彼は自分の売上の利益の一部を横領して解雇された。

2304 □□□
**brim over**
あふれる

Her heart **brimmed over** with joy when her baby laughed for the first time.
自分の赤ん坊が初めて笑ったとき、彼女の心は喜びにあふれた。

2305 □□□
**strike off**
①〈リストから〉〈名前〉を消す ②〈医師・弁護士など〉を除名する ►②はイギリス英語の用法で、ふつうbe struck offの形で使う。

The bus driver **struck off** the names on the list as the passengers arrived.
バスの運転手は、乗客が到着するとリストの名前を消していった。

2306 □□□
**whisk away**
〈人・もの〉をさっと連れ去る、持ち去る
► whisk offも似た意味。

The server **whisked away** the menu before she had a chance to look at it.
彼女が見る暇もないうちに、ウェイターはメニューを下げてしまった。

2307

## settle for ~

~で我慢しておく、手を打つ

He was running out of savings, so he **settled for** the first job he could find.

貯蓄が底をつきかけていたので、彼は最初に見つけた仕事でよしとすることにした。

2308

## flunk out

（成績不良で）退学する

Although she went to college, she **flunked out** after one year.

彼女は大学には行ったものの、1年後に成績不良で退学した。

2309

## paper over

〈問題など〉を覆い隠す、取り繕う

We cannot solve the problem by **papering** it **over**.

取り繕っても、その問題は解決できない。

2310

## hike up

① 〈価格など〉を急に引き上げる
② 〈服など〉を引き上げる

With food costs going up, the store's only option is to **hike up** prices.

食料品の費用が高騰する中、その店には値上げをするしか選択肢がない。

2311

## wash out

① 〈汚れが〉洗って落ちる ② 落第する

The stains on my shirt will not **wash out**.

シャツについた染みがいくら洗っても落ちない。

2312

## suck up to ~

〈人〉にこびる、おべっかを使う

She only got the promotion because she **sucks up to** the boss.

彼女は上司にこびを売って昇進しただけだ。

2313

## dash off

① ~を急いで書く ② 急いで出発する

I **dashed off** a message to him.

私は彼への伝言を急いで書いた。

Track 190

**2314** □□□

## choke back

〈悲しみ・怒りなどの感情［言葉］〉を抑える

She looked up as she **choked back** tears.

彼女は涙をこらえながら顔を上げた。

**2315** □□□

## lop off

① 〈金額・経費など〉を削減する
② 〈木・枝〉を切り落とす（≒chop off）

The construction company agreed to **lop off** several thousand dollars.

その建設会社は、数千ドル値下げすることに同意した。

**2316** □□□

## nibble at ~

① 〈貯金など〉を切り崩す
② ~を少しずつかじる
► nibble away at ~ とも言う。

She has been **nibbling at** her savings ever since she lost her job.

彼女は仕事を失って以来ずっと貯蓄を切り崩している。

**2317** □□□

## walk out on ~

① 〈人〉のもとを突然去る、〈人〉を見捨てる
② ~の責任を放棄する、投げ出す

The students' behavior was so bad that their teacher **walked out on** them.

生徒たちの態度があまりにひどかったので、教師は彼らを見捨てた。

**2318** □□□

## hold out for ~

~を要求して粘る

He **held out for** a larger raise and eventually got it.

彼はより大幅な昇給を要求して粘り、最終的にそれを手に入れた。

**2319** □□□

## draw in

〈人〉を引き込む、引き寄せる

This film **drew** me **in** from the first scene.

私は冒頭のシーンからこの映画に引き込まれた。

**2320** □□□

## follow through with ~

〈計画など〉をやり遂げる
► follow through on ~ とも言う。

We will need more funding if we want to **follow through with** this plan.

私たちがこの計画をやり遂げたければ、さらに資金が必要だ。

2320►

2321 □□□

## mouth off

生意気な口を利く、口答えする

She got in trouble for **mouthing off** to her teacher.

彼女は先生に口答えして問題になった。

2322 □□□

## stow away

（船・飛行機で）密航する

The family **stowed away** on a cargo ship to escape their country.

一家は国から逃れるため、貨物船で密航した。

2323 □□□

## bundle up

暖かく着込む

**Bundle up** or you will catch a cold.

しっかり着込まないと、風邪をひくよ。

2324 □□□

## soak up

① 〈雰囲気など〉を満喫する、～に浸る
② 〈液体・知識など〉を吸収する（≒absorb）

She **soaked up** the atmosphere of the night market in Taiwan.

彼女は台湾の夜市の雰囲気を満喫した。

2325 □□□

## keep after ~

① 〈人〉にしつこく言う ② 〈人〉を追い続ける、追い回す ► keep after A to *do* で「Aに～するようにしつこく言う」という意味。

My wife **keeps after** me **to** go on a diet.

妻は私にダイエットしろとしつこく言ってくる。

2326 □□□

## coop up

～を閉じ込める

After being **cooped up** in a car for hours, the kids were really bored.

車の中に何時間も閉じ込められて、子どもたちはすっかり退屈していた。

2327 □□□

## claw back

〈失ったもの〉を（苦労して）取り戻す

The company is making plans to **claw back** customers.

その会社は顧客を取り戻す計画を立てている。

Track 191

2328 **gain on ~**

〈先行するもの〉に近づく、迫る

He began to **gain on** the front runner.

彼は先頭走者との距離を詰め始めた。

2329 **hold out on ~**

〈人〉に言わない、伏せている

Don't **hold out on** me! Tell me what she said.

隠さないでよ！ 彼女が何と言ったか教えて。

2330 **flip out**

① 激怒する ② 大喜びする、興奮する

►「スイッチが入って状態が一気に変わる」イメージ。

My father **flipped out** when I told him that I quit school.

私が学校をやめたと言うと、父は激怒した。

2331 **get in on ~**

〈活動など〉に加わる、〈市場〉に参入する

Many companies are trying to **get in on** that market.

多くの企業がその市場に参入しようとしている。

2332 **dabble in**

~にちょっと手を出す、~をかじる

He **dabbled in** piano but gave up after a few months.

彼はピアノに手を出してみたが、数か月であきらめた。

2333 **knuckle under**

屈する、譲歩する

► knuckle under to ~ で「~に屈する」という意味。

They would not **knuckle under to** any threats.

彼らはいかなる脅しにも屈服しようとしなかった。

2334 **take to ~**

① ~を好きになる ② ~をするようになる

I **took to** him when I first saw him.

初めて会ったときに私は彼を好きになった。

2335

## sit in for ~

～の代理を務める（≒stand in for ～）

The secretary **sat in for** the managing director in the meeting.

秘書はその会議で常務の代理を務めた。

2336

## pipe down

黙る、静かにする；～を黙らせる

The teacher told the students they needed to **pipe down** if they wanted to leave on time.

先生は生徒たちに、時間通りに帰りたければ静かにするよう言った。

2337

## scratch out

〈名前など〉を線を引いて消す、抹消する

The mistakes were **scratched out** and corrected.

誤りは上に線を引かれ、訂正された。

2338

## perk up

① ～を元気づける、活気づける（≒pep up）
② ～を魅力的にする

This song will certainly **perk** them **up**.

この歌はきっと彼らを元気づけるだろう。

2339

## smooth down

～を平らにする、滑らかにする；
〈髪〉をなでつける

**I smoothed down** the surface with sandpaper and then painted it.

私は、紙やすりで表面を滑らかにしてからペンキを塗った。

2340

## thin out

〈木など〉を間引く、
〈群衆など〉をまばらにする

You need to **thin out** some old branches.

古い枝を少し間引く必要がある。

2341

## talk down

① ～を軽視する、過小評価する（⇔talk up）
② [talk down to ～] ～を見下す

There is no need to **talk down** your accomplishments during a job interview.

面接で自分の業績を卑下する必要はない。

2342

**shove around**

〈人〉をこき使う

He is always **shoving** me **around** and finding my faults.

彼はいつも私をこき使い、あら探しばかりしている。

2343

**blare out**

〈大きな音が〉鳴り響く；～をがなり立てる

Music **blared out** in the CD store.

CDショップの店内では音楽ががんがん鳴っていた。

2344

**drone on**

（単調に）だらだらと話す

The lecturer **droned on** for hours.

講師は何時間もだらだらとしゃべった。

2345

**root for ~**

〈チーム・選手〉を応援する（≒cheer）

She always **roots for** the same hockey team even though they never win.

まるで勝てないが、彼女はずっと同じホッケーチームを応援している。

2346

**pack off**

〈人〉を送り出す、追いやる

She **packed** her daughter **off** to school and went to work.

彼女は娘を学校へ送り出し、仕事へ出かけた。

2347

**sponge off**

〈人〉にたかる、せびる（≒scrounge）

She got a job and stopped **sponging off** us.

彼女は仕事を得て、私たちにたかるのをやめた。

2348

**get away with ~**

① 〈悪いこと〉をして無事に逃れる
② ～を持ち逃げする

The boy thinks he can **get away with** being lazy.

その男の子は、怠けても罰せられないと思っている。

2349 □□□

## shove off

① 離れる、出ていく ② 船を押し出す
► ①は命令文だと「うせろ」という意味のぞんざいな表現になる。

She told me to **shove off** for a while.

彼女は私にしばらくどこかに行ってほしいと言った。

2350 □□□

## store up

〈問題・トラブルなど〉を招く、引き起こす
► イギリス英語。problem, trouble を目的語に取ることが多い。

They are **storing up** trouble by denying access to young people.

彼らは若者と接する機会を拒否することで、トラブルを招いている。

2351 □□□

## reckon on ~

~を予期する、想定する、当て込む

I do not **reckon on** their help at all.

私は、彼らの助けをまったく当てにしていない。

2352 □□□

## spin out

〈状況・行為・話など〉を（できるだけ）引き延ばす（≒drag out, prolong）
► イギリス英語。

The reporters are trying to **spin out** the discussion because they have nothing else to talk about.

記者たちはほかに話すことがないので、議論を引き延ばそうとしている。

2353 □□□

## chase up

① 〈人〉に約束を思い出させる、催促する
② ~を探し出す
► イギリス英語。

Would you mind **chasing up** the client about those files I need?

私が必要なあのファイルをお客さんに催促してもらえませんか。

2354 □□□

## front for ~

~の隠れみのになる

That noodle shop **fronts for** a criminal organization.

そのそば屋は犯罪組織の隠れみのになっている。

2355 □□□

## duck out

① こっそり抜け出す
② （責任などを）逃れる

During the meeting, she **ducked out** to answer an important call.

会議の途中、彼女は大事な電話に出るため抜け出した。

Track 193

**2356** **fawn over ~**
〈人〉にこびる、へつらう

The pop idol has gotten used to people **fawning over** him all the time.
そのアイドルは、人々がいつも自分にへつらうのに慣れてしまっていた。

**2357** **grate on ~**
〈人〉をいら立たせる、不快にさせる
► grate は「〈食べ物〉をすりおろす」という意味。

The dog's high-pitched bark really **grates on** my nerves.
その犬の甲高い鳴き声は本当に私の神経を逆なでする。

**2358** **tail off**
〈数量などが〉徐々に減少する；
〈声などが〉次第に小さくなる

The economic boom is slowly beginning to **tail off**.
景気はゆっくりと後退し始めている。

**2359** **rig up**
〈装置・家具など〉を急ごしらえする

The hikers **rigged up** a shelter using tree branches and leaves.
ハイカーたちは、木の枝や葉っぱを使ってシェルターを作った。

**2360** **stave off**
～を（一定期間）食い止める、遅らせる

She **staved off** her hunger by eating a snack a few hours after breakfast.
彼女は朝食の数時間後に軽食を食べて、空腹をしのいだ。

**2361** **let up on ~**
～に対して手心を加える

His parents told him he should **let up on** his kids a bit.
両親は彼に、少し子どもたちに優しくしたほうがいいと言った。

**2362** **wipe out**
〈場所・人など〉を全滅させる

The volcanic eruption **wiped out** all of the city.
火山の噴火で、その街は全滅した。

2363 □□□

## usher in

～の先駆けとなる、到来を知らせる

The development of the smartphone **ushered in** a new technological era.

スマートフォンの開発は、新しい技術の時代の先駆けとなった。

2364 □□□

## sort out

① 〈問題・困難など〉を解決する
② ～を分類する、区別する

We managed to **sort out** all our problems.

私たちは何とかすべての問題を解決した。

2365 □□□

## phase out

～を段階的に停止［廃止］する

The company has been **phasing out** its overseas businesses.

その会社は海外の事業を段階的に廃止している。

2366 □□□

## strike down

① 〈法律など〉を無効とする、撤廃する
② 〈病気が〉〈人〉を襲う

The Supreme Court **struck down** the law, saying it was unconstitutional.

最高裁判所は、違憲であるとしてその法律を無効とした。

2367 □□□

## wear off

〈痛み・効果・感情などが〉薄れる、次第に消える（≒fade away）

After her initial enthusiasm **wore off**, she stopped going to piano lessons.

最初の熱意が薄れると、彼女はピアノのレッスンに行くのをやめた。

2368 □□□

## take on

① 〈人〉を雇う、採用する
② 〈仕事・責任〉を引き受ける
③ 〈様相など〉を帯びる、呈する

We cannot afford to **take on** more staff.

私たちにはこれ以上スタッフを雇う余裕はない。

2369 □□□

## break down

① （説得・圧力などに）屈する
② 〈機械などが〉故障する
③ 分解される

She finally **broke down** and told the truth.

彼女はついに折れ、真実を話した。

Track 194

**2370** **take up**

① 〈趣味として〉~を始める ② 〈話題・問題など〉を取り上げる ③ 〈時間・場所〉を占める、使う ► ③の意味では take up ~。

The doctor advised him to **take up** some sports.

医者は彼に何かスポーツを始めるよう勧めた。

**2371** **pass up**

〈機会など〉を見送る、みすみす逃す

You shouldn't **pass up** the chance to go to Cambodia for free.

ただでカンボジアに行けるチャンスを逃す手はないよ。

**2372** **turn to ~**

① 〈助けなどを求めて〉~を頼る、~に救いを求める
② 〈新しい仕事・習慣〉を始める

He **turned to** alcohol to relieve stress.

ストレスを解消するため、彼は酒に頼った。

**2373** **draw on ~**

〈知識・経験など〉を生かす

He **draws on** his experience as a lawyer to give people advice.

彼は弁護士としての経験を生かし、人々に助言を与えている。

**2374** **stick around**

居残る、その場でしばらく待つ

Let's **stick around** and see what happens next.

もう少し残って、このあとどうなるか見ていこうよ。

**2375** **abide by ~**

〈規則など〉に従う、~を守る

He was disqualified from the chess tournament for failure to **abide by** the rules.

ルールを守らなかったため、彼はチェス大会で失格となった。

**2376** **weigh in**

① 〈議論などに〉加わる
② 〈ボクサーなどが〉計量を受ける

He had experience with e-commerce, so she asked him to **weigh in** with his opinion.

彼にはｅコマースの経験があったので、彼女は彼に議論に加わって意見を述べてほしいと頼んだ。

2377 □□□

## glance off

～をかすめる

The ball **glanced off** my glove and rolled to center field.

ボールは私のグラブをかすめ、センターへ転がった。

2378 □□□

## rake off

〈リベートなど〉を受け取る、〈金〉をピンはねする
► rake-off（リベート）という語も覚えておこう。

He was **raking off** profits from suppliers.

彼は仕入先から利益供与を受けていた。

2379 □□□

## take in

① ～を見に行く、見物する ②〈人〉をだます ③〈食べ物・水・栄養など〉を摂取する
► ①の意味では目的語はふつう in の後ろに置く。

We took a walk down the beach, **taking in** the beautiful sunset.

私たちは、美しい夕日を眺めながらビーチを散歩した。

2380 □□□

## play down

～を（実際より）軽く扱う、過小評価する（≒downplay）（⇔play up, overplay）

Some countries try to **play down** the impact of global warming.

地球温暖化の影響を実際より軽く扱おうとする国もある。

2381 □□□

## box up

～を箱に入れる

I **boxed up** old magazines and put them in the closet.

私は古い雑誌を箱に詰め、クローゼットに入れた。

2382 □□□

## bring up

①〈話題など〉を持ち出す、提起する
②〈子ども・ペットなど〉を育てる（≒raise）

I **brought up** the topic of marriage with him.

私は彼に結婚の話を持ち出してみた。

2383 □□□

## blow up

① かんしゃくを爆発させる ②〈爆弾・建物・乗り物などが〉爆発する ► blow up at ～ で「～にかんかんに怒る」という意味。

My father often **blows up at** me for no reason.

父はよく、理由もなく私にかんしゃくを起こす。

Track 195

**2384** **boot up**

〈コンピュータ〉を起動する、立ち上げる

Nothing appears on the screen when I **boot up** my computer.

コンピュータを起動しても、画面に何も表示されない。

**2385** **chip off**

① ～を削り取る、はがし取る
② 〈陶器などが〉欠ける、〈塗装などが〉はがれる

I have to **chip off** the old paint first.

私はまず古い塗装をはがさなければならない。

**2386** **trip over ～**

～につまずく

I **tripped over** the curb and fell down on my face.

私は縁石につまずいて顔から転んだ。

**2387** **crouch down**

かがむ

She **crouched down** and spoke to the boy.

彼女はかがんで男の子に話しかけた。

**2388** **fade in**

〈映像・音が〉次第にはっきりする、フェードインする（⇔fade out）

The scene **fades in** on a man sitting in the cockpit of a spaceship.

そのシーンは、宇宙船のコックピットに座っている男性のところでフェードインする。

**2389** **filter out**

① 〈人・もの〉を取捨選択する
② 〈水など〉をろ過する；〈光・音など〉の一部をカットする

The complex application instructions **filter out** applicants with poor attention to detail.

複雑な応募要項によって、細かいことへの注意力の乏しい応募者がふるいにかけられる。

**2390** **beat up**

〈人〉を叩きのめす

The robber **beat** him **up** and took his bag.

強盗は彼に殴る蹴るの暴行を加え、かばんを奪った。

2391 □□□

**fuss over**

① 〈人〉をちやほやする
② 〈ささいなこと〉にこだわる、騒ぎ立てる

His mother **fusses over** the baby constantly when she comes to visit.

彼の母親は、訪ねてくるとずっと赤ん坊をあやしている。

2392 □□□

**scrape together**

～をかき集める
► scrape up とも言う。

I **scraped together** the money for the trip.

私は旅費をかき集めた。

2393 □□□

**slip by**

〈時間などが〉いつの間にか過ぎる

The deadline for the paper **slipped by**.

レポートの締め切りがいつの間にか過ぎていた。

2394 □□□

**deal out**

① ～を分配する（≒distribute）
② 〈罰など〉を与える

Relief supplies were **dealt out** to the sufferers.

被災者に支援物資が配られた。

2395 □□□

**soften up**

〈人・態度など〉を和らげる、軟化させる

She **softened up** the politician by asking him some easy questions first.

彼女は最初にいくつかの簡単な質問をしてその政治家を和ませた。

2396 □□□

**level off**

① 成長が止まる、
〈発展中のものが〉伸びが弱まる
② 水平飛行に移る

Sales at the restaurant rose rapidly at first, then gradually **leveled off**.

そのレストランの売上は最初は急速に伸び、その後次第に横ばいになった。

2397 □□□

**shrivel up**

（乾燥・老齢などで）しなびる、しわが寄る

The hot sun caused the grapes to **shrivel up**.

暑い日差しでぶどうがしなびてしまった。

Track 196

2398 **let down**

〈人〉を失望させる、〈人〉の期待を裏切る

The team lost three matches in a row and **let** the fans **down**.

そのチームは３連敗し、ファンを落胆させた。

2399 **mark out**

① （境界線などで）～を区切る
② ～を目立たせる

A cycle lane is **marked out** on the road.

自転車レーンは路上に線を引いて区切られている。

2400 **bottom out**

〈景気・相場などが〉底をつく

The economy will **bottom out** early next year.

景気は来年初めに底を打つだろう。

2401 **get down to ～**

〈仕事など〉に（本腰を入れて）取りかかる

He decided to **get down to** learning French.

彼はフランス語の勉強を始めることにした。

2402 **trim down**

① 〈数量・予算・人員など〉を削減する
② （ダイエットして）やせる

We must **trim down** the unnecessary expenditures.

私たちは不要な支出を削減しなければならない。

2403 **run off with ～**

① ～を持ち逃げする（≒steal）
② 〈人〉と駆け落ちする
（≒run away with ～）

He had left his phone on the table, and someone **ran off with** it.

彼はテーブルの上に携帯を置き忘れ、何者かがそれを持ち去った。

2404 **puzzle over ～**

～に頭を悩ませる

I have been **puzzling over** the problem for more than a week.

私は１週間以上その問題に頭を悩ませている。

2405 □□□
## put forward
〈意見・案など〉を出す、提案する
(≒advance, offer)

I'd like to **put forward** some ideas for further discussion.
議論を進めるために、いくつかのアイデアを提案したいと思います。

2406 □□□
## stem from ~
~に由来する

Misunderstandings often **stem from** a lack of information.
誤解はしばしば情報不足から生じる。

2407 □□□
## shake up
① ~を動揺させる
② 〈組織など〉を改革［再編］する

The news **shook up** the sports world.
そのニュースはスポーツ界を揺るがせた。

2408 □□□
## spring up
急に現れる、次々と誕生する

New hotels are **springing up** in Tokyo.
東京では新しいホテルが次々と誕生している。

2409 □□□
## back down
① 引き下がる、後退する
② (言ったことを) 取り消す、撤回する

She **backed down** in the end and admitted her defeat.
彼女はようやく引き下がり、敗北を認めた。

2410 □□□
## saddle A with B
AにBを負わせる

Japan is **saddled with** huge budget deficits.
日本は巨額の財政赤字を抱えている。

2411 □□□
## fall back on ~
~に頼る、~を支えとする

Most of the homeless have no family to **fall back on**.
ホームレスの人たちの多くには頼ることのできる家族がいない。

Track 197

**2412** **hold back**

① ためらう；思いとどまる
②〈感情・涙など〉を抑える

I wanted to tell him I loved him, but **held back**, afraid of being rejected.

私は彼に愛していると伝えたかったが、拒絶されるのが怖くて思いとどまった。

**2413** **lay down**

①〈規則など〉を設定する、定める
②〈武器など〉を捨てる

At the camp, we let the children **lay down** their own rules.

キャンプでは子どもたちに自分でルールを定めさせた。

**2414** **hold off**

① すぐにしない（で待つ）
②〈雨・雪などが〉降らずにいる

You can buy one now or **hold off** until an update is released.

今すぐ買ってもいいし、アップデート版が出るまで先延ばしにしてもいい。

**2415** **single out**

～を選び出す

She was **singled out** for promotion.

彼女だけが選ばれて昇進した。

**2416** **kick off**

〈催し・議論など〉を始める

A speech by the Nobel prize winner will **kick off** the three-day-long event.

ノーベル賞受賞者によるスピーチで、3日間にわたるイベントが始まる。

**2417** **gear up**

（～に備えて）準備をする

The delivery company is **gearing up** for the busy holiday season.

その配送会社は、繁忙期の年末年始に向けて準備を進めている。

**2418** **pay off**

①〈計画・努力などが〉実を結ぶ
②〈借金〉を完済する

She is confident that all of her hard work will **pay off** someday.

彼女はすべての努力がいつか報われると信じている。

## コラム 語根のイメージをつかむ 2

ここでもいくつかの代表的な語根を取り上げ、それを構成要素とするさまざまな単語の具体例をご紹介します。♀で取り上げたやさしめの単語を手がかりに、語根のイメージをつかんでください。

### ▪ fid / fi / fed / faith …「信用、信仰」

♀ faith（信用、信仰）はそのまま単語として存在するが、ほかにもいろいろな異形がある。

**fid**elity 忠誠、忠実
dif**fid**ent 自信のない
con**fid**ential 〈情報が〉機密の、マル秘の
de**fi**ance （権威などに対する）反抗的態度
con**fed**eration 同盟、連合

### ▪ forc / fort …「強い」

♀ effort（努力）は〈ef-（外に）+fort（力）〉で「外に力を出すこと」が原義。

**fort**ify 〈都市など〉の防御を固める、～を要塞化する
**fort**itude （精神的な）強さ、不屈の精神
**forc**ible 力ずくの、強制的な
rein**forc**e ～を強化する、強固にする
en**forc**e ～を実施する、施行する

### ▪ fus / fut …「注ぐ、溶かす」

♀ fusion（溶解、融解）を手がかりに覚えよう。

dif**fus**e ～を拡散する、放散する
ef**fus**e 〈液体・光など〉を流出［発散］させる
pro**fus**ion 大量
in**fus**e ～を吹き込む
re**fut**e ～の誤りを証明する

### ▪ lev …「軽い」

♀ lever（レバー）は「軽くするもの、持ち上げるもの」が原義。elevator（エレベーター）なども同語源語。

al**lev**iate （一時的に）〈苦痛・問題など〉を軽減する
**lev**ity 軽率さ、場違いな陽気さ
**lev**itate （魔術などの力で）空中に浮く

### ▪ lumin / luc / lust / lux …「光」

♀ lux（ルクス）は照度の単位。illumination（イルミネーション）も同語源語。

e**luc**idation 解明、明快な説明
**lumin**ous （暗いところで）光を発する、輝く
trans**luc**ent 半透明の、透き通るような
il**lust**rious （功績により）〈人が〉著名な、有名な

### ▪ pass / path …「（苦しみを）受ける、感じる」

♀ sympathy（共感）に含まれる path。sym- は「共に」を意味する接頭辞。

em**path**ize （～に）共感する、感情移入する
a**path**etic 無感動の、無関心な
dis**pass**ionate 〈人・態度が〉感情に左右されない、冷静な
com**pass**ion 思いやり

# Part 3

# テクニカルターム

パッセージを読んだり聞いたりするときに役立つテクニカルタームをまとめました。筆記大問1で正解になった語も含まれています。

意味を正確に覚えるのが理想ですが、「これは病気の名前だった」といった記憶だけでもパッセージを読んだり聞いたりするときに大きな助けになります。試験前に何度か目を通しましょう。実際に発音してみると記憶に残りやすくなります。

生物

|  |  |  |
|---|---|---|
| 2419 | **primate** [práımeıt] | 名 霊長類 |
| 2420 | **reptile** [réptl \| -taıl] | 名 は虫類 |
| 2421 | **amphibian** [æmfíbiən] | 名 両生類 |
| 2422 | **vertebrate** [və́ːrtəbrət] | 名形 脊椎動物（の）<br>►「無脊椎動物（の）」は invertebrate。 |
| 2423 | **carnivore** [kɑ́ːrnəvɔ̀ːr] | 名 肉食動物<br>形 carnivorous 肉食の |
| 2424 | **herbivore** [hə́ːrbəvɔ̀ːr] | 名 草食動物<br>形 herbivorous 草食の |
| 2425 | **rodent** [róʊdnt] | 名 齧歯（げっし）類の動物<br>► ネズミ・リスなど。 |
| 2426 | **mollusk** [mɑ́ːləsk \| mɔ́l-] | 名 軟体動物 |
| 2427 | **avian** [éıviən] | 形 鳥類の |
| 2428 | **flatworm** [flǽtwə̀ːrm] | 名 扁形（へんけい）動物<br>► プラナリア、サナダムシなど。 |
| 2429 | **parasite** [pǽrəsàıt] | 名 寄生動物［植物］、寄生虫<br>形 parasitic 寄生の、寄生する |
| 2430 | **aquatic** [əkwɑ́ːtık \| əkwǽt-] | 形 水生の、水中に住む |
| 2431 | **ape** [éıp] | 名（尾のない、または尾の短い）サル；類人猿 |
| 2432 | **canine** [kéınaın] | 形 イヌ科の；犬の |
| 2433 | **lynx** [líŋks] | 名 オオヤマネコ<br>► 複数形は linx, lynxes。 |
| 2434 | **badger** [bǽdʒər] | 名 アナグマ |
| 2435 | **mole** [móʊl] | 名 モグラ |
| 2436 | **otter** [ɑ́ːtər \| ɔ́tə] | 名 カワウソ |
| 2437 | **lizard** [lízərd] | 名 トカゲ |
| 2438 | **waterfowl** [wɑ́ːtərfàʊl \| wɔ́ː-] | 名 水鳥<br>► カモ・アヒルなど。単複同形。 |
| 2439 | **falcon** [fǽlkən \| fɔ́ːl-] | 名 ハヤブサ |
| 2440 | **jay** [dʒéı] | 名 カケス |

Track 198

|  |  |  |
|---|---|---|
| 2441 | **termite** [tə́ːrmaɪt] | 名 シロアリ |
| 2442 | **flea** [flíː] | 名 ノミ |
| 2443 | **maggot** [mǽgət] | 名 ウジ虫 |
| 2444 | **wasp** [wáːsp \| wɔ́sp] | 名 スズメバチ |
| 2445 | **cod** [káːd \| kɔ́d] | 名 タラ ► 単複同形。 |
| 2446 | **herring** [hérɪŋ] | 名 ニシン ► 複数形は herring, herrings。 |
| 2447 | **trout** [tráʊt] | 名 マス ► 複数形は trout, trouts。 |
| 2448 | **catfish** [kǽtfɪʃ] | 名 ナマズ ► 単複同形。 |
| 2449 | **jellyfish** [ʤélifɪʃ] | 名 クラゲ ► 単複同形。 |
| 2450 | **sea urchin** [síː ə̀ːrtʃən] | 名 ウニ ► 単に urchin とも言う。 |
| 2451 | **crayfish** [kréɪfɪʃ] | 名 （食用の）ザリガニ ► 単複同形。 |
| 2452 | **cocoon** [kəkúːn] | 名 （蚕などの）繭 |
| 2453 | **larva** [láːrvə] | 名 幼虫 ► 複数形は larvae。 |
| 2454 | **venomous** [vénəməs] | 形 〈蛇・クモ・ハチなどが〉有毒な（≒poisonous, harmful） 名 venom（動物によって作られる）毒 |
| 2455 | **pollinate** [páːlənèɪt \| pɔ́l-] | 動 〈花・植物など〉に授粉する 名 pollination 授粉 |
| 2456 | **angiosperm** [ǽnʤiəspə̀ːm] | 名 被子植物 |
| 2457 | **gymnosperm** [ʤímnəspə̀ːrm] | 名 裸子植物 |
| 2458 | **conifer** [káːnəfər \| kɔ́-] | 名 針葉樹 ► マツ・モミなどの植物。 形 coniferous 針葉樹の |
| 2459 | **deciduous** [dɪsíʤuəs \| -sídju-] | 形 〈木が〉落葉性の ►「常緑の」は evergreen。 |
| 2460 | **photosynthesis** [fòʊtousínθəsɪs] | 名 光合成 |
| 2461 | **airborne** [éərbɔ̀ːrn] | 形 〈花粉などが〉空気で運ばれる |
| 2462 | **dandelion** [dǽndəlàɪən \| -di-] | 名 タンポポ |

24-62

医学・生理・心理

|  |  |  |
|---|---|---|
| 2463 | **larch** [lá:rtʃ] | 名 カラマツ |
| 2464 | **fungus** [fʌ́ŋgəs] | 名 （かび・キノコ・酵母菌などの）菌類 ► 複数形は fungi。 |
| 2465 | **algae** [ǽldʒi:] | 名 藻、藻類 |
| 2466 | **evolution** [èvəlú:ʃən \| ì:v-] | 名 進化 動 evolve 進化する |
| 2467 | **mutation** [mju(:)téɪʃən] | 名 突然変異 動 mutate 突然変異する |
| 2468 | **inbreeding** [ínbrì:dɪŋ] | 名 近親交配 |
| 2469 | **stroke** [stróʊk] | 名 脳卒中、発作 |
| 2470 | **concussion** [kənkʌ́ʃən] | 名 脳振とう ► 筆記大問 1 頻出語。 |
| 2471 | **migraine** [máɪgrèɪn] | 名 偏頭痛 |
| 2472 | **measles** [mí:zlz] | 名 はしか、麻疹 ► 単数扱い。 |
| 2473 | **rubella** [ru:bélə] | 名 風疹 |
| 2474 | **mumps** [mʌ́mps] | 名 流行性耳下腺炎、おたふくかぜ ► 単数扱い。 |
| 2475 | **asthma** [ǽzmə \| ǽs-] | 名 喘息（ぜんそく） |
| 2476 | **tuberculosis** [t(j)u(:)bə̀:rkjəlóʊsəs] | 名 結核 |
| 2477 | **emphysema** [èmfəsí:mə] | 名 （肺）気腫（きしゅ） |
| 2478 | **diabetes** [dàɪəbí:ti:z] | 名 糖尿病 ► 単数扱い。 |
| 2479 | **ulcer** [ʌ́lsər] | 名 潰瘍（かいよう） |
| 2480 | **atrophy** [ǽtrəfi] | 名 萎縮（症） |
| 2481 | **tumor** [t(j)ú:mər] | 名 腫瘍 |
| 2482 | **hematoma** [hì:mətóumə] | 名 血腫（けっしゅ） |
| 2483 | **anemic** [əní:mɪk] | 形 貧血の ►「弱々しい、無気力な」という意味もある。 名 anemia 貧血 |
| 2484 | **thyroid** [θáɪrɔɪd] | 名 甲状腺 |

Track 199

|  |  |  |
|---|---|---|
| 2485 | **carcinogen** [kɑːrsínədʒən] | 名 発がん物質<br>形 carcinogenic 発がん性の |
| 2486 | **obesity** [oubíːsəti] | 名 肥満<br>形 obese 肥満の |
| 2487 | **diarrhea** [dàɪəríːə \| -ríə] | 名 下痢 |
| 2488 | **ingest** [ɪndʒést] | 動 〈食べ物など〉を摂取する |
| 2489 | **metabolism** [mətǽbəlìzm] | 名 （新陳）代謝<br>形 metabolic 代謝の |
| 2490 | **protein** [próutiːn] | 名 タンパク質 |
| 2491 | **allergen** [ǽlərdʒən] | 名 アレルゲン<br>► アレルギーを起こす物質。 |
| 2492 | **lesion** [líːʒən] | 名 傷、損傷<br>► 筆記大問１頻出語。 |
| 2493 | **inflammation** [ìnfləméɪʃən] | 名 炎症 |
| 2494 | **arthritis** [ɑːrθráɪtɪs] | 名 関節炎 |
| 2495 | **pneumonia** [n(j)u(ː)móuniə] | 名 肺炎 |
| 2496 | **fracture** [frǽktʃər] | 名 骨折 |
| 2497 | **laceration** [læ̀səréɪʃən] | 名 裂傷 |
| 2498 | **graft** [grǽft \| gráːft] | 名 （骨・皮膚などの）移植組織、移植片<br>►「汚職」という意味もある。 |
| 2499 | **spasm** [spǽzm] | 名 （筋肉の）けいれん、発作、引きつけ（≒convulsion） |
| 2500 | **cramp** [krǽmp] | 名 ひきつり、けいれん |
| 2501 | **paralysis** [pərǽləsɪs] | 名 まひ ► 複数形は paralyses。<br>動 paralyze ～をまひさせる |
| 2502 | **symptom** [símptəm] | 名 （病気の）兆候、症状 |
| 2503 | **syndrome** [síndroum] | 名 症候群 |
| 2504 | **complication** [kɑ̀ːmpləkéɪʃən \| kɔ̀mplɪ-] | 名 合併症 |
| 2505 | **remedy** [rémədi] | 名 （病気・痛みの）治療 |
| 2506 | **chemotherapy** [kìːmouθérəpi] | 名 化学療法 |

|  |  |  |  |
|---|---|---|---|
| 2507 | **biopsy** | [báɪɑːpsi \| -ɔp-] | 名 生検法、バイオプシー<br>► 生体から組織片を切り取って検査すること。 |
| 2508 | **forceps** | [fɔ́ːrsəps \| -seps] | 名 （外科・歯科用の）ピンセット<br>► 複数扱い。 |
| 2509 | **prosthesis** | [prɑːsθíːsɪs \| prɔs-] | 名 人工的補綴<br>► 義足・義眼・義歯など。複数形は prostheses。 |
| 2510 | **disorder** | [dɪsɔ́ːrdər] | 名 疾患、障害 |
| 2511 | **dysfunction** | [dɪsfʌ́ŋkʃən] | 名 機能障害 |
| 2512 | **germ** | [dʒə́ːrm] | 名 病原菌、細菌 |
| 2513 | **microbe** | [máɪkroʊb] | 名 微生物、細菌；病原菌（≒microorganism） |
| 2514 | **pathogen** | [pǽθədʒən] | 名 病原体 |
| 2515 | **virus** | [váɪrəs] | 名 ウイルス<br>形 viral ウイルスの |
| 2516 | **gene** | [dʒíːn] | 名 遺伝子<br>形 genetic 遺伝（子）の |
| 2517 | **cellular** | [séljələr \| -lʊ-] | 形 細胞の<br>名 cell 細胞 |
| 2518 | **nucleus** | [n(j)úːkliəs] | 名 細胞核<br>►「原子核」という意味もある。複数形は nuclei。 |
| 2519 | **chromosome** | [króʊməzòʊm \| -sòʊm] | 名 染色体 |
| 2520 | **ribonucleic acid** | [ràɪboʊn(j)u(ː)klíːɪk ǽsɪd] | 名 リボ核酸<br>► 略語は RNA。 |
| 2521 | **nucleotide** | [njúːkliətàid] | 名 ヌクレオチド<br>► 核酸の構成単位。 |
| 2522 | **genome** | [dʒíːnoʊm] | 名 ゲノム<br>► 細胞の核を形成するのに必要な染色体の一組。 |
| 2523 | **neural** | [n(j)ʊ́ərəl] | 形 神経の |
| 2524 | **neuron** | [n(j)ʊ́ərɑːn \| -rɔn] | 名 ニューロン<br>► 情報を伝達する神経単位。 |
| 2525 | **synapse** | [sínæps \| sáɪ-] | 名 シナプス<br>► 神経細胞の接合部。 形 synaptic シナプスの |
| 2526 | **receptor** | [rɪséptər] | 名 受容器官 |
| 2527 | **regimen** | [rédʒəmən] | 名 （食事・投薬などの）計画 |
| 2528 | **vaccine** | [væksíːn \| vǽksiːn] | 名 ワクチン 動 vaccinate ～にワクチンを接種する 名 vaccination 予防接種 |

Track 200

|  |  |  |
|---|---|---|
| 2529 | **antibody** [ǽntibɑ̀:di \| -bɔ̀di] | 名 抗体 ► 抗原の侵入を受けた生体が作り出す、その抗原だけに結合するタンパク質。 |
| 2530 | **antibiotic** [æ̀ntibaɪɑ́:tɪk \| -ɔ́t-] | 名 抗生物質 ► ふつう複数形で使う。 |
| 2531 | **pandemic** [pændémɪk] | 名形 (病気の)世界的大流行;〈病気が〉広範囲にはやる |
| 2532 | **painkiller** [péɪnkɪ̀lər] | 名 鎮痛剤 |
| 2533 | **antidote** [ǽntɪdòʊt] | 名 解毒剤 |
| 2534 | **placebo** [pləsí:boʊ] | 名 偽薬 ► 筆記大問1頻出語。 |
| 2535 | **immunization** [ɪ̀mjunəzéɪʃn \| -aɪ-] | 名 予防接種 |
| 2536 | **sedation** [sɪdéɪʃən] | 名 鎮静作用 |
| 2537 | **narcotic** [nɑ:rkɑ́:tɪk \| -kɔ́t-] | 名 麻酔剤、催眠薬 |
| 2538 | **anesthesia** [æ̀nəsθí:ʒə \| -ziə] | 名 麻酔 |
| 2539 | **sterilize** [stérəlàɪz] | 動 ~を殺菌する 名 sterilization 殺菌 |
| 2540 | **comatose** [kóʊmətòʊs] | 形 昏睡(こんすい)状態の 名 coma 昏睡 |
| 2541 | **amputation** [æ̀mpjətéɪʃən] | 名 (手・足などの)切断(手術) 動 amputate〈手足〉を切断する 名 amputee 切断手術を受けた患者 |
| 2542 | **euthanasia** [jù:θənéɪʒə \| -ziə] | 名 安楽死(を行うこと) |
| 2543 | **reproductive** [rì:prədʌ́ktɪv] | 形 生殖の、繁殖の 名 reproduction 生殖、繁殖 |
| 2544 | **fertility** [fərtíləti \| fə:-] | 名 受精能力 ►「肥沃」という意味も重要。 動 fertilize ~を受精させる |
| 2545 | **pregnancy** [prégnənsi] | 名 妊娠 形 pregnant 妊娠した |
| 2546 | **infertility** [ɪ̀nfərtíləti] | 名 不妊症 |
| 2547 | **embryo** [émbriòʊ] | 名 胎児 形 embryonic 胎児の |
| 2548 | **childbirth** [tʃáɪldbɜ̀:rθ] | 名 出産、分娩 |
| 2549 | **cortex** [kɔ́:rteks] | 名 (脳などの)外皮、皮質 ► 複数形は cortices。 |
| 2550 | **skull** [skʌ́l] | 名 頭蓋骨 |

|  |  |  |
|---|---|---|
| 2551 | **scalp** [skǽlp] | 名 頭皮 |
| 2552 | **retina** [rétənə \| -ɪnə] | 名 網膜 ► 複数形は retinas, retinae。 |
| 2553 | **cavity** [kǽvəti] | 名 （体の）空洞、腔 |
| 2554 | **cervical** [sə́ːrvɪkl] | 形 首の、頸部（けいぶ）の ►「子宮頸部の」という意味もある。ふつう名詞の前で使う。 |
| 2555 | **abdominal** [æbdɑ́ːmənl \| -dɔ́mɪ-] | 形 腹部の 名 abdomen 腹部 |
| 2556 | **spine** [spáɪn] | 名 脊柱、背骨（≒backbone） |
| 2557 | **spinal cord** [spáɪnl kɔ̀ːrd] | 名 脊髄（せきずい） |
| 2558 | **marrow** [mǽroʊ] | 名 髄、骨髄（こつずい） |
| 2559 | **membrane** [mémbreɪn] | 名 （動植物の）膜、皮膜 |
| 2560 | **limb** [lím] | 名 手足、四肢 |
| 2561 | **extremities** [ɪkstrémətiz] | 名 手足 |
| 2562 | **skeleton** [skélətən] | 名 骨格、骸骨 形 skeletal 骨格の |
| 2563 | **cartilage** [kɑ́ːrtəlɪʤ] | 名 軟骨 |
| 2564 | **gristle** [grísl] | 名 軟骨、すじ |
| 2565 | **shoulder blade** [ʃóʊldər blèɪd] | 名 肩甲骨 |
| 2566 | **rib** [ríb] | 名 あばら骨 |
| 2567 | **intestine** [ɪntéstən] | 名 腸 ► gut は「胃腸」を意味する一般語。 |
| 2568 | **gastrointestinal** [gæ̀stroʊɪntéstənl] | 形 胃腸の |
| 2569 | **coronary** [kɔ́ːrənèri \| kɔ́rənəri] | 形 心臓の（≒cardiac） |
| 2570 | **pulmonary** [pʌ́lmənèri \| -nəri] | 形 肺の；肺病の ► 名詞の前で使う。 |
| 2571 | **cardiopulmonary** [kɑ̀ːrdiəpʌ́lmənèri \| -nəri] | 形 心肺の、心臓と肺の |
| 2572 | **pancreas** [pǽŋkriəs] | 名 膵臓（すいぞう） |

| No. | 単語 | 発音 | 品詞 | 意味 |
| --- | --- | --- | --- | --- |
| 2573 | **kidney** | [kídni] | 名 | 腎臓 |
| 2574 | **womb** | [wú:m] | 名 | 子宮 |
| 2575 | **artery** | [á:rtəri] | 名 | 動脈<br>►「静脈」は vein。 |
| 2576 | **cardiovascular** | [kà:rdiəvǽskjələr] | 形 | 心臓血管の |
| 2577 | **saliva** | [səláɪvə] | 名 | 唾液 |
| 2578 | **digestion** | [daɪʤéstʃən] | 名 | 消化（作用） |
| 2579 | **feces** | [fí:si:z] | 名 | 排泄物<br>► 複数扱い。 |
| 2580 | **cognition** | [kɑ:gníʃən \| kɔg-] | 名 | 認識（力）、認知 |
| 2581 | **subliminal** | [sʌblímənl] | 形 | 閾（いき）下の、潜在意識の |
| 2582 | **neurotic** | [n(j)ʊərá:tɪk \| -rɔ́t-] | 形 | 神経症の、ノイローゼの |
| 2583 | **paranoia** | [pæ̀rənɔ́ɪə] | 名 | 妄想症、偏執症<br>形 名 paranoid 偏執症の；偏執症患者 |
| 2584 | **schizophrenia** | [skìtsəfrí:niə] | 名 | 統合失調症<br>形 名 schizophrenic 統合失調症の；統合失調症患者 |
| 2585 | **hysteria** | [hɪstéəriə \| -tíə-] | 名 | ヒステリー<br>形 hysterical ヒステリーの |
| 2586 | **depressed** | [dɪprést] | 形 | うつ病の、うつ状態の |
| 2587 | **melancholy** | [mélənkɑ̀:li \| -kəli] | 名 | 憂鬱（ゆううつ）、ふさぎ込み（≒depression） |
| 2588 | **autism** | [ɔ́:tìzm] | 名 | 自閉症<br>形 autistic 自閉症の |
| 2589 | **insomnia** | [ɪnsɑ́:mniə \| -sɔ́m-] | 名 | 不眠症 |
| 2590 | **trance** | [trǽns \| trɑ́:ns] | 名 | 催眠状態 |
| 2591 | **dementia** | [dɪménʃə] | 名 | 認知症 |
| 2592 | **euphoria** | [ju:fɔ́:riə] | 名 | 多幸症 |
| 2593 | **sociopath** | [sóʊsiəpæ̀θ] | 名 | 社会病質者 |
| 2594 | **regression** | [rɪgréʃən] | 名 | 後退、退行 |

|  |  |  |  |
| --- | --- | --- | --- |
| 2595 | **deforestation** | [di:fɔ̀:rəstéɪʃən \| -fɔ̀r-] | 名 森林伐採 |
| 2596 | **carbon dioxide** | [kɑ̀:rbən daɪɑ́:ksaɪd \| -ɔ́ksaɪd] | 名 二酸化炭素 |
| 2597 | **emission** | [ɪmíʃən] | 名（ガスなどの）排出<br>動 emit ～を排出する |
| 2598 | **ozone** | [óʊzoʊn] | 名 オゾン |
| 2599 | **petroleum** | [pətróʊliəm] | 名 石油、鉱油 |
| 2600 | **hydropower** | [háɪdroʊpàʊər] | 名 水力発電（≒hydroelectricity） |
| 2601 | **geothermal** | [dʒì:əθə́:rml] | 形 地熱の |
| 2602 | **radiation** | [rèɪdiéɪʃən] | 名 放射線（≒radioactivity） |
| 2603 | **acidification** | [əsìdɪfɪkéɪʃən] | 名 酸性化<br>形 acid(ic) 酸性の |
| 2604 | **biodiversity** | [bàɪoʊdəvə́:rsəti \| -daɪ-] | 名 生物多様性 |
| 2605 | **species** | [spí:ʃi:z] | 名（分類上の）種<br>► 単複同形。 |
| 2606 | **endangered** | [ɪndéɪndʒərd] | 形〈動植物が〉絶滅の危機に瀕した |
| 2607 | **extinction** | [ɪkstíŋkʃən] | 名（生物・種などの）絶滅 |
| 2608 | **fauna** | [fɔ́:nə] | 名 動物相<br>► 特定の時代・地域の動物の全種類。 |
| 2609 | **flora** | [flɔ́:rə] | 名 植物相<br>► 特定の地域・時代の植物の全種類。 |
| 2610 | **den** | [dén] | 名 巣穴 |
| 2611 | **reforestation** | [ri:fɔ̀:rəstéɪʃən \| -fɔ̀r-] | 名 植林、森林再生 |
| 2612 | **forestry** | [fɑ́:rəstri \| fɔ́r-] | 名 林業、森林管理 |
| 2613 | **canopy** | [kǽnəpi] | 名 林冠<br>► 森林の最上部で枝葉が茂る部分。 |
| 2614 | **contamination** | [kəntæ̀mənéɪʃən] | 名 汚染 |
| 2615 | **pollutant** | [pəlú:tənt] | 名 汚染物質、汚染源 |
| 2616 | **sustainable** | [səstéɪnəbl] | 形 持続可能な<br>動 sustain ～を維持する |

農業・酪農

|  |  |  |
|---|---|---|
| 2617 | **cereal** [síəriəl] | 名 穀物 |
| 2618 | **monoculture** [mɑ́:nəkʌ̀ltʃər \| mɔ́-] | 名 単一栽培 ► 一地域で一作物しか栽培しない耕作法。 |
| 2619 | **fertilizer** [fə́:rtəlàɪzər] | 名 肥料、化学肥料 |
| 2620 | **herbicide** [hə́:rbəsàɪd] | 名 除草剤 |
| 2621 | **pest** [pést] | 名 害虫、害獣 |
| 2622 | **pesticide** [péstəsàɪd] | 名 殺虫剤 |
| 2623 | **blight** [bláɪt] | 名 (植物の) 病害;(植物に害を及ぼす) 菌 |
| 2624 | **plantation** [plæntéɪʃən \| plɑ:n-] | 名 (熱帯地方の) 大農園、大農場 |
| 2625 | **herd** [hə́:rd] | 名 (牛・羊・馬などの) 群れ |

地学・気象・天文

|  |  |  |
|---|---|---|
| 2626 | **ore** [ɔ́:r] | 名 鉱石、原鉱 |
| 2627 | **tributary** [tríbjətèri \| -təri] | 名 支流 |
| 2628 | **cascade** [kæskéɪd] | 名 (急な) 小滝 |
| 2629 | **swamp** [swɑ́:mp \| swɔ́mp] | 名 湿地 (帯)、沼地 (≒marsh) |
| 2630 | **quagmire** [kwǽgmàɪər \| kwɔ́g-] | 名 ぬかるんだ土地、湿地 (≒bog) |
| 2631 | **shoal** [ʃóʊl] | 名 浅瀬、洲(す) |
| 2632 | **seabed** [sí:bèd] | 名 海底 |
| 2633 | **elevation** [èləvéɪʃən] | 名 高さ、海抜 |
| 2634 | **cove** [kóʊv] | 名 小さな湾、入り江 (≒bay) |
| 2635 | **chasm** [kǽzm] | 名 (岩などの) 深い割れ目、亀裂 |
| 2636 | **fissure** [fíʃər] | 名 (岩・地表などの) 裂け目、割れ目、亀裂 |
| 2637 | **crevice** [krévɪs] | 名 (岩・壁などの) 割れ目 |
| 2638 | **aquifer** [ǽkwəfər] | 名 帯水層 |

|  |  |  |
|---|---|---|
| 2639 | **porous** [pɔ́:rəs] | 形 〈もの・物質などが〉通水［通気］性の；多孔性の |
| 2640 | **sediment** [sédəmənt] | 名 沈降［沈殿］物；堆積 |
| 2641 | **plateau** [plætóu \| plǽtou] | 名 高原、台地 |
| 2642 | **topography** [təpá:grəfi \| -pɔ́g-] | 名 地形、地勢 |
| 2643 | **Paleozoic** [pèɪliəzóuɪk \| pæ̀li-] | 名形 古生代（の） |
| 2644 | **Mesozoic** [mèsəzóuɪk] | 名形 中生代（の） |
| 2645 | **Cenozoic** [sì:nəzóuɪk] | 名形 新生代（の） |
| 2646 | **archaeopteryx** [à:rkiá:ptərɪks \| -ɔ́p-] | 名 始祖鳥 |
| 2647 | **archipelago** [à:rkəpéləgòu \| à:kɪ-] | 名 群島、諸島 |
| 2648 | **peninsula** [pənínsələ \| -sjʊlə] | 名 半島 |
| 2649 | **mantle** [mǽntl] | 名 マントル |
| 2650 | **volcanism** [vá:lkənìzm \| vɔ́l-] | 名 火山活動［作用］<br>名 volcano 火山　形 volcanic 火山の |
| 2651 | **lava** [lá:və] | 名 溶岩；火山岩 |
| 2652 | **tremor** [trémər] | 名 微震、軽い揺れ（≒quake） |
| 2653 | **landslide** [lǽndslàɪd] | 名 地滑り |
| 2654 | **glacier** [gléɪʃər \| glǽsiə] | 名 氷河 |
| 2655 | **iceberg** [áɪsbə:rg] | 名 氷山 |
| 2656 | **avalanche** [ǽvəlæ̀ntʃ \| -là:ntʃ] | 名 雪崩 |
| 2657 | **crust** [krʌ́st] | 名 地殻 |
| 2658 | **cataclysm** [kǽtəklìzm] | 名 地殻の大変動 |
| 2659 | **axis** [ǽksɪs] | 名 地軸<br>► 複数形は axes。 |
| 2660 | **equator** [ɪkwéɪtər] | 名 赤道 |

Track 203

|  |  |  |
|---|---|---|
| 2661 | **hemisphere** [hémɪsfɪər] | 名 半球 |
| 2662 | **climatic** [klaɪmǽtɪk] | 形 気候の |
| 2663 | **boreal** [bɔ́:riəl] | 形 北方の、（亜）寒帯の |
| 2664 | **tundra** [tʌ́ndrə] | 名 ツンドラ、凍土帯 |
| 2665 | **thaw** [θɔ́:] | 動 〈氷・雪などが〉解ける（≒melt） |
| 2666 | **dusk** [dʌ́sk] | 名 夕暮れ、たそがれ<br>► twilight が暗くなったとき。「夜明け」は dawn。 |
| 2667 | **drizzle** [drízl] | 名 霧雨 |
| 2668 | **muggy** [mʌ́gi] | 形 〈天気が〉蒸し暑い、じめじめした |
| 2669 | **drought** [dráʊt] | 名 （長期の）干ばつ、日照り |
| 2670 | **precipitation** [prɪsɪ̀pɪtéɪʃən] | 名 降水；降水［雨］量 |
| 2671 | **solstice** [sá:lstəs \| sɔ́l-] | 名 至；至点<br>► summer [winter] solstice で「夏至［冬至］」。 |
| 2672 | **magnetosphere** [mægní:toʊsfɪər] | 名 磁気圏 |
| 2673 | **gravity** [grǽvəti] | 名 重力、（万有）引力 |
| 2674 | **orbit** [ɔ́:rbət] | 名 軌道<br>形 orbital 軌道の |
| 2675 | **meteor** [mí:tiər] | 名 流星 |
| 2676 | **meteorite** [mí:tiəràɪt] | 名 隕石（いんせき） |
| 2677 | **space junk** [spéɪs ʤʌ́ŋk] | 名 宇宙ごみ<br>► 宇宙に漂う宇宙機器の残骸や宇宙船からの廃棄物。 |
| 2678 | **asteroid** [ǽstərɔ̀ɪd] | 名 小惑星 |
| 2679 | **dwarf planet** [dwɔ̀:rf plǽnət] | 名 準惑星 |
| 2680 | **interstellar** [ɪ̀ntərstélər] | 形 恒星間の |
| 2681 | **galaxy** [gǽləksi] | 名 銀河、星雲 |
| 2682 | **nebular** [nébjələr] | 形 星雲（状）の |

2682

物理・化学

|  |  |  |
|---|---|---|
| 2683 | **neutron** [n(j)ú:trɑ:n \| -trɔn] | 名 中性子 ► 電荷をもたない素粒子。 |
| 2684 | **proton** [próʊtɑ:n \| -tɔn] | 名 陽子 |
| 2685 | **quantum** [kwɔ́ntəm] | 名 量子 |
| 2686 | **radioactivity** [rèɪdioʊæktívəti] | 名 放射能 |
| 2687 | **reactor** [riǽktər] | 名 原子炉 ► nuclear reactor とも言う。 |
| 2688 | **velocity** [vəlɑ́:səti \| -lɔ́s-] | 名 速度 |
| 2689 | **gravitation** [græ̀vətéɪʃən] | 名 引力（作用）、重力（作用） |
| 2690 | **friction** [fríkʃən] | 名 摩擦 |
| 2691 | **magnetic field** [mægnètɪk fí:ld] | 名 磁場、磁界 |
| 2692 | **conductive** [kəndʌ́ktɪv] | 形 （熱・電気などを）伝える、伝導性の |
| 2693 | **convection** [kənvékʃən] | 名 （液体・気体などの）対流、環流 |
| 2694 | **spectrum** [spéktrəm] | 名 スペクトル ► 複数形は spectra。 |
| 2695 | **molecule** [mɑ́:ləkjù:l \| mɔ́lɪ-] | 名 分子 形 molecular 分子の |
| 2696 | **isotope** [áɪsətòʊp] | 名 アイソトープ、同位元素 |
| 2697 | **compound** [kəmpáʊnd] | 名 合成物、混合物；化合物 |
| 2698 | **synthetic** [sɪnθétɪk] | 形 合成の |
| 2699 | **hydrogen** [háɪdrəʤən] | 名 水素 |
| 2700 | **nitrogen** [náɪtrəʤən] | 名 窒素 |
| 2701 | **arsenic** [ɑ́:rsənɪk] | 名 ヒ素 |
| 2702 | **phosphorus** [fɑ́:sfərəs \| fɔ́s-] | 名 リン |
| 2703 | **sulfuric acid** [sʌlfjúərɪk ǽsɪd] | 名 硫酸 |
| 2704 | **zinc** [zíŋk] | 名 亜鉛 |

Track 204

|  |  |  |  |
|---|---|---|---|
| 2705 | acetylene | [əsétəlìːn] | 名 アセチレン |
| 2706 | carbohydrate | [kɑ̀ːrbouháɪdreɪt] | 名 炭水化物 |
| 2707 | dioxide | [daɪɑ́ːksaɪd \| -ɔ́ksaɪd] | 名 二酸化物 |
| 2708 | hydrocarbon | [hàɪdroukɑ́ːrbən] | 名 炭化水素 |
| 2709 | fluoride | [flúərài̇d \| flɔ́ː-] | 名 フッ化物 |
| 2710 | iridium | [ɪrídiəm] | 名 イリジウム |
| 2711 | methane | [méθeɪn \| míːθ-] | 名 メタン |
| 2712 | nitrate | [náɪtreɪt] | 名 硝酸塩 |
| 2713 | platinum | [plǽtɪnəm] | 名 プラチナ、白金 |
| 2714 | radium | [réɪdiəm] | 名 ラジウム |
| 2715 | alloy | [ǽlɔɪ] | 名 合金 |
| 2716 | metallurgy | [métələ̀ːrdʒi] | 名 冶金（術）<br>► 金属の採取、精製、加工。 |
| 2717 | amalgam | [əmǽlgəm] | 名 アマルガム<br>► 水銀と他の金属との合金の総称。 |
| 2718 | enzyme | [énzaɪm] | 名 酵素 |
| 2719 | lactose | [lǽktous] | 名 乳糖 |
| 2720 | solvent | [sɑ́ːlvənt \| sɔ́l-] | 名 溶液 |
| 2721 | unsaturated | [ʌ̀nsǽtʃərèɪtɪd] | 形 〈溶液が〉飽和していない、不飽和の |

数学

|  |  |  |  |
|---|---|---|---|
| 2722 | equation | [ɪkwéɪʒən] | 名 等式、方程式 |
| 2723 | continuum | [kəntínjuəm] | 名 連続体<br>► 複数形は continua。 |
| 2724 | infinity | [ɪnfínəti] | 名 無限大<br>形 infinite 無限の |
| 2725 | maximum | [mǽksəməm] | 名 最大限、最大量［数］<br>►「最小限」は minimum。 |
| 2726 | ratio | [réɪʃou] | 名 比率、割合（≒proportion） |

|  |  |  |
| --- | --- | --- |
| 2727 | **coefficient** [kòʊɪfíʃənt] | 名 係数 |
| 2728 | **rectangle** [réktæ̀ŋgl] | 名 長方形<br>形 rectangular 長方形の |
| 2729 | **radius** [réɪdiəs] | 名 半径<br>► 複数形は radii。 |
| 2730 | **diameter** [daɪǽmətər] | 名 直径 |
| 2731 | **elliptical** [ɪlíptɪkl] | 形 楕円の（≒oval）<br>名 ellipse 楕円 |
| 2732 | **cylinder** [sílɪndər] | 名 円柱 |
| 2733 | **cone** [kóʊn] | 名 円すい |
| 2734 | **subset** [sʌ́bsèt] | 名 下位集合、部分集合 |

技術・IT

|  |  |  |
| --- | --- | --- |
| 2735 | **specification** [spèsəfɪkéɪʃən] | 名 （機械・建築物などの）仕様（書）、スペック<br>► ふつう複数形で使う。 |
| 2736 | **thermostat** [θə́ːrməstæ̀t] | 名 自動温度調節装置、サーモスタット |
| 2737 | **radar** [réɪdɑːr] | 名 レーダー |
| 2738 | **circuitry** [sə́ːrkətri] | 名 電気回路 |
| 2739 | **electrode** [ɪléktroʊd] | 名 電極 |
| 2740 | **quartz** [kwɔ́ːrts] | 名 石英、水晶 |
| 2741 | **silicon** [sílɪkən] | 名 ケイ素、シリコン |
| 2742 | **graphite** [grǽfaɪt] | 名 黒鉛、グラファイト<br>► 鉛筆の芯などの材料。 |
| 2743 | **cyberspace** [sáɪbərspèɪs] | 名 サイバースペース<br>► コンピュータネットワーク上の仮想空間。 |
| 2744 | **garbled** [gɑ́ːrbld] | 形 文字化けした |

都市・交通

|  |  |  |
| --- | --- | --- |
| 2745 | **edifice** [édəfɪs] | 名 （宮殿などの壮大な）建築物 |
| 2746 | **condominium** [kɑ̀ːndəmíniəm \| kɔ̀n-] | 名 分譲マンション（の１戸） |
| 2747 | **high-rise** [háɪràɪz] | 形 高層（建築物）の |
| 2748 | **urbanization** [ə̀ːrbənəzéɪʃən \| -naɪz-] | 名 都市化<br>形 urban 都市の 動 urbanize ～を都市化する |

Track 205

|  |  |  |
|---|---|---|
| 2749 | **outskirts** [áʊtskə̀ːrts] | 名 郊外、町はずれ ► 複数扱い。 |
| 2750 | **sprawl** [sprɔ́ːl] | 名 (都市の) 膨張 ►「〈都市が〉無秩序に広がる」という動詞の意味も重要。 |
| 2751 | **thoroughfare** [θə́ːroʊfèər \| θʌ́rə-] | 名 (両端が他の道路とつながっている) 道路、街路 |
| 2752 | **landmark** [lǽndmɑ̀ːrk] | 名 目印となる建物、陸標 ►「画期的な出来事」という意味も重要。 |
| 2753 | **infrastructure** [ínfrəstrʌ̀ktʃər] | 名 社会基盤、インフラ |
| 2754 | **cornerstone** [kɔ́ːrnərstòʊn] | 名 礎石 |
| 2755 | **timber** [tímbər] | 名 (建築用の) 材木、木材 |
| 2756 | **sawmill** [sɔ́ːmìl] | 名 製材所 |
| 2757 | **ditch** [dítʃ] | 名 溝、用水路 |
| 2758 | **sewage** [súːɪdʒ] ⚠ 発音注意。 | 名 下水、汚水<br>名 sewer (地下の) 下水道 |
| 2759 | **reservoir** [rézərvwɑ̀ːr] | 名 貯水池、貯水槽 |
| 2760 | **waterway** [wɔ́ːtərwèɪ] | 名 (船が航行できる) 水路、運河 |
| 2761 | **pier** [píər] | 名 桟橋 |
| 2762 | **wharf** [wɔ́ːrf] | 名 埠頭(ふとう)、波止場 |
| 2763 | **intersection** [íntərsèkʃən] | 名 交差点 |
| 2764 | **pedestrian** [pədéstriən] | 名 歩行者 |
| 2765 | **collision** [kəlíʒən] | 名 衝突<br>動 collide ～に衝突する |
| 2766 | **carrier** [kǽriər] | 名 運送業者 |
| 2767 | **toll-free** [tóʊlfríː] | 形 〈通行料・通話料が〉無料の |
| 2768 | **aviation** [èɪviéɪʃən] | 名 航空 |
| 2769 | **runway** [rʌ́nwèɪ] | 名 滑走路 |
| 2770 | **mileage** [máɪlɪdʒ] | 名 (走行 [飛行] の) 総マイル数；走行距離 |

27
70►

|  |  |  |
|---|---|---|
| 2771 | **constituent** [kənstítʃuənt] | 名 選挙人、有権者<br>名 constituency 選挙区 |
| 2772 | **electorate** [ɪléktərət] | 名（選挙区・国全体の）選挙民、有権者<br>形 electoral 選挙（人）の |
| 2773 | **suffrage** [sʌ́frɪdʒ] | 名 投票権、参政権 |
| 2774 | **Senator** [sénətər] | 名 上院議員 |
| 2775 | **propaganda** [pràːpəgǽndə \| prɔ̀p-] | 名 プロパガンダ ► 政府や政党が自分たちに有利な偏った情報を流すこと。 |
| 2776 | **racism** [réɪsɪ̀zm] | 名 人種差別 |
| 2777 | **territorial** [tèrətɔ́ːriəl] | 形 領土の、領地の<br>名 territory 領土、領地 |
| 2778 | **hegemony** [hədʒéməni \| higéməni] | 名 覇権、支配権 |
| 2779 | **diplomat** [dípləmæ̀t] | 名 外交官 |
| 2780 | **armistice** [áːrməstɪs] | 名 休戦、停戦（≒truce） |
| 2781 | **pact** [pǽkt] | 名 条約、協定 |
| 2782 | **coup** [kúː] ▲ 発音注意。 | 名 クーデター（≒coup d'état） |
| 2783 | **corps** [kɔ́ːr] ▲ 発音注意。 | 名（専門技術をもった）兵団、部隊<br>► 単数または複数扱い。 |
| 2784 | **admiral** [ǽdmərəl] | 名 海軍大将<br>►「陸軍大将」は general。 |
| 2785 | **colonel** [kə́ːrnl] | 名（空軍・陸軍・海兵隊の）大佐 |
| 2786 | **lieutenant** [luːténənt \| leftén-] | 名（陸軍・空軍・海兵隊の）中尉 |
| 2787 | **outpost** [áʊtpòʊst] | 名 前哨（部隊）；前哨地 |
| 2788 | **trench** [tréntʃ] | 名 塹壕（さんごう） |
| 2789 | **militia** [məlíʃə] | 名（集合的に）民兵組織、市民軍、義勇軍 |
| 2790 | **veteran** [vétərən] | 名 退役軍人 |
| 2791 | **patriotism** [péɪtriətɪ̀zm \| pǽt-] | 名 愛国心<br>名 patriot 愛国者 |
| 2792 | **arsenal** [áːrsənl] | 名 兵器庫 |

|  |  |  |  |
|---|---|---|---|
| 2793 | **projectile** | [prədʒéktl \| prəudʒéktaɪl] | 名 発射物、飛翔体 ► 弾丸、ミサイルなど。 |
| 2794 | **torpedo** | [tɔːrpíːdou] | 名 魚雷 |
| 2795 | **ammunition** | [æmjuníʃən] | 名 弾薬 |
| 2796 | **artillery** | [ɑːrtíləri] | 名 （集合的に）大砲 |
| 2797 | **grenade** | [grənéɪd] | 名 手投げ弾 |
| 2798 | **emplacement** | [ɪmpléɪsmənt] | 名 （銃砲の）据えつけ |
| 2799 | **devalue** | [diːvǽljuː] | 動 〈通貨〉を切り下げる 名 devaluation 平価切下げ、デノミネーション |
| 2800 | **inflation** | [ɪnfléɪʃən] | 名 インフレ、通貨膨張 ►「デフレ」は deflation。 |
| 2801 | **cartel** | [kɑːrtél] | 名 カルテル、（国際的）企業連合 |
| 2802 | **mercantilism** | [mə́ːrkəntiːlìzm \| -tɪlìzm] | 名 重商主義 |
| 2803 | **recession** | [rɪséʃən] | 名 （一時的な）不景気、景気後退 |
| 2804 | **monetary** | [mɑ́ːnətèri \| mʌ́nɪtəri] | 形 通貨の、貨幣の |
| 2805 | **jurisdiction** | [dʒùərɪsdíkʃən] | 名 司法権 |
| 2806 | **perpetrator** | [pə́ːrpətrèɪtər] | 名 加害者 |
| 2807 | **defendant** | [dɪféndənt] | 名 被告 |
| 2808 | **plaintiff** | [pléɪntɪf] | 名 原告 |
| 2809 | **prosecutor** | [prɑ́ːsəkjùːtər \| prɔ́sɪ-] | 名 検察官、検事 |
| 2810 | **juror** | [dʒúərər] | 名 陪審員 |
| 2811 | **jury** | [dʒúəri] | 名 陪審員団 |
| 2812 | **attorney** | [ətə́ːrni] | 名 弁護士 |
| 2813 | **barrister** | [bérəstər \| bǽr-] | 名 法廷弁護士 |
| 2814 | **lawsuit** | [lɔ́ːsùːt] | 名 訴訟（≒suit） |

経済 (2799–2801)
司法 (2805–2807)

|  |  |  |  |
|---|---|---|---|
| 2815 | **probation** | [proʊbéɪʃən] | 名 執行猶予、保護観察 |
| 2816 | **commutation** | [kɑ̀:mjətéɪʃən ǀ kɔ̀mju-] | 名 減刑 |
| 2817 | **imprisonment** | [ɪmprízn̩mənt] | 名 投獄、収監 |
| 2818 | **counterclaim** | [káʊntərklèɪm] | 名 反対要求；反訴 |
| 2819 | **mistrial** | [mìstráɪəl] | 名 （手続き上の誤りによる）無効審理 |
| 2820 | **remand** | [rɪmǽnd ǀ -mɑ́:nd] | 動 〈容疑者〉を再勾留する |
| 2821 | **immunity** | [ɪmjú:nəti] | 名 刑事免責 ►「免疫（性）」という意味も重要。<br>形 immune 免疫の |
| 2822 | **insanity** | [ɪnsǽnəti] | 名 精神錯乱；心神喪失<br>形 insane 精神錯乱の |
| 2823 | **default** | [dɪfɔ́:lt] | 名 （義務などの）不履行、怠慢 |
| 2824 | **perjury** | [pə́:rdʒəri] | 名 偽証罪 |
| 2825 | **burglary** | [bə́:rgləri] | 名 押し込み強盗<br>名 burglar 押し込み強盗犯 |
| 2826 | **larceny** | [lɑ́:rsəni] | 名 窃盗（罪） |
| 2827 | **arson** | [ɑ́:rsn] | 名 放火（罪） |
| 2828 | **homicide** | [hɑ́:məsàɪd ǀ hɔ́mɪ-] | 名 殺人（行為）（≒murder） |
| 2829 | **manslaughter** | [mǽnslɔ̀:tər] | 名 故殺（罪）<br>► 計画性のない殺人；過失致死など。 |
| 2830 | **hostage** | [hɑ́:stɪdʒ ǀ hɔ́s-] | 名 人質；捕らわれの身 |
| 2831 | **contraband** | [kɑ́:ntrəbæ̀nd ǀ kɔ́n-] | 名 密輸（品） |
| 2832 | **legacy** | [légəsi] | 名 （遺言による）遺産 |
| 2833 | **beneficiary** | [bènəfíʃièri ǀ -ʃəri] | 名 恩恵を受ける人、受益者 |

ビジネス

|  |  |  |  |
|---|---|---|---|
| 2834 | **consortium** | [kənsɔ́:rʃiəm ǀ -tiəm] | 名 （経済援助を目的とする）合併企業、コンソーシアム ► 複数形はconsortiums, consortia。 |
| 2835 | **syndicate** | [síndɪkət] | 名 企業組合、シンジケート |
| 2836 | **capitalist** | [kǽpətəlɪst] | 名形 資本家；資本主義の<br>名 capital 資本　名 capitalism 資本主義 |

Track 207

|  |  |  |  |
|---|---|---|---|
| 2837 | **stakeholder** | [stéɪkhòʊldər] | 名 出資者 |
| 2838 | **entrepreneur** | [ɑ̀:ntrəprənə́:r \| ɔ̀n-] | 名 起業家 |
| 2839 | **pension** | [pénʃən] | 名 年金 |
| 2840 | **resignation** | [rèzɪgnéɪʃən] | 名 辞任、辞職 |
| 2841 | **ledger** | [léʤər] | 名 元帳 |
| 2842 | **overdraft** | [óʊvərdræ̀ft \| -drɑ̀:ft] | 名 貸し越し |
| 2843 | **retailer** | [rí:tèɪlər] | 名 小売業者 |
| 2844 | **output** | [áʊtpʊ̀t] | 名 生産高、産出量 |
| 2845 | **clientele** | [klàɪəntél \| klì:-] | 名 (集合的に) 顧客、得意客 |
| 2846 | **bankruptcy** | [bǽŋkrʌptsi] | 名 倒産 |
| 2847 | **questionnaire** | [kwèsʧənéər] | 名 アンケート |
| 2848 | **respondent** | [rɪspɑ́:ndənt \| -spɔ́n-] | 名 回答者 |
| 2849 | **prototype** | [próʊtətàɪp] | 名 (機械などの) 原型、プロトタイプ |
| 2850 | **agenda** | [əʤéndə] | 名 会議事項 (のリスト) |
| 2851 | **patent** | [pǽtnt \| péɪt-] | 名 特許 |
| 2852 | **disclaimer** | [dɪskléɪmər] | 名 免責条項 |

歴史・民族・宗教

|  |  |  |  |
|---|---|---|---|
| 2853 | **prehistoric** | [prì:hɪstɔ́:rɪk \| -tɔ́r-] | 形 有史以前の、先史時代の |
| 2854 | **archaeological** | [ɑ̀:rkiəlɑ́:ʤɪkl \| -lɔ́ʤ-] | 形 考古学の、考古学的な<br>名 archaeology 考古学 |
| 2855 | **remains** | [rɪméɪnz] | 名 遺跡、遺構<br>► 複数扱い。 |
| 2856 | **excavation** | [èkskəvéɪʃən] | 名 発掘<br>動 excavate ～を発掘する |
| 2857 | **catacomb** | [kǽtəkòʊm] | 名 地下埋葬場 |
| 2858 | **coffin** | [kɔ́:fn] | 名 ひつぎ |

|  |  |  |  |
|---|---|---|---|
| 2859 | **flint** | [flínt] | 名 火打ち石 |
| 2860 | **artifact** | [ɑ́ːrtəfæ̀kt] | 名 加工品、人工遺物 ► 発掘された道具・武器・装飾品など。 |
| 2861 | **lance** | [lǽns \| lɑ́ːns] | 名 やり |
| 2862 | **hearth** | [hɑ́ːrθ] | 名 炉床 |
| 2863 | **shipwreck** | [ʃíprèk] | 名 難破船 |
| 2864 | **mummy** | [mʌ́mi] | 名 ミイラ |
| 2865 | **glyph** | [glíf] | 名 象形文字 |
| 2866 | **inscription** | [ɪnskrípʃən] | 名 碑文（ひぶん）、銘 |
| 2867 | **epitaph** | [épətæ̀f \| -tɑ̀ːf] | 名 墓碑銘、碑文 |
| 2868 | **archive** | [ɑ́ːrkaɪv] | 名 公文書、古文書 |
| 2869 | **chronicle** | [krɑ́(ː)nɪkəl \| krɔ́n-] | 名 年代記、記録 |
| 2870 | **millennium** | [mɪléniəm] | 名 千年（紀） ► 複数形は millennia, millenniums。 |
| 2871 | **medieval** | [mìːdíːvl \| mè-] | 形 （ヨーロッパの）中世の |
| 2872 | **dynasty** | [dáɪnəsti \| dí-] | 名 王朝 |
| 2873 | **aristocracy** | [æ̀rɪstɑ́ːkrəsi \| -stɔ́k-] | 名 （集合的に）貴族（≒nobility） ► 単数または複数扱い。 |
| 2874 | **genealogy** | [ʤìːniɑ́ːləʤi \| -ǽl-] | 名 系図学、系譜学 |
| 2875 | **crusade** | [kruːséɪd] | 名 十字軍 |
| 2876 | **rampart** | [rǽmpɑːrt] | 名 城壁 |
| 2877 | **dungeon** | [dʌ́nʤən] | 名 （城内の）地下牢 |
| 2878 | **imperialism** | [ɪmpíəriəlìzm] | 名 帝国主義 ►「帝国」は empire。 形 imperial 帝国の |
| 2879 | **coronation** | [kɔ̀ːrənéɪʃən \| kɔ̀r-] | 名 戴冠式 |
| 2880 | **autocrat** | [ɔ́ːtəkræ̀t] | 名 独裁者、専制君主 名 autocracy 専制主義 |

Track 208

|  |  |  |  |
|---|---|---|---|
| 2881 | **dictator** | [díkteɪtər \| dɪktéɪtər] | 名 独裁者<br>名 dictatorship 独裁 |
| 2882 | **massacre** | [mǽsəkər] | 名 大虐殺 |
| 2883 | **exorcism** | [éksɔːrsìzm] | 名 悪魔払い（の儀式） |
| 2884 | **peasantry** | [péznṭri] | 名 （集合的に）小作農 |
| 2885 | **mores** | [mɔ́ːreɪz] | 名 （ある集団・地域の）社会的慣習、しきたり<br>► 複数扱い。 |
| 2886 | **folklore** | [fóʊklɔ̀ːr] | 名 民間伝承 |
| 2887 | **mythology** | [mɪθáːləʤi \| -θɔ́l-] | 名 （集合的に）神話<br>► 個々の神話は myth。 |
| 2888 | **spouse** | [spáʊs] | 名 配偶者 |
| 2889 | **suitor** | [súːtər] | 名 （女性への）求婚者 |
| 2890 | **dowry** | [dáʊri] | 名 （新婦の）持参金 |
| 2891 | **ghetto** | [gétoʊ] | 名 ゲットー<br>► 中世ヨーロッパの都市のユダヤ人強制居住区。 |
| 2892 | **caste** | [kǽst \| káːst] | 名 カースト |
| 2893 | **prelate** | [prélət] | 名 高位聖職者<br>► bishop（司教）、archbishop（大司教）など。 |
| 2894 | **archbishop** | [àːrʧbíʃəp] | 名 大司教 |
| 2895 | **bishop** | [bíʃəp] | 名 司教 |
| 2896 | **monk** | [mʌ́ŋk] | 名 修道士<br>► 「修道女」は nun。 |
| 2897 | **monastery** | [máːnəstèri \| mɔ́nəstəri] | 名 （男子の）修道院、僧院<br>► 「（女子の）修道院」は convent。 |
| 2898 | **missionary** | [míʃənèri \| -nəri] | 名 伝道者、布教者<br>名 mission 伝道 |
| 2899 | **pilgrim** | [pílgrəm] | 名 巡礼者、聖地参拝者<br>名 pilgrimage 巡礼 |
| 2900 | **worship** | [wə́ːrʃəp] | 名 礼拝、祈り ►「〈神〉を崇拝する、礼拝する」という動詞の意味もある。 |
| 2901 | **ethic** | [éθɪk] | 名 倫理、道徳 |
| 2902 | **requiem** | [rékwiəm] | 名 死者のためのミサ；鎮魂歌 |

29
02 ►

|  |  |  |  |
|---|---|---|---|
| 2903 | dirge | [dɔ́ːrʤ] | 名 葬送歌、挽歌（ばんか） |
| 2904 | redemption | [rɪdémpʃən] | 名 贖罪（しょくざい）、救い |
| 2905 | penance | [pénəns] | 名 懺悔、罪滅ぼし |
| 2906 | pagan | [péɪgn] | 名 （ユダヤ教・キリスト教・イスラム教から見た）異教徒 |
| 2907 | atheism | [éɪθiìzm] | 名 無神論<br>►「有神論」は theism。 名 atheist 無神論者 |
| 2908 | agnostic | [ægnɑ́ːstɪk \| -nɔ́s-] | 形 不可知論（者）の |
| 2909 | deterministic | [dɪtə̀ːrmənístɪk] | 形 決定論の、決定論的な |

文化・芸術

|  |  |  |  |
|---|---|---|---|
| 2910 | curator | [kjúəreɪtər \| kjuəréɪtə] | 名 （博物館・美術館などの）学芸員、キュレーター |
| 2911 | sponsorship | [spɑ́ːnsərʃìp \| spɔ́n-] | 名 後援、資金援助 |
| 2912 | pigment | [pígmənt] | 名 色素、顔料 |
| 2913 | varnish | [vɑ́ːrnɪʃ] | 名動 ニス；～にニスを塗る |
| 2914 | symmetry | [símətri] | 名 （左右）対称、シンメトリー<br>►「非対称」は asymmetry。 |
| 2915 | replica | [réplɪkə] | 名 レプリカ、複製品 |
| 2916 | balm | [bɑ́ːm] | 名 香油 |
| 2917 | porcelain | [pɔ́ːrsəlɪn] | 名 磁器 |
| 2918 | auditorium | [ɔ̀ːdətɔ́ːriəm] | 名 観客席<br>► 複数形は auditoriums, auditoria。 |
| 2919 | cathartic | [kəθɑ́ːrtɪk] | 形 カタルシスを起こす |
| 2920 | recite | [rɪsáɪt] | 動 （～を）朗読する |
| 2921 | playwright | [pléɪràɪt] | 名 脚本家、劇作家 |
| 2922 | phonograph | [fóʊnəgræ̀f \| -grɑ̀ːf] | 名 蓄音器 |

言語

|  |  |  |  |
|---|---|---|---|
| 2923 | lexical | [léksɪkl] | 形 語彙の；辞書の |
| 2924 | syntax | [síntæks] | 名 統語論 |

|  |  |  |
| --- | --- | --- |
| 2925 | **conjugate** [ká:nʤəgèɪt \| kɔ́n-] | 動 〈動詞〉を活用させる<br>名 conjugation 活用 |
| 2926 | **conjunction** [kənʤʌ́ŋkʃən] | 名 接続詞 ► verb (動詞)、pronoun (代名詞) などの品詞名も押さえておこう。 |
| 2927 | **determiner** [dɪtə́:rmənər] | 名 限定詞 ► 名詞の前に付いてその適用範囲を限定する語：冠詞・指示詞など。 |
| 2928 | **semantic** [səmǽntɪk] | 形 意味論の |
| 2929 | **pronunciation** [prənʌ̀nsiéɪʃən] | 名 発音<br>動 pronounce ～を発音する |
| 2930 | **vernacular** [vərnǽkjələr] | 名 日常語、話し言葉 |
| 2931 | **synonym** [sínənɪm] | 名 同義語、類 (義) 語 ►「反意語」は antonym。<br>形 synonymous 同義の、同意語の |

教育

|  |  |  |
| --- | --- | --- |
| 2932 | **faculty** [fǽkəlti] | 名 (大学の) 学部<br>►「教授陣」という意味も重要。 |
| 2933 | **doctoral** [dá:ktərəl \| dɔ́k-] | 形 博士 (号) の |
| 2934 | **academia** [æ̀kədí:miə] | 名 学界；学究生活<br>形 academic 学問の |
| 2935 | **methodology** [mèθədá:ləʤi \| -ɔ́l-] | 名 (芸術・科学などの) 方法論 |
| 2936 | **expertise** [èkspərtí:z \| -pə:tí:z] | 名 専門知識 |
| 2937 | **taxonomy** [tæksá:nəmi \| -ɔ́n-] | 名 分類学 |
| 2938 | **paradigm** [pǽrədàɪm] | 名 (理論などの) 枠組み |
| 2939 | **empirical** [empírɪkl] | 形 (理論ではなく) 実験 [経験] に基づく |
| 2940 | **thesis** [θí:sɪs] | 名 (学位) 論文<br>► 複数形は theses。 |
| 2941 | **terminology** [tə̀:rməná:ləʤi \| -nɔ́l-] | 名 (特定分野の) 専門用語 (の総体)<br>► 個々の専門用語は term。 |
| 2942 | **rhetoric** [rétərɪk] | 名 修辞法 |
| 2943 | **preface** [préfəs] | 名 序文、前書き |
| 2944 | **bibliography** [bìbliá:grəfi \| -ɔ́g-] | 名 参考文献一覧、文献目録 |
| 2945 | **typo** [táɪpoʊ] | 名 誤植、入力ミス<br>► typographic error の短縮形。 |
| 2946 | **dormitory** [dɔ́:rmətɔ̀:ri \| -mɪtəri] | 名 (大学などの) 寮、寄宿舎 |

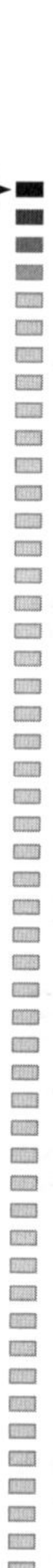

## コラム 語根のイメージをつかむ 3

ここでもいくつかの代表的な語根を取り上げ、それを構成要素とするさまざまな単語の具体例をご紹介します。🔑で取り上げたやさしめの単語を手がかりに、語根のイメージをつかんでください。

### ■ point / poign / punct / pung …「点、刺す」

🔑 appoint（～を指定する）などに含まれる point（点）はそのまま単語として存在するが、ほかにもいろいろな異形がある。

**pung**ent 〈におい・味などが〉刺激の強い
com**punc**tion 良心の呵責、悔恨
**punct**uation 句読点
**poign**ant 心に強く訴える、感動的な

### ■ sail / sal / sult / ult / sil …「跳ねる」

🔑 result（結果）は「跳ね返ってきたもの」が原義。また salmon（サケ）は「跳ねる魚」。

as**sail**able 攻撃できる
ex**ult**ant 大喜びの、歓喜の
re**sil**ient 回復力がある、立ち直りが早い
**sal**ient 顕著な、突出した
de**sult**ory とりとめのない、散漫な

### ■ sed / sess / sid …「座る」

🔑 president（大統領、社長）は「前に座る人」、session（会合、集会）は「座っていること」が原義。

re**side** 〈事物・性質などが〉存在する、備わっている
**sed**entary 〈仕事などが〉座っていることの多い
as**sid**uous 根気強い、勤勉な；入念な
**sed**ate 〈人・態度などが〉落ち着いた、物静かな
in**sid**ious 〈悪事・病気などが〉知らない間に進行する

### ■ sequ / secu / su(e) …「続く」

🔑 consequence（結果）に含まれる sequ。「あとに続くもの」が原義。

en**sue** 続いて起こる
**seque**ster 〈陪審員など〉を隔離する
per**secu**te ～を迫害する
ob**sequ**ious へつらう、卑屈な

### ■ spir / pir …「息をする」

🔑 spirit（精神、霊魂）は「呼吸をするもの」、inspire（〈人〉を感激させる）は「息を吹き込む」が原義。

a**spir**ation 向上心、切望
con**spir**e 共謀する
per**spir**e 発汗する
di**spir**it ～を落胆させる
ex**pir**e 息を引き取る、満期になる
re**spir**e 呼吸する

### ■ vad / wad / vas …「行く」

🔑 invade（～に侵入する）は〈in-（中に）＋ vade（行く）〉という構造の語。

e**vad**e ～を逃れる
per**vas**ive 行き渡る、まん延する
**wad**e 〈水の中を〉歩いて渡る

# 索引

この索引には、本書で取り上げた5,300強の単語と熟語がアルファベット順に掲載されています。数字はページ番号を示しています。薄い数字は、語句が類義語や反意語、派生関係の語などとして収録されていることを表しています。

## 単語

### A

## B

## C

## E

## F

## G

## H



## I

## J



## K



## L

## M

## N



## O

## P

## Q



## R

## S

## T

## U



## V

## W



## Y



## Z

# 熟語

## A



## B



## C



## D



## E



## F

## S



## T



## U



## V



## W



## Z

[編者紹介]

## ロゴポート

語学書を中心に企画・制作を行っている編集者ネットワーク。編集者、翻訳者、ネイティブスピーカーなどから成る。おもな編著に『英語を英語で理解する 英英英単語® 初級編／中級編／上級編／超上級編』、『英語を英語で理解する 英英英単語® TOEIC® L&R テストスコア 800 ／ 990』、『中学英語で読んでみる イラスト英英英単語®』、『英語を英語で理解する 英英英熟語 初級編／中級編』、『最短合格！ 英検®1級／準1級 英作文問題完全制覇』、『最短合格！ 英検®2級 英作文&面接 完全制覇』、『出る順で最短合格！ 英検®1級／準1級 語彙問題完全制覇［改訂版］』(ジャパンタイムズ出版)、『TOEFL® テスト 英語の基本』(アスク出版)、『だれでも正しい音が出せる 英語発音記号「超」入門』(テイエス企画)、『分野別 IELTS 英単語』(オープンゲート) などがある。

カバー・本文デザイン／ DTP 組版：清水裕久 (Pesco Paint)
ナレーション：Peter von Gomm (米) ／ Rachel Walzer (米)
録音・編集：ELEC 録音スタジオ
音声収録時間：約 4 時間 50 分

本書のご感想をお寄せください。
https://jtpublishing.co.jp/contact/comment/

出る順で最短合格！

# 英検® 1 級単熟語 EX [第 2 版]

2023 年 4 月 5 日　初版発行
2024 年 3 月20日　第 4 刷発行

編　者　ジャパンタイムズ出版 英語出版編集部 &ロゴポート

発行者　伊藤秀樹
発行所　株式会社 ジャパンタイムズ出版
〒 102-0082 東京都千代田区一番町 2-2 一番町第二 TG ビル 2F
ウェブサイト　https://jtpublishing.co.jp/
印刷所　日経印刷株式会社


Printed in Japan　ISBN 978-4-7890-1849-4